ALLY CONDIE

INSOUMISE

Traduit de l'anglais (américain)
par Vanessa Rubio-Barreau

GALLIMARD JEUNESSE

Pour Ian,
qui a levé les yeux et entamé l'ascension

∧ VERS LA SOCIÉTÉ

LA PLAINE

LA RIVIÈRE

< VERS LE SOULÈVEMENT

PROVINCES
LOINTAINES

LE LABYRINTHE

EN DEHORS DE LA SOCIÉTÉ

N'entre pas sans violence dans cette bonne nuit
Dylan Thomas*

N'entre pas sans violence dans cette bonne nuit,
Le vieil âge devrait brûler et s'emporter à la chute du jour ;
Rager, s'enrager contre la mort de la lumière.

Bien que les hommes sages à leur fin sachent que l'obscur
est mérité,
Parce que leurs paroles n'ont fourché nul éclair ils
N'entrent pas sans violence dans cette bonne nuit.

Les hommes bons, passée la dernière vague, criant combien
clairs
Leurs actes frêles auraient pu danser en une verte baie
Ragent, s'enragent contre la mort de la lumière.

Les hommes violents qui prirent et chantèrent le soleil en
plein vol,
Et apprennent, trop tard, qu'ils l'ont affligé dans sa course,
N'entrent pas sans violence dans cette bonne nuit.

_____

* *Vision et prière*, traduction d'Alain Suied, in Poésies, Éditions Gallimard, 1991, 2009.

Les hommes graves, près de mourir, qui voient de vue aveuglante
Que leurs yeux aveugles pourraient briller comme météores et s'égayer,
Ragent, s'enragent contre la mort de la lumière.

Et toi, mon père, ici sur la triste élévation
Maudis, bénis-moi à présent avec tes larmes violentes, je t'en prie.
N'entre pas sans violence dans cette bonne nuit.
Rage, enrage contre la mort de la lumière.

Le Passage de la barre*

Le couchant et l'étoile du soir,
Et un appel clair pour moi !
Et puisse-t-il ne pas y avoir un gémissement de la barre
Quand j'appareillerai,

Mais une de ces marées qui, bien qu'en mouvement,
semblent endormies,
Trop grosses pour le bruit et l'écume,
Quand ce qui est sorti de la mer infinie
Regagne sa demeure.

Crépuscule et cloche du soir,
Et après cela, l'obscurité !
Et puisse-t-il ne pas y avoir de tristesse dans l'adieu
Quand j'embarquerai ;

Car même si, au-delà des frontières du Temps et de l'Espace,
Le flot m'emporte bien loin,
J'espère voir mon Pilote face à face
Quand j'aurai franchi la barre.

Lord Alfred Tennyson

* Lord Alfred Tennyson, *Crossing the Bar*, tiré de *Voix d'outre-Manche, cent poésies en langue anglaise, de Sidney à Causley*, traduction de Michel Midan, Éditions L'Harmattan, 2002.

CHAPITRE 1
KY

Je suis debout au milieu d'une rivière. L'eau est bleue. Bleu foncé. Reflet du ciel nocturne.

Je ne bouge pas. Mais l'eau, oui. Elle me pousse, elle chante en se faufilant entre les herbes du rivage.

– Sors de là, ordonne l'Officier en dirigeant sa torche vers moi.

J'argumente, comme si je n'avais pas compris :

– Mais vous avez dit de plonger le corps dans l'eau.

– Je n'ai pas dit que tu devais y aller aussi, réplique-t-il. Laisse-le, maintenant, sors de là. Et ôte-lui sa veste. Il n'en a plus besoin.

Je jette un regard à Vick qui m'a aidé à porter le cadavre. Il n'est pas entré dans l'eau. Il n'est pas du coin, mais dans le camp, tout le monde a entendu dire que les rivières des Provinces lointaines étaient contaminées.

Je tente de le rassurer en murmurant :

– C'est bon.

Officiers et Officiels entretiennent la rumeur : si on a peur des rivières – de celle-ci et de toutes les autres –, personne n'osera boire leur eau ou tenter de les traverser.

Tandis que Vick hésite, je demande à l'Officier :

– On ne prélève pas ses tissus ?

L'eau glacée m'arrive aux genoux. La tête du garçon roule en arrière. Ses yeux ouverts fixent le ciel. Il est mort, il ne voit rien. Mais moi, oui.

Je vois trop de choses. Depuis toujours. Mots et images forment d'étranges associations dans ma tête. Je suis attentif aux moindres détails de ce qui m'entoure. Comme en ce moment. Vick n'est pas un lâche, mais le masque de la peur fige son visage. Les bras du mort pendent mollement, le bout de ses manches est effiloché et les franges trempent dans l'eau. À la demande de l'Officier, nous lui avons déjà ôté ses chaussures. Ses chevilles fines et ses pieds nus, si blancs, luisent entre les mains de Vick tandis qu'il s'approche du bord. Tenant les bottines par les lacets, l'Officier les balance à bout de bras, comme un pendule. De son autre main, il me braque le faisceau rond de sa torche dans les yeux.

Je lui lance la veste. Il est obligé de laisser tomber les chaussures pour l'attraper. Puis je me tourne vers Vick.

– Tu peux le lâcher. Il n'est pas lourd, je m'en occupe.

Mais Vick entre dans l'eau, immergeant les jambes du cadavre. Ses vêtements noirs sont trempés.

– Tu parles d'un Banquet final, remarque Vick, refrénant mal sa fureur. Ne me dis pas qu'il avait choisi la pâtée infecte qu'on a mangée hier soir ! Sinon, il mérite la mort.

Il y a si longtemps que je ne m'autorise plus à exprimer ma colère que j'ai presque oublié ce que ça fait. Quand elle me monte dans la gorge, je la ravale, elle me laisse un goût métallique et amer, comme du papier d'aluminium. Ce garçon est mort par la faute des Officiers. Ils ne lui ont pas donné assez à boire, et il est mort prématurément.

Maintenant, il faut qu'on cache le corps, parce qu'on n'est pas censés mourir dans ce camp de transit. On doit attendre qu'ils nous envoient en mission dans des villages où l'Ennemi se charge de notre cas. Parfois, il y a des ratés.

La Société tient à ce qu'on craigne la mort. Moi, je n'ai pas peur. J'aimerais seulement mourir comme il faut.

– Normal, c'est une Aberration, réplique l'Officier, agacé. Vous le savez bien. Pas de Banquet final, pas de prélèvement. Allez, lâchez-le et sortez de là.

Normal, c'est une Aberration.

En baissant les yeux, je constate que l'eau est devenue noire, comme le ciel. Je n'ai pas envie de le lâcher.

Les citoyens ont droit à un banquet. Ils choisissent le menu de leur dernier repas. On est attentif à leurs derniers mots. On conserve un échantillon de leurs tissus pour leur donner une chance d'accéder à l'immortalité.

Je ne peux rien faire pour le repas, ni pour le prélèvement, mais je peux prononcer quelques mots qui tournent en rond dans ma tête. Je murmure donc ce qui me semble adapté aux circonstances. La mort. La rivière.

Car même si, au-delà des frontières du Temps et de l'Espace,
Le flot m'emporte bien loin,
J'espère voir mon Pilote face à face
Quand j'aurai franchi la barre.

Vick me regarde, surpris.
– Lâche-le, dis-je.
Et, d'un même mouvement, nous le laissons s'enfoncer dans l'eau.

CHAPITRE 2
CASSIA

La terre s'est incrustée sous mes ongles. Mes mains rougissent sous l'eau chaude du lavabo, ça me rappelle Ky. Quand il travaillait au Centre de préparation nutritionnelle.

Forcément, tout me fait penser à lui.

Avec un bout de savon de la couleur de ce mois de novembre, je frotte une dernière fois mes doigts. En fait, j'aime bien la terre. Elle s'insinue dans les moindres plis de ma peau, dessinant une carte dans la paume de ma main. Parfois, la fatigue aidant, je m'imagine que cette carte pourrait me mener à Ky.

Ky est parti.

Tout ça – le camp de travail au milieu de nulle part, les mains sales, les courbatures, l'épuisement –, c'est parce qu'il est parti et que je veux le retrouver. Cette absence, je la ressens si fort que c'est devenu une présence. Un tel manque que, s'il disparaissait, je me retournerais, surprise, pour constater que la pièce est vide, alors qu'avant j'avais au moins quelque chose, pour remplacer Ky.

Dehors, il fait noir. C'est la dernière nuit que nous passons dans ce bungalow avant notre transfert. Et après la prochaine mission, je serai affectée à mon poste de travail définitif. Un vrai poste dans un Centre de classement à Central, la plus grande ville de la Société. Fini de creuser dans la terre. Ces trois derniers mois, ma mission de travail temporaire m'a conduite dans différents camps, mais toujours dans la Province de Tana, ce qui ne m'a pas rapprochée de Ky.

Si je veux fuir pour partir à sa recherche, il faut que je me décide rapidement.

Indie, l'une des filles de mon bungalow, passe devant moi pour accéder au lavabo, dans le coin.

– Tu nous as laissé un peu d'eau chaude, j'espère.

– Oui...

Elle marmonne quelque chose entre ses dents en ouvrant le robinet avant de prendre le savon. Deux ou trois filles font la queue derrière elle. Les autres sont assises au bord de leurs lits superposés, l'air impatient.

C'est le jour des messages.

Je détache avec précaution la pochette passée à ma ceinture. Nous en avons chacune une dont nous ne devons jamais nous séparer. La mienne est pleine de messages. Comme les autres, je les conserve jusqu'à ce qu'ils deviennent illisibles. Le papier est aussi fin que les pétales de néorose que Xander m'a donnés juste avant mon départ et que j'ai également gardés.

En attendant, j'examine mes anciens messages. Les autres font pareil.

Le bord des feuilles jaunit et, ensuite, elles se décomposent rapidement. On doit consommer les mots sur-le-champ, puis oublier. Dans son dernier message, Bram me dit qu'il travaille dur dans les champs, qu'il est bon élève et jamais en retard à l'école – ce qui me fait rire car je suis sûre qu'il n'est pas tout à fait honnête, sur ce point tout du moins. Les larmes me montent aux yeux en lisant qu'il a visionné la microcarte de grand-père, celle qui était dans son écrin doré, au Banquet final.

Un historien raconte la vie de grand-père et, à la fin, il évoque ses meilleurs souvenirs, m'a écrit mon frère. *Un pour chacun de nous. Pour moi, c'était mon premier mot: «Encore.» Et pour toi, c'était ce qu'il appelle «le jour du jardin rouge».*

Je n'ai pas été très attentive au banquet – j'étais concentrée sur le présent, sur les derniers instants de mon grand-père, plutôt que sur son passé. J'ai toujours eu l'intention de revisionner cette microcarte, mais je n'en ai pas eu l'occasion et, maintenant, je le regrette. J'aimerais tant me souvenir de ce fameux « jour du jardin rouge ». J'ai souvent passé la journée sur un banc à discuter avec grand-père, à admirer les boutons prêts à éclore au printemps, les néoroses épanouies en été ou les feuilles mortes en automne, rouges, rouges et rouges encore. Ce doit être à cela qu'il fait référence. Bram a sans doute oublié le pluriel, ce doit être «les jours du jardin rouge», au fil des saisons.

Le message de mes parents est enthousiaste: ils ont appris que ma prochaine mission sera la dernière.

C'est normal qu'ils s'en réjouissent. Ils avaient assez foi en l'amour pour me donner une chance de retrouver Ky, mais ils sont tout de même contents que ça se termine. C'est déjà bien qu'ils m'aient laissée essayer. La plupart des parents n'en auraient pas fait autant.

Je fais défiler les messages, comme un jeu de cartes entre mes mains – ça me fait penser à Ky. Il faudrait que je profite de ce dernier transfert pour rester cachée dans le dirigeable et sauter en plein vol au-dessus des Provinces lointaines.

Quelle serait sa réaction en me voyant au bout de si longtemps? Me reconnaîtrait-il seulement? Je sais que j'ai changé. Et ça ne se réduit pas à mes mains. J'ai beau manger à ma faim, le travail m'a fait maigrir. Et j'ai des cernes sous les yeux, car j'ai du mal à dormir, même si, ici, la Société n'enregistre pas nos rêves. D'ailleurs, ça m'inquiète un peu qu'ils semblent faire si peu cas de nous. Mais je me suis habituée à cette nouvelle liberté, un sommeil sans électrodes. Je garde les yeux ouverts à me repasser d'anciens mots et des mots nouveaux, à revivre le baiser que j'ai échangé avec Ky, un baiser volé à la vigilance de la Société. Pourtant, je préférerais sombrer plus vite dans mes rêves, c'est là que je le vois le mieux.

Car on ne peut pas voir qui on veut quand on veut. Que ce soit dans la vraie vie, sur un port de communication ou une microcarte. Autrefois, la Société autorisait les citoyens à garder sur eux l'image de leurs proches. On pouvait ainsi conserver un souvenir de ceux dont on était séparé par la mort ou la distance. Mais c'est fini depuis bien longtemps. Dorénavant, même les Promis n'ont plus le droit d'échanger leurs photos après leur première rencontre. Le Département de couplage l'a signifié à tous ceux qui font partie du programme. Ce message – que je n'ai pas gardé, bien entendu – précisait qu'ils procédaient à une « rationalisation des procédures de couplage afin d'améliorer leur efficacité et d'obtenir des résultats optimums ».

Je me demande s'il y a eu d'autres erreurs.

Je ferme à nouveau les yeux pour essayer de voir Ky. Mais ces derniers temps, son visage est flou, jamais complet. Je me demande où il est, ce qu'il fait, s'il a gardé le morceau de soie verte que je lui ai donné.

S'il m'a gardée dans son cœur.

Je sors un autre papier de ma pochette, que j'étale avec précaution sur mon lit. Un pétale de néorose tombe sur le matelas, aussi sec et jauni que les messages.

Ma voisine a remarqué ce que j'étais en train de faire. Je descends sur le lit du bas. Les autres filles se pressent autour de moi, comme chaque fois que je sors cette feuille. Je ne risque rien – après tout, il ne s'agit pas d'un document de contrebande. Il sort d'un port de communication tout ce qu'il y a de plus légal. Mais comme nous ne pouvons rien imprimer à part nos messages, il a pris une valeur inestimable à nos yeux.

– Je crois que c'est la dernière fois qu'on peut le regarder, il tombe en miettes.

— Je n'aurais jamais pensé à emporter l'un des Cent Tableaux, remarque Lin en baissant les yeux.

— L'idée n'est pas de moi, c'est quelqu'un qui me l'a donné.

Xander. Le jour où l'on s'est dit au revoir. C'est le tableau numéro 19, *Le Grand Canyon du Colorado* de Thomas Moran. Je l'avais présenté comme mon tableau préféré à l'école et Xander s'en était souvenu. Une œuvre magnifique et légèrement angoissante : un ciel incroyable, un paysage spectaculaire, alternant gouffres et falaises. Cette immensité m'effrayait et, en même temps, j'aurais tellement aimé voir un endroit pareil, avec ses arbustes verts cramponnés à la roche rouge, le contraste entre le ciel bleu et les nuages gris déversant leur pluie, la lumière dorée et l'ombre menaçante dans le lointain.

Xander avait sans doute remarqué l'émotion qui perçait dans ma voix durant cet exposé, et il n'avait pas oublié. C'est un fin stratège. Ce tableau était l'une de ses cartes. Tout comme les pétales de néorose qui le rappelaient à ma mémoire, qui ravivaient le manque, la douleur d'avoir dû laisser derrière moi tout ce qui m'était familier.

J'avais raison. Au moment où j'étale la feuille, elle se déchire. Nous soupirons toutes en chœur, notre souffle fait onduler les fragments de papier. Je propose :

— On pourrait aller le voir sur le port de communication.

Le seul port du camp est dans le bâtiment principal, en plein milieu du hall, exposé à tous les regards.

– Non, fait Indie, il est trop tard.

C'est vrai : nous n'avons pas le droit de sortir de nos bungalows après le dîner.

J'insiste :

– Alors demain, au petit déjeuner.

Haussant les épaules, Indie se détourne. Elle a raison. Je ne sais pas pourquoi, mais ce n'est pas pareil. Au début, je pensais que c'était le fait de posséder cette reproduction rien que pour moi qui faisait la différence ; mais non. C'est la possibilité de la contempler sans être surveillée, sans qu'on guide mon regard. Un peu de liberté, voilà ce que cette reproduction nous a offert.

Avant de venir ici, je n'avais jamais pensé à emporter avec moi des images ou des poèmes. Nous avions des quantités de chefs-d'œuvre soigneusement sélectionnés à notre disposition et nous n'y prêtions jamais attention. Comment avais-je pu ignorer ce vert si tendre qu'on sentait presque la douceur de la feuille, sa texture légèrement poisseuse, comme des ailes de papillon qui s'ouvrent pour la première fois ?

D'un revers de main, Indie balaie les morceaux de papier de mon lit. Sans même regarder. Elle tenait tellement à ce tableau…

Les yeux pleins de larmes, je les porte jusqu'à l'incinérateur.

Il te reste d'autres souvenirs, sous les papiers et les pétales. Ton étui à pilules. Ton écrin en argent du Banquet de couplage. La boussole de Ky. Les comprimés bleus de Xander.

D'habitude, je ne range pas la boussole et les comprimés dans ma pochette. C'est trop précieux. Je ne sais pas si les Officiers fouillent nos affaires, mais je suis sûre que les autres filles ne se gênent pas.

Alors, chaque fois que j'arrive dans un nouveau camp, je sors la boussole et les comprimés pour les enterrer bien profond et revenir les chercher plus tard. Ce sont des objets non seulement illégaux, mais également de grande valeur : la boussole, dorée et étincelante, peut m'aider à m'orienter. Et la Société nous a toujours dit que, avec un peu d'eau et un comprimé bleu, on pouvait survivre quelques jours. Xander en a volé des plaquettes entières pour moi. J'ai tout ce qu'il faut pour mon expédition.

Il faudrait juste que j'atteigne les Provinces lointaines.

La veille des transferts, comme ce soir, je dois retrouver où je les ai cachés. J'ai toujours peur d'avoir oublié. Ce soir, je suis rentrée la dernière, les ongles noirs de terre. C'est pour ça que j'ai filé au lavabo me laver. Pourvu qu'Indie n'ait pas remarqué – dans ce coin du champ, la terre n'a pas exactement la même couleur que là où nous travaillons. Pourvu que personne n'entende l'écrin en argent, la boussole et l'étui à pilule s'entrechoquer, doux carillon plein d'espoir.

Dans les camps, je fais en sorte que les autres ignorent mon statut de citoyenne. En général, la Société n'ébruite pas ce genre de données, mais j'ai entendu certaines filles raconter qu'elles avaient dû rendre leur étui à pilules, ce qui signifie que – par leur faute ou celle de leurs parents – elles ont été déclassées. Ce sont des Aberrations, comme Ky.

Il n'y a qu'une seule classe en dessous : les Anomalies. Mais on n'en entend rarement parler, comme s'il n'y en avait plus. Maintenant, c'est comme si les Aberrations avaient pris leur place – tout du moins dans l'esprit des gens.

Comme à Oria je n'avais jamais entendu parler des règles de déclassement, j'ai longtemps craint de causer du tort à ma famille. Mais d'après l'histoire de Ky et celles des filles que j'ai croisées, j'ai reconstitué ces règles : si l'un des parents est déclassé, le changement de statut s'étend à sa descendance. Mais si c'est un enfant qui change de classe, cela n'affecte pas le reste de la famille. Seul l'enfant subit les conséquences de l'Infraction qu'il a commise.

Ky a été déclassé à cause de son père. Puis il a été transféré à Oria à la mort du premier fils des Markham. Je me rends compte maintenant à quel point son cas était exceptionnel. S'il a pu quitter les Provinces lointaines, c'est uniquement à cause du drame terrible qui a frappé Patrick et Aida. Ils devaient d'ailleurs être très haut placés dans la hiérarchie de la Société pour avoir pu bénéficier d'une telle faveur. Je me demande ce qu'ils sont devenus. J'en ai la chair de poule rien que d'y penser.

Enfin, l'essentiel, c'est que ma décision de partir retrouver Ky ne portera pas préjudice à ma famille. Moi seule risque d'être déclassée.

Je m'accroche à cette pensée : où que j'aille et quoi que je fasse, ni mes parents, ni Bram, ni Xander n'en pâtiront.

– Distribution des messages, annonce l'Officière en entrant dans la pièce.

C'est celle qui a une voix sèche, mais des yeux chaleureux. Après nous avoir saluées d'un bref hochement de tête, elle lit sa liste :

– Mira Waring.

Celle-ci s'avance sous nos regards curieux. Elle a reçu trois messages, comme d'habitude. L'Officière les imprime et les lit avant de venir nous les donner pour nous éviter de faire la queue devant le port.

Il n'y en a pas pour Indie.

Et un seul pour moi, de mes parents et de Bram. C'est la première fois que Xander ne m'écrit pas.

Que lui est-il arrivé ? Ma main se crispe sur ma pochette avec un bruit de papier froissé.

– Cassia, reprend l'Officière, suis-moi jusqu'au bâtiment principal. Nous avons quelque chose à te dire.

Les autres filles me fixent, stupéfaites.

Un frisson me parcourt. Je sais ce que c'est. Sûrement mon Officielle qui veut me parler sur le port de communication.

Son visage, son air glacial, ses traits durs, je les vois bien trop nettement dans ma tête.

Je n'ai aucune envie d'y aller.

– Cassia, répète l'Officière.

Avec un dernier regard aux filles, à ce bungalow qui me paraît soudain chaud et douillet, je me lève pour la suivre. Elle me conduit jusqu'au bâtiment principal, puis jusqu'au port de communication. Je l'entends bourdonner de l'autre bout de la pièce.

Je garde les yeux baissés un moment, histoire de me préparer. *Prends l'air détaché. Attention à tes mains, à tes yeux. Regarde-la bien en face pour qu'elle ne puisse pas voir en toi.*

– Cassia...

Cette voix, je la connais.

Je relève la tête. Je n'en crois pas mes yeux.

Il est là.

L'écran du port est noir. Il est là devant moi. En chair et en os.

Il est là.

Entier. Sain et sauf.

Devant moi.

Pas seul – un Officiel se tient derrière lui – mais, quand même, il est...

Là.

J'enfouis mon visage dans mes mains rougies. C'est trop...

– Xander...

CHAPITRE 3
KY

Cela fait un mois et demi que nous avons mis le corps de ce garçon dans l'eau. Je suis à plat ventre dans la terre, sous le feu nourri qui tombe du ciel.

« C'est une chanson. » Je me répète ça à chaque fois. Les détonations font les basses; les cris, les voix de soprano; ma peur, celle du ténor. Tout cela forme une musique.

« N'essaie pas de fuir. » C'est ce que je leur dis, mais les nouveaux appâts ne m'écoutent pas. Ils croient ce que la Société leur a promis en les amenant ici: « Après votre mission de six mois dans les villages, on reviendra vous chercher et on vous rendra votre statut de citoyen. »

Sauf que personne ne tient six mois.

Quand je me relèverai, il y aura des bâtiments noircis et des buissons couverts de cendres tout autour de moi. Des corps brûlés, mutilés gisant sur la terre orangée.

La chanson s'interrompt. Mince! Les dirigeables arrivent. Je sais ce qu'ils visent.

Tôt ce matin, j'ai entendu des pas crisser sur le sol gelé. Je ne me suis pas retourné pour voir qui me suivait jusqu'à l'autre bout du village.

– Qu'est-ce que tu fais ?

C'était une voix que je ne connaissais pas, mais ça n'avait rien d'étonnant. Ils envoient sans arrêt de nouveaux appâts dans les villages. Nous tombons comme des mouches, ces derniers temps. Notre espérance de vie réduit à vue d'œil.

Je savais, avant même qu'ils me mettent dans le train à Oria, que la Société n'avait pas l'intention de nous faire combattre. Ils possèdent des technologies de pointe et des Officiers entraînés uniquement dans ce but. Et qui ne sont ni des Aberrations ni des Anomalies.

Ce dont la Société a besoin, ce sont des corps. Voilà ce que nous sommes pour eux. De faux villageois, des appâts. Ils nous déplacent selon l'endroit où ils veulent attirer l'Ennemi. Afin de donner l'impression que les Provinces lointaines sont encore habitées et prospères, alors que je n'y ai croisé personne d'autre que nous. Tombés du ciel avec juste assez de provisions pour survivre jusqu'à ce que l'Ennemi nous tue.

Personne ne revient jamais.

À part moi. Je suis revenu où je suis né. Ici, c'est chez moi.

– La neige, ai-je expliqué au nouvel appât. Je regarde la neige.

– Il ne neige jamais par ici, s'est-il esclaffé.

Je n'ai pas répondu, les yeux rivés sur le sommet du plateau le plus proche. C'est un curieux spectacle, la neige blanche sur la roche rouge. Et quand elle fond, elle passe de blanche à transparente, irisée comme un arc-en-ciel. Je suis déjà monté là-haut quand la neige tombe. C'est beau, ce duvet blanc sur les plantes rabougries par l'hiver.

Dans mon dos, je l'ai entendu faire volte-face et repartir en courant vers le camp.

– Regardez là-haut ! a-t-il crié.

Les autres ont commencé à s'agiter et à s'extasier.

– On monte voir la neige, Ky ! a annoncé un gars un instant plus tard. Tu viens ?

– Vous n'arriverez jamais à temps. Elle fond trop vite.

Mais personne ne m'a écouté. Les Officiels font en sorte qu'on ait toujours soif et le peu d'eau que contiennent nos gourdes a un goût bizarre. La rivière la plus proche est contaminée et il pleut rarement.

Une gorgée d'eau bien fraîche. C'est ce qui les motivait.

– Tu es sûr ? a insisté l'un des gars en se retournant vers moi.

J'ai acquiescé à nouveau.

– Tu viens, Vick ? a demandé un autre.

Celui-ci s'est levé, la main en visière au-dessus de ses yeux bleu dur, et a craché dans un buisson gelé.

– Non, Ky a raison. Elle aura fondu avant qu'on soit en haut. Et puis on a des tombes à creuser.

– Tu veux toujours qu'on creuse, s'est plaint l'un des

appâts. Alors que la Société nous a demandé de nous faire passer pour des fermiers.

Il avait raison. On est censés laisser les corps où ils sont et utiliser les pelles et les semences qu'on trouve dans les maisons pour faire des plantations. D'après certains, c'est ce qu'ils font dans les autres villages. Ils laissent les cadavres bien en vue pour la Société, l'Ennemi ou n'importe quel prédateur qui en voudrait.

Mais Vick et moi, nous les enterrons. On a commencé avec le garçon de la rivière et, jusqu'à présent, personne ne nous a arrêtés.

Vick a laissé échapper un petit rire froid. En l'absence de tout Officier ou Officiel, il s'est imposé comme chef et, parfois, les autres oublient qu'en réalité il n'a aucun pouvoir au sein de la Société. Et qu'il est classé Aberration.

– Je ne vous oblige à rien. Et Ky non plus. Vous savez qui est aux commandes, et si vous voulez prendre le risque de monter là-haut, je ne vous en empêcherai pas.

Ils ont entrepris de gravir le plateau alors que le soleil s'élevait dans le ciel. Je les ai suivis un moment des yeux. Dans leurs tenues noires, à cette distance, ils avaient l'air de fourmis grouillant sur une motte de terre. Puis je me suis remis au travail, à creuser des trous pour ceux qui étaient morts la nuit d'avant.

Vick et les autres étaient à côté de moi. Nous avions sept tombes à creuser. Sept sur cent. Ce n'était pas beaucoup, vu l'intensité de l'attaque.

Je tournais le dos au plateau pour ne pas voir la neige

qui fondait plus vite qu'ils ne montaient. Ils perdaient leur temps.

C'est aussi une perte de temps de penser aux gens qui ne sont plus là. Et vu le train où vont les choses par ici, je n'ai pas de temps à perdre.

Mais je ne peux pas faire autrement.

Quand je suis arrivé dans le quartier des Érables, le premier soir, j'ai regardé par la fenêtre de ma nouvelle chambre : tout me semblait si étrange, si différent de ce que je connaissais, que j'ai tiré le rideau. Aida est alors arrivée. Elle ressemblait tellement à ma mère que ça m'a apaisé.

Elle m'a tendu la boussole dans sa paume ouverte.

– Nos parents n'avaient qu'une seule relique pour deux filles. Ta mère et moi, nous étions convenues de la garder chacune notre tour, alors comme elle n'est plus là...

Elle me l'a mise dans la main.

– Nous partagions une relique. Maintenant, nous partageons un fils. Elle est pour toi.

– Mais je ne peux pas accepter, ai-je répondu. Je suis classé Aberration. Nous n'avons pas le droit de posséder ce genre de choses.

– Peu importe. Elle est à toi.

Plus tard, je l'ai confiée à Cassia. En échange, elle m'a donné son morceau de soie verte. Je savais qu'ils me le prendraient un jour ou l'autre. Je savais que je ne pourrais pas le garder. C'est pour ça que, quand nous sommes redescendus de la Colline, le dernier jour, je me suis arrêté afin de l'attacher à un arbre. Vite, pour qu'elle ne s'en aperçoive pas.

J'aime penser à ce morceau de soie qui flotte là-haut, qu'il pleuve ou qu'il vente.

Parce qu'on ne peut pas toujours choisir ce qu'on garde. Mais on peut choisir la façon dont on s'en sépare.

Cassia.

J'ai pensé à elle quand j'ai vu la neige pour la première fois. Je me suis dit *On pourrait monter là-haut. Même si tout a fondu. On s'assiérait pour écrire dans le sable mouillé. Mais tu es partie.*

Puis je me suis souvenu *Ce n'est pas toi qui es partie. C'est moi.*

Un pied vient se poser au bord de la tombe. Au nombre d'entailles dans la semelle – un truc qu'on fait pour compter les jours –, je peux deviner de qui il s'agit. C'est le seul à en avoir autant que moi, personne d'autre n'a survécu aussi longtemps.

– Tu n'es pas mort, constate Vick.

– Non.

Je me hisse hors du trou, crachant la terre que j'ai avalée malgré moi, puis je reprends ma pelle.

Vick creuse à côté de moi. Nous n'évoquons même pas ceux que nous ne pourrons pas enterrer aujourd'hui. Ceux qui ont essayé de grimper sur le plateau.

En rentrant au village, j'entends les appâts s'interpeller :

– On a trois morts ici !

Puis ils s'interrompent en levant les yeux.

Aucun de ceux qui sont montés là-haut ne redescen-
dra. Je me surprends à espérer l'impossible, qu'au moins
ils aient eu le temps d'étancher leur soif avant l'attaque.
Qu'ils aient eu la bouche pleine de neige propre et fraîche
quand ils sont morts.

CHAPITRE 4
CASSIA

Xander, là, devant moi. Avec ses cheveux blonds, ses yeux bleus, son sourire si chaleureux que je me jette à son cou avant même que l'Officiel ne nous y autorise.

– Cassia, dit-il sans attendre non plus.

Il me prend dans ses bras et nous nous serrons fort. Je ne peux pas m'empêcher d'enfouir mon visage contre son torse, pour sentir son odeur, l'odeur de chez nous.

– Tu m'as manqué, me dit-il.

Sa voix me semble plus grave. Il paraît plus costaud. C'est tellement bon d'être là avec lui que je le prends par le menton pour l'embrasser sur la joue, juste au coin des lèvres. Quand je relâche mon étreinte, nous avons tous les deux les larmes aux yeux. Quel étrange spectacle, Xander qui pleure !

– Toi aussi, tu m'as manqué, je réponds tout en me demandant quelle part il tenait dans le vide de mon cœur.

Dans son dos, l'Officiel sourit. Nos retrouvailles sont parfaites à tout point de vue. Il recule d'un pas, discrètement, soucieux de nous laisser un peu d'intimité, avant de taper sur son infopod. Sans doute quelque chose du genre : « Les deux sujets ont exprimé des réactions appropriées à la vue l'un de l'autre. »

– Qu'est-ce que tu fais là ?

Je suis contente qu'il soit venu, mais c'est presque trop. Mon Officielle tente-t-elle encore de me tester ?

– Cinq mois après leur Banquet de couplage, tous les Promis et les Promises peuvent enfin se voir en chair et en os. Le Département n'a pas encore remis ce droit en cause, ajoute-t-il avec un petit sourire triste. Je leur ai fait remarquer que, comme nous n'habitons plus le même quartier, ce serait normal que nous aussi, nous puissions passer un moment ensemble. Et, en général, la rencontre se déroule à l'endroit où vit la Promise.

Il ne dit pas « chez la Promise ». Il a raison. Je vis ici. Mais ce n'est pas chez moi. Chez moi, c'est peut-être Oria, parce qu'il y a Xander et Em... et parce que j'y suis née. Ou bien Keya car, même si je n'y ai jamais vécu, mes parents y habitent avec Bram, maintenant.

Et dans mon cœur, l'endroit où vit Ky, c'est un peu chez moi, même si je ne sais pas où il se trouve.

Xander me prend la main.

– On a le droit de sortir. Si tu en as envie, bien sûr.

– Et comment !

Je ris, c'est plus fort que moi. Il y a un quart d'heure, je me sentais si seule devant ce lavabo à me frotter les mains encore et encore, et soudain Xander est là. Comme si, en voyant de la lumière dans une maison, j'essayais de refouler mon chagrin et que, tout à coup, je me retrouvais dans le salon chaud et douillet, sans même avoir eu besoin de frapper à la porte.

L'Officiel nous accompagne à la porte. Ce n'est pas celui qui nous avait escortés lors de notre première soirée. Puisqu'on se connaissait déjà, on nous avait accordé une sortie spéciale, à la place de l'habituel face-à-face *via* le port de communication. Notre chaperon était jeune, celui-ci aussi, cependant il a l'air moins froid. En voyant que je le regarde, il incline la tête, un simple salut, poli, formel, mais néanmoins sympathique.

– Les Promis n'ont plus d'Officiel attitré, nous informe-t-il. Pour des questions d'efficacité.

– Il est un peu tard pour prévoir un dîner, remarque Xander, mais on pourrait faire un tour en ville. Où aimerais-tu aller ?

– Je ne sais même pas ce qu'il y a là-bas.

Je suis arrivée par l'aérotrain longue distance et j'ai marché jusqu'au véhicule qui nous a amenées ici, mais mes souvenirs sont flous : des arbres presque nus se détachant sur le ciel avec leurs rares feuilles rouge et doré. Et encore, je ne suis même pas sûre que c'était pour venir dans ce camp-ci. Ce devait être au début de l'automne, les feuilles étaient encore si vives.

– Les infrastructures ont des capacités réduites, explique

Xander, mais elles proposent les mêmes activités que dans notre quartier : auditorium, salle de jeux, projections...

Une projection. Ça fait tellement longtemps... J'ouvre la bouche pour répondre. Je m'imagine dans la salle, le cœur battant. Les lumières s'éteignent, j'attends que l'écran s'illumine. Mais tout ce que je vois, ce sont les images des bombardements. Ky en larmes lorsque les lumières se rallument... Alors un autre souvenir me revient en mémoire.

– Il y a un musée ?

Une étincelle brille dans les yeux de Xander. Amusement ? Surprise ? Je ne saurais l'interpréter. Je me penche plus près. Habituellement, je lis en lui comme dans un livre ouvert. Un livre que j'adore lire et relire. Mais cette fois, je n'arrive pas à savoir ce qu'il pense.

– Oui.

– J'aimerais y aller. Enfin, si tu veux bien.

Il hoche la tête.

Il faut marcher un peu pour gagner le centre-ville. On sent qu'on est à la campagne : une odeur de feu de bois et de pommes à cidre flotte dans l'air frais. Une bouffée d'affection pour cet endroit me submerge. Xander a le don de magnifier tout ce qu'il approche, personnes ou lieux. J'ai un pincement au cœur en pensant à ce qui aurait pu être. Mais lorsqu'il se tourne vers moi, dans la lumière chaude d'un réverbère, j'en ai le souffle coupé. Dans ses yeux, je lis qu'il pense à ce qui pourrait encore être.

En découvrant ce petit musée de plain-pied, ma gorge se serre. Il est minuscule. Ce n'est sans doute pas du tout comme à Oria.

– On ferme dans une demi-heure, annonce la personne à l'accueil.

Il paraît aussi fatigué que son uniforme élimé et défraîchi. On dirait qu'il s'effiloche. Il pose un infopod sur le comptoir.

– Entrez-y vos noms, s'il vous plaît.

L'Officiel s'exécute le premier. Vu de plus près, il a le même regard exténué que l'homme derrière le comptoir, alors qu'il est nettement plus jeune.

– Merci, dis-je en rendant l'infopod à l'employé du musée.

– Nous n'avons pas grand-chose en exposition, s'excuse-t-il.

– Ce n'est pas grave.

Je me demande si notre Officiel trouve mon choix étrange. Mais, à ma grande surprise, lorsque nous entrons dans la salle, il s'écarte aussitôt, comme pour nous laisser discuter tranquillement. Il se penche vers une vitrine, les mains dans le dos, dans une posture très distinguée et naturelle. Un bon Officiel. Gentil. Je sais qu'il y en a. C'était le cas de mon grand-père, par exemple.

Je suis soulagée de repérer presque immédiatement ce que je cherche : une carte de la Société occupe le mur central, sous verre. Je propose :

– Tiens, si on allait voir ?

Xander acquiesce.

Pendant que je déchiffre les noms des fleuves, villes et Provinces, il s'agite à mes côtés, passe une main dans ses cheveux. Contrairement à Ky, qui dans ce genre de situation serait presque immobile, Xander est toujours en mouvement. Des gestes assurés, vifs. C'est un atout lorsqu'il joue : la manière dont il hausse les sourcils, sourit, déploie son jeu.

– Cette carte n'a pas été mise à jour depuis longtemps, fait une voix derrière nous.

Je sursaute. C'est l'homme de l'accueil. Je regarde autour de moi, cherchant un autre employé.

Il esquisse un sourire las.

– Les autres sont dans la réserve, ils préparent la fermeture. Si vous voulez savoir quelque chose, c'est à moi qu'il faut s'adresser.

Je jette un coup d'œil à notre Officiel. Il est toujours à l'entrée, visiblement captivé par ce qui se trouve dans la vitrine. Je me tourne vers Xander pour tenter de lui envoyer un message par la pensée. *S'il te plaît.*

J'ai d'abord l'impression qu'il ne comprend pas. Ou qu'il n'a pas envie de comprendre. Ses doigts se resserrent autour des miens, son regard se fait plus dur, sa mâchoire se crispe. Puis son expression s'adoucit et il hoche la tête.

– Fais vite, murmure-t-il avant de me lâcher pour rejoindre l'Officiel à l'entrée.

Il faut au moins que j'essaie, même si j'ai peu d'espoir que cet homme en bout de course possède la réponse à mes questions.

— J'aimerais en savoir davantage sur la Glorieuse Histoire de la Province de Tana.

Silence.

L'homme prend une profonde inspiration avant de débiter platement :

— La Province de Tana est renommée pour ses beaux paysages et son agriculture florissante.

Il n'est pas au courant. Quelle déception ! Quand nous étions encore à Oria, Ky m'a appris que les poèmes que m'avait donnés mon grand-père pouvaient avoir de la valeur. Il m'a également confié que poser des questions sur l'histoire de la Province est un moyen d'entrer en contact avec les Archivistes pour faire du troc. J'espérais que cela fonctionnerait ici aussi. C'était idiot de ma part. Si ça se trouve, il n'y a pas d'Archivistes à Tana et, si jamais il y en avait, ils ont sûrement mieux à faire que de traîner dans ce petit musée poussiéreux à l'heure de la fermeture.

L'homme poursuit·

— Avant la Société, la Province était parfois inondée, mais ces phénomènes ont été maîtrisés depuis des années. Nous sommes l'une des Provinces les plus productives en matière d'agriculture.

Je fixe la carte devant moi. J'avais déjà essayé de faire du troc et ça n'avait pas fonctionné non plus. Mais la première fois, c'était parce que je refusais de donner le poème que seul Ky et moi connaissions.

Je m'aperçois soudain que l'homme a arrêté de parler. Il me regarde droit dans les yeux en demandant :

– Autre chose ?

Visiblement, il ne sait rien. Je ferais mieux d'abandonner. De sourire et de retourner voir Xander en oubliant tout ça. Bizarrement, je pense tout à coup à ces dernières feuilles rouges qui tiennent bon envers et contre tout, cramponnées à leur branche. Dans un souffle, je dis :

– Oui...

Grand-père m'a donné deux poèmes. Ky et moi, nous adorions celui de Dylan Thomas. Mais il y en avait un autre, qui me revient maintenant. Je ne me rappelle pas ce poème de Tennyson en entier. Une seule strophe résonne dans ma tête, peut-être parce que l'homme vient de parler d'inondations.

Car même si, au-delà des frontières du Temps et de l'Espace,
Le flot m'emporte bien loin,
J'espère voir mon Pilote face à face
Quand j'aurai franchi la barre.

En entendant ces vers, l'homme change d'expression. Son visage s'anime, une lueur d'intelligence brille dans ses yeux. J'ai dû le réciter correctement.

– C'est un poème intéressant, déclare-t-il, mais je ne pense pas qu'il fasse partie de la liste des Cent.

– Non, avoué-je d'une voix tremblante, agitée d'un fol espoir, mais il vaut quand même quelque chose.

– Je crains bien que non, à moins que vous ne soyez en possession de l'original.

– Il a été détruit.

Je l'ai détruit. Je revois la feuille flotter au vent avant de tomber dans les tubes d'incinération du chantier de restauration.

– Désolé, fait-il d'un ton sincère. Contre quoi souhaitiez-vous l'échanger ?

Je désigne les Provinces lointaines sur la carte.

– Je sais qu'ils emmènent les Aberrations là-bas. J'aimerais savoir où exactement et comment je peux m'y rendre. Il me faudrait un plan.

Il secoue la tête. Non.

Je ne comprends pas s'il ne peut pas me le dire ou s'il ne veut pas. J'insiste :

– J'ai autre chose.

Je me penche légèrement de sorte que ni Xander ni l'Officiel ne puissent voir mes mains. Je fouille dans ma pochette. Je sens sous mes doigts la plaquette de comprimés bleus et la surface polie de la boussole. *Que vaut-il mieux échanger ?*

Je ne sais pas. Ça me rappelle le jour où j'ai dû classer les employés du Centre de préparation nutritionnelle. Y compris Ky. La vapeur, la sueur, ce choix impossible à faire… je me sens terriblement oppressée.

Concentre-toi. Je jette un coup d'œil à Xander par-dessus mon épaule. Je croise son regard bleu un instant avant qu'il se retourne vers l'Officiel. Je revois Ky qui me fixe du quai de l'aérotrain alors qu'ils l'emmènent. Le temps presse, je panique.

Il faut que je me décide. Je sors un objet de ma pochette pour le montrer à l'homme en m'efforçant de maîtriser le tremblement de mes mains, de me convaincre que ce n'est pas grave, que je peux m'en séparer.

Il acquiesce avec un sourire.

– Oui, ça, ça vaut quelque chose. Mais il me faut quelques jours, voire quelques semaines pour dénicher ce que vous me demandez.

– J'en ai besoin ce soir.

Avant que j'aie pu ajouter quoi que ce soit, l'homme prend l'objet que je lui tends, laissant ma paume vide.

– Où allez-vous ensuite ?

– À l'auditorium.

– Regardez sous votre siège en partant, me chuchote-t-il. Je vais faire de mon mieux.

Au-dessus de nous, les lumières s'éteignent. Tout comme ses yeux. Puis reprenant sa voix morne, il annonce :

– On ferme. Vous devez quitter les lieux.

Pendant la diffusion du concert, Xander se penche vers moi.

– Tu as obtenu ce que tu voulais ?

Son souffle me chatouille la nuque.

À côté de lui, l'Officiel regarde droit devant lui. Il tapote son accoudoir au rythme de la musique.

– Je ne sais pas encore.

L'Archiviste m'a dit de regarder sous mon siège en partant, pas avant. Difficile de résister à la tentation.

– En tout cas, merci pour ton aide.

– C'est tout naturel.

– Je sais, c'est tout toi.

Il est toujours là pour m'aider : c'est lui qui m'a offert le tableau, les comprimés bleus… même la boussole de Ky. Il m'a aidée à la cacher le jour où les Officiels ont confisqué les Reliques.

– Et encore, tu ne sais pas tout, reprend-il avec un sourire mystérieux.

Je baisse la tête vers nos doigts entrelacés. Son pouce qui me caresse doucement la main. Puis je plonge mes yeux dans les siens. Il sourit toujours, mais son expression est grave.

– Non, je sais.

Il ne me lâche pas. Je ne le lâche pas. La musique de la Société a beau continuer à jouer autour de nous, nos pensées nous appartiennent.

En me levant, je passe la main sous mon siège. J'y trouve une feuille pliée en quatre que je décoince facilement. Luttant contre l'envie de l'ouvrir immédiatement, je la glisse dans ma poche. J'ai hâte de voir, de savoir ce que j'ai obtenu en échange.

L'Officiel nous escorte jusqu'au bâtiment principal du camp. En entrant, il jette un regard circulaire aux longues tables alignées et à l'unique port de communication. Lorsqu'il se retourne vers moi, je crois voir dans ses yeux une lueur de pitié. Je me redresse de toute ma taille.

– Vous avez dix minutes pour vous dire au revoir, nous informe-t-il.

Sa voix me semble plus dure maintenant que nous sommes de retour au camp. Il sort son infopod en adressant un signe à l'Officier chargé de me raccompagner dans mon bungalow.

Xander et moi, nous prenons une profonde inspiration exactement en même temps, ce qui nous fait rire. C'est drôle d'entendre nos rires résonner dans cette grande pièce presque vide.

Désignant l'Officiel du menton, je demande :

– Qu'est-ce qu'il a admiré pendant tout ce temps ?

– Une vitrine sur l'histoire du couplage.

D'après le regard entendu de Xander, je devrais en déduire quelque chose, mais je ne comprends pas. Je n'ai pas prêté assez attention à cet Officiel.

– Neuf minutes, lance-t-il sans même lever la tête.

– J'ai encore du mal à croire qu'ils t'aient autorisé à venir. En tout cas, ça m'a fait vraiment plaisir.

– C'était l'occasion ou jamais. Puisque je quitte Oria pour me rendre à Camas, la Province de Tana était sur mon chemin.

– *Quoi ?*

Je sursaute presque. Il s'agit d'une des Provinces frontalières, juste avant les Provinces lointaines. Je n'en reviens pas.

J'adore contempler les étoiles, mais je ne sais pas m'orienter par rapport au ciel. Mes repères, ce sont les gens : Xander, un point sur la carte ; mes parents, un autre point ; Ky, le but de mon voyage. Si Xander se déplace, toute ma géographie personnelle en est bouleversée.

– J'ai reçu mon affectation finale, m'annonce-t-il. À Central, comme toi. Mais ils tiennent à ce que je fasse un stage dans les Provinces frontalières avant.

– Pourquoi ?

Il me répond d'un ton neutre :

– Parce qu'il n'y a que là-bas que je pourrai apprendre certaines choses.

– Et ensuite, tu t'installeras à Central ?

Ça me semble logique, juste, normal que Xander soit affecté à Central. Normal qu'il vive dans la capitale de la Société. Normal qu'ils aient décelé son potentiel et qu'ils l'envoient là-bas.

– Alors tu pars pour de bon ?

Soudain, la colère assombrit son visage.

– As-tu la moindre idée de ce que ça fait d'être quitté ?

Piquée au vif, je réplique :

– Bien sûr.

– Non. Ky a été emmené de force, il ne voulait pas partir. Tu ne sais pas ce que c'est d'être quitté volontairement.

– Je n'ai pas choisi de partir. Nous avons été relogés.

Xander soupire.

– Tu ne comprends toujours pas. Tu m'as quitté bien avant de quitter Oria.

Il jette un coup d'œil à l'Officiel avant de me fixer de son regard bleu profond, grave.

49

Il a changé depuis la dernière fois. Il s'est endurci. Il est plus prudent.

Un peu comme Ky.

Je comprends ce qu'il veut dire. De son point de vue, je l'ai quitté quand j'ai choisi Ky.

Il baisse la tête vers nos mains, toujours enlacées.

Je suis son regard. Il a des mains musclées, aux articulations noueuses. Il ne sait pas écrire avec, mais quand il joue, ses gestes sont vifs et précis. Ce n'est pas Ky, mais c'est quelqu'un que j'aime. Je me cramponne à lui comme si je ne voulais plus jamais le lâcher.

Il fait froid dans cette salle, je frissonne. Comment appelle-t-on cette saison ? La fin de l'automne ? Le début de l'hiver ? Difficile à dire. La Société, en créant des espèces extrêmement résistantes, a brouillé les limites entre les saisons, entre la période où l'on plante, puis on récolte et celle où on doit laisser la terre se reposer. Xander me reprend sa main et se penche vers moi, les yeux dans les miens. Je me surprends à regarder ses lèvres, me remémorant le baiser que nous avons échangé à Oria, ce baiser tendre et innocent avant que tout change. Je pense qu'aujourd'hui on ne s'embrasserait plus de la même façon, lui et moi.

Dans un murmure, douce caresse au creux du cou, il me demande :

– Tu as toujours l'intention de le rejoindre dans les Provinces lointaines ?

Je souffle ma réponse :

– Oui.

L'Officiel nous signale qu'il ne nous reste plus que quelques minutes.

Xander s'efforce de sourire, de reprendre d'un ton léger :

– C'est vraiment ce que tu veux ? Tu veux Ky à tout prix ?

J'imagine les notes que l'Officiel prend sur son infopod : « La Promise a montré des signes d'agitation lorsque le Promis lui a annoncé son départ pour Camas. Il s'est révélé incapable de la consoler. »

– Non, pas à n'importe quel prix.

Il retient son souffle.

– Alors jusqu'où iras-tu ? Qu'est-ce que tu n'es pas prête à sacrifier ?

J'avale ma salive.

– Ma famille.

– Mais moi, oui ? Tu veux bien renoncer à moi.

Sa mâchoire se crispe et il détourne les yeux.

J'ai envie de lui dire : « Regarde. Regarde-moi. Tu ne comprends pas que je t'aime aussi ? Nous sommes amis depuis toujours. Nous sommes toujours promis l'un à l'autre d'une certaine façon. »

Je réponds d'une voix douce :

– Non. Non, je ne te laisse pas tomber. Regarde.

Je prends le risque. J'ouvre ma pochette pour lui montrer ce que j'ai gardé. Les comprimés bleus. Même s'il me les a donnés pour que j'aille retrouver Ky, c'est *son* cadeau.

Il écarquille les yeux.

– Tu as troqué la boussole de Ky ?

– Oui.

Xander sourit. Un sourire où se mêlent la joie et la malice. Je l'ai surpris. Je me suis surprise moi-même. Mes sentiments pour Xander sont peut-être plus complexes que je ne l'aurais cru.

Néanmoins, c'est Ky que je veux retrouver.

– C'est l'heure, annonce l'Officiel.

Il se tourne vers moi.

D'une voix étranglée, je murmure :

– Au revoir, Xander.

– Pas tout de suite, dit-il en se penchant pour m'embrasser juste au coin des lèvres.

Il suffirait que l'un de nous bouge un tout petit peu, et rien ne serait plus pareil.

CHAPITRE 5
KY

Avec Vick, nous soulevons l'un des corps pour le porter jusqu'à une tombe. Je récite les mots avec lesquels j'accompagne dorénavant tous les morts :

Car même si, au-delà des frontières du Temps et de l'Espace,
Le flot m'emporte bien loin,
J'espère voir mon Pilote face à face
Quand j'aurai franchi la barre.

Je ne vois pas ce qu'il peut y avoir après ça. Comment quoi que ce soit pourrait survivre alors que nos corps meurent si facilement et pourrissent si vite. Malgré tout, une part de moi voudrait quand même croire que le flot de la mort nous emmène ailleurs. C'est pour cela que je récite ces mots pour les accompagner, en sachant pourtant qu'ils n'entendent rien.

– Pourquoi tu répètes ça à chaque fois ? me questionne Vick.

– Le son des mots me plaît.

Il attend. Il aimerait que j'en dise plus, mais je n'ai pas envie.

– Tu sais ce que ça veut dire ? me demande-t-il finalement.

Ma réponse est vague :

– Ça parle de quelqu'un qui aimerait avoir plus que ce qu'il a. C'est extrait d'un poème d'avant la Société.

Pas celui qu'on avait appris ensemble avec Cassia. Je ne prononcerai plus ces mots avant de pouvoir les lui dire à elle. Pour les morts, je récite celui qui était au verso de la feuille qu'elle a sortie de sa relique dans les bois.

Elle ignorait que j'étais là. Je l'ai regardée lire le texte. J'ai vu ses lèvres articuler un poème que je connaissais et un autre que je ne connaissais pas. Quand j'ai compris qu'elle parlait du Pilote, j'ai remué et une brindille a craqué sous mes pieds.

– Ça ne change pas grand-chose pour eux, dit-il en désignant les corps.

Il repousse la mèche qui lui tombe dans les yeux, agacé. Nous n'avons pas droit aux ciseaux ni aux rasoirs – on risquerait de s'en servir pour s'entre-tuer ou se suicider. Mais en général, ce n'est pas un problème. Il n'y a que Vick et moi qui sommes restés ici assez longtemps pour que nos cheveux aient eu le temps de pousser.

– Alors, c'est juste un vieux poème, c'est tout ?

Je hausse les épaules.

Je n'aurais pas dû.

D'habitude, Vick se moque que je lui réponde ou pas, mais cette fois je distingue une lueur de défi dans son regard. Aussitôt, j'essaie de trouver le meilleur moyen de le maîtriser. Les bombardements de plus en plus fréquents l'affectent aussi. Ça nous met sur les nerfs. Il me dépasse, mais pas de beaucoup, et j'ai appris à me battre ici même il y a des années. Maintenant que je suis de retour dans le coin, ça me revient. C'est comme la neige sur le plateau. Mes muscles se tendent.

Mais Vick retrouve vite son calme.

– Tu ne fais jamais d'entailles dans tes semelles, remarque-t-il d'une voix posée.

Je confirme :

– Non.

– Pourquoi ?

– Personne n'a besoin de savoir.

– De savoir quoi ? Depuis combien de temps tu es là ? insiste-t-il.

– Personne n'a besoin de savoir quoi que ce soit à mon sujet.

Laissant les tombes derrière nous, nous prenons une pause pour déjeuner, assis sur un tas de gros rochers à la sortie du village. Ils sont du même rouge orangé que dans mes souvenirs, aussi secs, rugueux et – en novembre – froids.

Je me sers de l'extrémité du fusil factice pour faire une marque dans la roche. Je sais écrire mais je ne veux pas que ça s'ébruite, alors je n'écris pas son nom.

À la place, je trace une courbe, une vague. Comme l'océan ou un bout de soie verte flottant au vent.

Scratch, scratch. La roche a été façonnée par l'eau, le vent ; maintenant, c'est moi qui lui donne forme. Et ça me plaît. Je me modèle toujours en fonction de ce que les autres attendent de moi. Il n'y a que sur la Colline avec Cassia que j'étais vraiment moi-même.

Je ne suis pas encore prêt à dessiner son visage. Je ne sais même pas si j'en serais capable. Je grave une autre courbe dans la roche. On dirait un C, la première lettre que je lui ai appris à écrire. Je recommence, en me remémorant sa main dans la mienne.

Vick se penche au-dessus de moi pour voir ce que je suis en train de faire.

– Ça ne ressemble à rien, dis-je.

– Si, on dirait la lune, quand elle est toute fine.

Il lève les yeux vers le plateau. Un peu plus tôt dans la journée, des dirigeables sont passés prendre les cadavres. C'est la première fois. Je ne sais pas ce que la Société en a fait, mais je regrette de ne pas être monté là-haut pour écrire quelques mots et marquer au moins l'endroit où ils sont morts.

Parce que maintenant il n'y a plus aucune trace de leur passage. La neige a fondu avant même qu'ils aient pu y laisser leurs empreintes. Leur vie s'est achevée avant même qu'ils aient su quoi en faire.

– Tu trouves qu'il a eu de la chance, celui qui est mort au camp, avant qu'on vienne ici ?

– De la chance…, répète Vick comme s'il ignorait le sens de ce mot.

C'est peut-être le cas. « La chance », ce n'est pas un concept que la Société encourage. Et c'est plutôt quelque chose qui nous fait défaut par ici.

Il y a eu une attaque dès notre première nuit au village. Nous avons tous couru nous mettre à l'abri. Quelques gars sont restés au milieu de la rue, pour riposter en tirant vers le ciel. Vick et moi, on s'est retrouvés dans une maison avec un ou deux autres garçons – je ne me souviens plus de leurs noms, ils ne sont plus là depuis longtemps.

– Pourquoi tu n'es pas dehors à essayer de te défendre ? m'avait alors questionné Vick.

Nous avions à peine échangé quelques mots depuis que nous avions jeté le corps à la rivière.

– Ça ne sert à rien. On n'a que des balles à blanc.

J'avais posé mon fusil par terre, devant moi.

Vick avait fait de même.

– Quand est-ce que tu t'en es rendu compte ?

– Quand ils nous ont distribué les armes, en venant ici. Et toi ?

– Pareil, avait-il répondu. On aurait dû le dire aux autres.

– Je sais. J'ai été bête. Je pensais qu'on aurait un peu plus de temps.

– Justement, le temps, c'est ce qui nous manque le plus.

Nous avions entendu une détonation. Puis des cris.

– Dommage que ce fusil ne marche pas. Je les aurais tous abattus, là-haut, dans leurs dirigeables. Un vrai feu d'artifice.

– Fini, déclare Vick en pliant sa barquette en alu en un carré argenté. On ferait bien de se remettre au boulot.

– Je me demande pourquoi ils s'embêtent à nous fournir des vivres, ils n'ont qu'à nous donner des comprimés bleus, plutôt.

Vick me dévisage comme si j'avais perdu la tête.

– Tu n'es pas au courant ?

– Au courant de quoi ?

– Les comprimés bleus ne permettent pas de survivre, au contraire. Ils t'achèvent. Si tu en prends un, tu ne peux plus bouger, tu agonises en attendant que quelqu'un te trouve. Si tu en prends deux, tu meurs direct.

Je secoue la tête, en fixant le ciel. Je ne regarde rien de particulier. Juste le bleu du ciel. Je mets ma main en visière pour mieux voir. Pas un nuage.

– Désolé, ajoute Vick. C'est la vérité.

Je lui jette un coup d'œil. Il m'étudie d'un air préoccupé, lui qui d'habitude ne montre aucune émotion. Tout ça est si ridicule que j'éclate de rire. Vick m'imite.

– J'aurais dû m'en douter. Si la Société devait disparaître un jour, ils ne voudraient laisser aucun survivant.

Quelques heures plus tard, nous entendons le miniport de Vick biper. Il le détache de sa ceinture pour le consulter.

C'est le seul d'entre nous à posséder cet engin à peu près de la taille d'un infopod qui, outre le stockage de données, permet également de communiquer. Il l'a sur lui en permanence mais, à certains moments, il va le cacher – comme lorsqu'il révèle la vérité sur notre « mission » aux nouveaux appâts.

Nous supposons que la Société peut suivre nos mouvements grâce au miniport. Nous ignorons s'ils peuvent également nous mettre sur écoute, comme avec les ports de communication classiques. Vick en est persuadé. Il pense que la Société nous espionne en permanence. Moi, je crois qu'ils s'en moquent.

Alors qu'il déchiffre le message sur l'écran, je demande :
– Qu'est-ce qu'ils veulent ?
– On bouge !

Les autres nous suivent tandis que nous rejoignons les dirigeables qui atterrissent sans bruit à l'entrée du village. Les Officiers ont l'air pressés, comme d'habitude. Ils n'aiment pas rester trop longtemps ici. J'aimerais bien savoir qui ils craignent le plus, de l'Ennemi ou de nous.

L'Officier chargé du transfert me rappelle celui qui nous encadrait au stage de randonnée, à Oria, mais en plus jeune. À son expression, on voit qu'il se demande ce qu'il fabrique ici, ce qu'il est censé faire de nous.

– Alors…, commence-t-il en nous toisant, qu'est-ce qui s'est passé là-haut, sur le plateau ? Qu'est-ce que c'était que cette idée ? Il n'y aurait pas eu autant de victimes si vous étiez tous restés au village.

– Ils ont voulu atteindre la neige, j'explique. On a tellement soif.

– Vous êtes sûrs que c'était la seule raison ?

– Ici, on n'a que trois raisons d'agir : la faim, la soif, la peur de mourir. C'est tout. Si vous ne nous croyez pas, demandez aux deux autres.

– Ils sont peut-être montés là-haut pour le paysage, suggère l'Officier.

Vick laisse échapper un ricanement amer.

– Où sont les remplaçants ?

– Encore à bord. Nous allons vous emmener avec eux dans un autre village, puis nous vous donnerons de nouvelles fournitures.

– Et de l'eau, ajoute Vick.

Il a beau ne pas être armé, on dirait que c'est lui qui donne les ordres. L'Officier sourit. La Société est inhumaine, mais parfois ses membres savent se montrer humains.

– Et de l'eau, acquiesce-t-il.

Vick et moi, nous marmonnons dans nos barbes en découvrant les nouveaux appâts à bord du dirigeable. Ils sont jeunes, bien plus jeunes que nous. À peine treize ou quatorze ans. Les yeux écarquillés. Terrifiés. L'un d'entre eux, celui qui paraît le plus jeune, ressemble un peu au petit frère de Cassia, Bram. Il a la peau plus mate, plus mate que moi, d'ailleurs, mais il a le même regard pétillant. Avant d'être coupés, ses cheveux devaient boucler comme ceux de Bram.

À mi-voix, je glisse à Vick :

– La Société commence à être à court de corps.

– C'est peut-être le but, répond-il.

Nous savons tous les deux que la Société veut se débarrasser des Aberrations. C'est pour ça qu'ils nous abandonnent ici. Sans même une chance de pouvoir nous défendre. Il reste cependant une question à laquelle je n'ai pas de réponse : *Pourquoi nous haïssent-ils à ce point ?*

Nous voyageons à l'aveuglette. Ce dirigeable n'a pas de hublots, à part dans le cockpit.

Il faut donc attendre d'être descendus pour savoir où l'on se trouve.

Je n'ai jamais mis les pieds dans ce village en particulier, mais je reconnais les environs. La terre ocre, la roche noire, l'herbe jaunie qui devait être verte cet été. Il y a des coins comme celui-ci partout dans les Provinces lointaines. Sauf que je sais exactement où je suis à cause de ce qui se dresse devant moi.

Je suis chez moi.

Et ça fait mal.

Il se dresse à l'horizon, la toile de fond de toute mon enfance.

Le Labyrinthe.

De là où nous nous trouvons, je ne le vois pas en entier, juste des pans de roche, de grès rouge ou ocre qui dépassent çà et là. Mais lorsqu'on approche, lorsqu'on se tient au bord du Labyrinthe, on se rend compte que ce ne sont pas de simples rochers, ce sont les sommets de formations immenses, de vraies montagnes.

Il ne s'agit pas d'un canyon, d'une montagne unique, mais d'une véritable chaîne, un réseau qui s'étend sur des kilomètres. Le sol se soulève et retombe comme des vagues, en hautes crêtes et profondes vallées aux teintes des Provinces lointaines – un dégradé d'orange, rouge, blanc. À l'horizon, à l'ombre des nuages, les couleurs de feu du Labyrinthe prennent des reflets bleutés.

Je sais tout ça parce que je me suis déjà arrêté plusieurs fois juste à l'entrée.

Mais je n'ai jamais pénétré à l'intérieur.

– Qu'est-ce qui te fait sourire ? remarque Vick.

Avant que j'aie pu répondre, « Bram » s'approche et se plante devant lui.

– Je m'appelle Eli.

– Mm, répond Vick.

Il se retourne, agacé, vers la rangée de gamins qui l'ont choisi pour chef alors qu'il n'avait rien demandé. Il y a des gens qui ont ça dans le sang, c'est leur destin, pas moyen d'y échapper.

Ils mènent alors que d'autres ne font que suivre.

Dans ma tête, une petite voix résonne : « Tu as plus de chances de survivre si tu te contentes de suivre le mouvement. Ton père se prenait pour un chef. C'est ce qu'il a toujours voulu et regarde où ça l'a mené. »

Je me tiens un pas derrière Vick.

– Tu ne nous fais pas un discours pour nous accueillir ? s'étonne Eli. On vient pourtant d'arriver.

– Je ne suis pas le responsable de ce bourbier, se défend Vick.

Et voilà, la colère qu'il met tant d'énergie à contenir resurgit.

– Je ne suis pas le porte-parole de la Société.

– Ouais, mais tu es le seul équipé d'un truc comme ça, remarque Eli en désignant le miniport passé à sa ceinture.

– Vous voulez un discours ?

Tous les gamins acquiescent d'un seul mouvement en le dévisageant. À bord du dirigeable, on leur a servi la même histoire qu'à nous : ils doivent se faire passer pour de simples civils vivant dans ces villages afin de tromper l'Ennemi. Une mission de six mois qui leur permettra de réintégrer la Société en tant que citoyen, leur statut d'Aberration oublié.

Dès la première attaque, ils comprendront que personne ne tient jamais six mois. Même Vick en est encore loin.

– Faites comme nous. Comportez-vous comme des villageois, c'est ce que nous sommes censés faire.

Il s'interrompt, ôte le miniport de sa ceinture et le jette à un appât qui est là depuis deux semaines.

– Va faire un tour avec ça. Vérifie qu'il fonctionne toujours quand tu arriveras à la sortie du village.

Le gamin détale. Dès que l'appareil est hors de portée de voix, Vick reprend :

– Vos fusils sont chargés de balles à blanc, ne pensez pas que vous pourrez vous défendre.

Eli l'interrompt :

– Pourtant, au camp, ils nous ont entraînés à tirer.

Je souris malgré moi, alors que j'ai la nausée. Alors que j'ai face à moi un gamin de moins de quinze ans. Un gamin comme Bram.

Vick hausse les épaules.

– Ben, ici, on n'a que des balles à blanc.

Le temps de digérer la nouvelle et Eli pose une nouvelle question :

– Si on doit se faire passer pour un village normal, où sont les femmes et les enfants ?

– Toi, t'es un enfant, réplique Vick.

– Non, et puis je ne suis pas une fille, rétorque le gamin.

– Pas de filles ni de femmes dans le coin.

– Mais alors l'Ennemi doit bien voir que c'est du bidon. Ils ont dû s'en rendre compte.

– Exact, confirme Vick. Mais ça ne les empêche pas de nous tuer. Et tout le monde s'en fout. Bon, on a du boulot. Nous sommes censés être des fermiers, alors allons-y.

Sous un soleil de plomb, nous prenons la direction des champs. Je sens le regard d'Eli dans notre dos tandis que je m'éloigne avec Vick.

– Au moins, grâce à toi, on a de l'eau, fais-je en désignant le réservoir plein.

– Ne me remercie pas, siffle-t-il. Il n'y a même pas de quoi se noyer.

Nous sommes censés faire pousser du coton – mission quasi impossible. Les fibres sont de si mauvaise qualité qu'elles s'effilochent dès qu'on les touche.

J'entends Eli marmonner dans mon dos :

– Pas étonnant qu'ils n'aient pas envoyé de femmes ou de filles. L'Ennemi a dû tout de suite voir qu'il ne s'agissait pas d'un vrai village. Aucun agriculteur digne de ce nom ne serait assez stupide pour cultiver du coton dans le coin.

Je ne lui réponds pas tout de suite. Je ne parle à personne pendant que je travaille, à part à Vick. Je préfère garder mes distances.

Mais je me sens vulnérable. Hier la neige, aujourd'hui le coton m'ont rappelé Cassia et ses peupliers qui neigeaient à gros flocons en plein mois de juin. La Société détestait ces arbres, mais c'est pourtant le genre qui pousse par ici. Une écorce tendre, facile à graver. Si j'en trouvais un, je couvrirais le tronc de son nom, comme je couvrais sa main de la mienne, sur la Colline.

Je me tourne vers Eli pour expliquer :

– C'est idiot, mais en tout cas, c'est plus réaliste que certains autres projets de la Société. Les villages des environs étaient au départ des communautés d'agriculteurs uniquement composées d'Aberrations. La Société leur avait demandé de faire pousser du coton ; à l'époque, il y avait plus d'eau, et ce n'était pas complètement impossible.

– Ah, souffle-t-il.

Je ne sais même pas pourquoi j'essaie de lui donner de l'espoir. Peut-être parce que je viens de penser à cette histoire de graines de peuplier.

Ou parce que je viens de penser à elle.

En jetant un coup d'œil par-dessus mon épaule un peu plus tard, je vois qu'il pleure. Mais pas assez pour s'y noyer, alors je ne fais rien. Pour l'instant, du moins.

En rentrant des champs, je fais signe à Vick que je voudrais lui parler à l'écart du miniport.

– Tiens, fait-il en le lançant à Eli, qui ne pleure plus. Va faire un tour avec ça.

Hochant la tête, le gamin déguerpit.

– Qu'est-ce qu'il y a ? me demande Vick.

– J'ai passé mon enfance dans le coin, dis-je d'une voix que je voudrais neutre.

C'était chez moi. Et je ne supporte pas ce que la Société en a fait.

– J'habitais à quelques kilomètres d'ici. Je connais bien la région.

– Tu vas essayer de t'enfuir ?

Fuir ou ne pas fuir. Là est la question. Celle qui occupe nos esprits en permanence.

– Tu voudrais retourner dans ton village ? insiste Vick. Tu penses qu'on peut t'y aider ?

– Non, il n'existe plus.

Il secoue la tête.

– Alors ça ne sert à rien de fuir. De toute façon, on ne peut pas aller bien loin sans se faire repérer.

– Et la rivière la plus proche est trop loin, on ne peut pas filer sur l'eau.

– C'est quoi, ton idée, alors?

– Il faut traverser.

– Traverser quoi?

– Les canyons, dis-je en désignant le Labyrinthe qui s'étend sur des kilomètres face à nous, plein de failles invisibles à cette distance. Si l'on s'enfonce assez profondément, il y a de l'eau là-bas.

– Les Officiers prétendent que les canyons sont un repaire d'Anomalies, objecte Vick.

– Je sais... Mais certains se sont regroupés en communautés et ils aident les fuyards. Ce sont des gens qui en venaient qui me l'ont dit.

– Attends... Tu connais des gens qui sont entrés là-dedans?

– J'en connaissais, disons.

– Des gens en qui tu pouvais avoir confiance?

– Mon père, dis-je.

Et comme si ça suffisait à clore la conversation, Vick acquiesce.

Nous continuons à marcher un moment puis, soudain, il s'arrête.

– Alors, quand est-ce qu'on part?

– C'est tout le problème...

J'essaie de ne pas montrer à quel point je suis soulagé

qu'il m'accompagne. Je n'avais aucune envie de traverser ces canyons tout seul.

— Pour éviter que la Société nous repère, il vaut mieux qu'on décampe pendant une attaque, en plein chaos. La nuit, par exemple. Mais une nuit de pleine lune, qu'on y voie quand même quelque chose. Comme ça, avec un peu de chance, ils croiront qu'on est morts.

Vick s'esclaffe.

— La Société et l'Ennemi sont équipés d'infrarouges. S'ils sont en altitude, ils nous verront.

— Je sais, mais ils ne repéreront peut-être pas trois petites silhouettes au milieu du massacre.

— Trois ? s'étonne-t-il.

— Eli vient avec nous.

J'ai pris ma décision en l'annonçant.

Silence.

— T'es dingue. Ce gamin ne tiendra pas jusque-là.

— Je sais…

Il a raison. Eli va se faire abattre, ce n'est qu'une histoire de jours. Il est jeune. Impulsif. Il pose trop de questions. Enfin, de toute façon, c'est ce qui nous attend tous, tôt ou tard.

— Mais pourquoi tu veux l'emmener ?

— Je connais une fille à Oria… Il me rappelle son petit frère.

— Ce n'est pas une raison.

— Si. Pour moi, oui.

Un silence pesant s'installe.

Puis Vick reprend :

— Tu deviens faible... et ça te perdra. Tu risques de ne jamais la revoir.

— Si je ne prends pas soin de lui, je ne serai plus celui qu'elle a connu, même si je la retrouve un jour.

CHAPITRE 6
CASSIA

Après m'être assurée que les autres dorment, que leur souffle régulier emplit le bungalow, je roule sur le côté pour sortir le papier de l'Archiviste de ma poche.

Il est fin, de mauvaise qualité, à l'inverse de l'épaisse feuille crème des poèmes. Il doit être assez vieux mais pas autant que celui de grand-père. Mon père serait sûrement capable de le dater, mais il n'est pas là, il m'a laissée partir. Malgré toutes mes précautions, le papier crisse lorsque je le déplie. Espérons que les autres croiront entendre un bruissement de draps ou le bourdonnement d'un insecte.

Il a fallu du temps pour que tout le monde s'endorme ce soir. Quand je suis revenue dans le bungalow, personne n'avait reçu sa notification de transfert. D'après les filles, l'Officier nous donnera notre destination demain matin seulement. Cela a créé un malaise. D'habitude, on sait toujours où l'on part la veille au soir. Pourquoi ce changement soudain ? Avec la Société, rien n'est innocent.

Le cœur battant, je glisse le papier sous un rayon de lune pour le déchiffrer. *Pourvu que ça en vaille la peine... Oh, non...*

Je me fourre le poing dans la bouche pour éviter de crier.

Ce n'est pas une carte, ni même une feuille de route.

C'est un récit et je sais dès la première ligne qu'il ne fait pas partie de la liste des Cent.

Un homme poussait un rocher en haut d'une colline. Chaque fois qu'il arrivait au sommet, la pierre dévalait la pente et il était obligé de recommencer. D'après les habitants du village voisin, il était « condamné ». Ils n'osaient pas l'aider par peur d'être également punis. Alors, ils se contentaient de le regarder pousser son rocher.

Des années plus tard, leurs descendants remarquèrent que l'homme et sa pierre s'enfonçaient dans la colline, comme le soleil couchant. Ils n'en distinguaient plus qu'une partie.

Ce drôle de spectacle piqua la curiosité d'une fillette, qui décida un jour de gravir la colline. En approchant, elle fut surprise de voir que la pierre était couverte de noms et de dates gravés.

– C'est quoi, tous ces mots ? le questionna-t-elle.

– Ce sont les chagrins du monde, lui expliqua l'homme. Je suis leur Pilote, je les monte là-haut indéfiniment.

– Tu essaies d'user la colline, constata-t-elle en désignant la rainure qu'avait creusée la pierre dans le sol.

– Je fabrique quelque chose, reconnut-il. Quand je ne serai plus là, tu prendras ma place.

Cela n'effraya pas la fillette qui demanda :

72

– *Tu fabriques quoi?*

– *Une rivière, répondit l'homme.*

L'enfant redescendit au village, étonnée que l'on puisse faire une rivière ainsi. Mais peu de temps après, la pluie se mit à tomber, encore et toujours, les inondations emportèrent l'homme et la fillette vit qu'il avait raison. Elle prit donc sa place et se mit à son tour à pousser la pierre qui portait tous les chagrins du monde.

C'est ainsi que naquit le Pilote.

Le Pilote est l'homme qui poussa la pierre et fut emporté par les eaux. C'est la femme qui traversa la rivière et leva les yeux vers le ciel. Le Pilote est jeune, le Pilote est vieux, il a les yeux de toutes les couleurs, les cheveux de toutes les teintes, il vit dans le désert, sur une île, au cœur de la forêt, dans la montagne ou dans la plaine.

Le Pilote mène le Soulèvement – la rébellion contre la Société – et il ne meurt jamais. Quand un Pilote a fait son temps, un autre prend le relais.

Et ainsi de suite, telle une pierre qui roule.

Une fille se retourne dans son lit. Je me fige aussitôt, attendant que son souffle reprenne un rythme régulier. Puis je lis la dernière ligne, au bas de la page :

Hors des frontières de la Société, le Pilote mène et mènera toujours l'action.

Un fol espoir s'empare de moi lorsque je comprends ce que cela signifie, ce que j'ai entre les mains.

Une révolte est en marche. Un vrai mouvement organisé et durable, avec un chef à sa tête.

Ky et moi, nous ne sommes pas seuls.

Le mot « Pilote », c'est la clé. Mon grand-père en était-il conscient ? Est-ce pour cela qu'il m'a donné ce papier avant de mourir ? J'ai cru qu'il voulait que je suive l'autre poème, me serais-je trompée ?

Je ne tiens pas en place.

Je murmure si bas que je m'entends à peine :

– Réveille-toi. Nous ne sommes pas seuls.

Je glisse un pied hors du lit. Je pourrais descendre, réveiller les autres, leur apprendre l'existence du Soulèvement. Peut-être en ont-elles déjà entendu parler. Ça m'étonnerait. Elles n'ont plus aucun espoir. À part Indie. Et encore... À l'inverse des autres, on sent le feu qui l'habite, mais elle n'a pas de but. Je ne pense pas qu'elle soit au courant.

Je vais le lui dire.

Décidée à lui en parler, je saute à bas de l'échelle sans bruit et j'ouvre la bouche. Mais, soudain, j'entends l'Officier de garde qui fait sa ronde passer devant notre porte. Je me fige, mon papier dans les mains comme un petit drapeau blanc.

Finalement, je ne vais rien dire aux autres. Je vais faire comme d'habitude lorsqu'on me confie des mots dangereux : je vais les détruire.

– Qu'est-ce que tu fabriques ? chuchote Indie dans mon dos.

Je sursaute. Je ne l'ai pas entendue arriver.

– Je me relave les mains, fais-je sans me retourner.

L'eau glacée coule à flots, telle une cascade qui résonne dans l'obscurité du bungalow.

– Il me restait de la terre sous les ongles, et tu connais les Officiers, on n'a pas le droit de salir les lits.

– Tu vas réveiller les autres. Elles ont déjà eu du mal à s'endormir.

– Désolée.

Je suis sincère. Mais je n'avais pas d'autre moyen de noyer les mots.

J'ai mis un temps infini à déchirer le papier en tout petits morceaux en soufflant dessus pour couvrir le bruit. J'espère que je ne risque pas de boucher le lavabo.

Indie ferme le robinet. Un instant, j'ai l'impression qu'elle sait. Elle n'est peut-être pas au courant pour le Soulèvement, mais j'ai l'impression qu'elle sait quelque chose à mon sujet.

Clac. Clac. Les talons de l'Officière claquent sur le ciment. Nous filons nous recoucher. Je monte l'échelle à toute vitesse pour jeter un coup d'œil par la fenêtre.

L'Officière reste devant notre porte un long moment, tendant l'oreille, avant de repartir.

Je reste un moment assise, à la suivre des yeux. Elle s'arrête devant un autre bungalow.

Une rébellion. Un Pilote.

Qui ça peut bien être ?

Ky est-il au courant ?

Peut-être. L'homme dans l'histoire me fait penser à Sisyphe. Ky m'en a parlé à Oria.

Il m'a également confié sa propre histoire par bribes. Je ne sais pas tout.

Cela fait si longtemps que mon seul but est de le retrouver. Sans carte, ni même boussole, je sais que j'en suis capable. Je ne cesse d'imaginer nos retrouvailles : il me serrera contre lui, je lui murmurerai un poème. Le seul petit problème, c'est que je n'ai pas fini de l'écrire. Je reste bloquée à la première ligne. J'ai écrit tellement de débuts ces derniers mois... le milieu et la fin de notre histoire d'amour, je ne les connais pas.

Ma pochette à la main, je m'allonge aussi doucement que possible, centimètre par centimètre, jusqu'à ce que tout mon poids repose sur le matelas, de la pointe de mes cheveux, si légers, à mes jambes et mes pieds, si lourds. Je ne dormirai pas cette nuit.

Ils arrivent à l'aube, comme quand ils sont venus chercher Ky.

Je n'entends pas de cris, c'est autre chose qui m'alerte. Une certaine pesanteur dans l'atmosphère, peut-être ; un changement de ton dans le chant des oiseaux migrateurs en route vers le sud.

Je me redresse pour regarder par la fenêtre. Les Officiers sortent des filles des autres bungalows, certaines, en larmes, se débattent. Le cœur battant, je colle mon front à la vitre. Je sais où ils les emmènent.

Il faudrait que j'embarque avec elles. Mon cerveau s'emballe, calculant les kilomètres, estimant mes chances de réussite – une telle occasion ne se représentera pas de sitôt. Je n'ai pas réussi à gagner les Provinces lointaines par mes propres moyens, mais si la Société m'y déposait?

Deux Officiers poussent notre porte.

– Il nous faut deux filles de ce bungalow. Lits 3 et 8.

La fille du lit huit se lève d'un bond, stupéfaite, encore ensommeillée.

Le lit 3, celui d'Indie, est vide.

Tandis que les Officiers s'affolent, je jette un coup d'œil par la fenêtre. Je repère une silhouette près des buissons qui bordent le sentier. Indie. Même dans la faible lueur de l'aube, je la reconnais à sa chevelure flamboyante, à la façon dont elle se tient. Elle a dû les entendre et s'échapper, va savoir comment. Je ne l'ai pas vue partir.

Elle va s'enfuir.

Profitant de la panique qui règne dans le bungalow, je passe à l'action. Je glisse les trois pilules de mon étui – vert, bleu, rouge – dans ma boîte de comprimés bleus. Je les cache sous les messages dans ma pochette, en espérant que personne n'ira fouiller. Puis je glisse l'étui sous mon matelas. Il faut que je me débarrasse de tous les signes extérieurs de mon statut de citoyenne.

C'est alors que je m'en aperçois.

Il manque quelque chose dans ma pochette.

L'écrin en argent de mon Banquet de couplage.

Je fouille à nouveau dans les papiers, je tâte la couverture, les draps de mon lit, je scrute le sol. Je ne l'ai pas fait tomber, je ne l'ai pas perdu, pourtant il a disparu.

J'aurais été obligée de m'en séparer, de toute façon. J'en avais l'intention, mais ça me perturbe.

Où peut-il bien être?

Je n'ai pas le temps de m'appesantir sur le sujet. Je saute à bas de mon lit pour suivre les Officiers et la fille en pleurs. Les autres font semblant de dormir, comme nos voisins du quartier, le jour où ils ont emmené Ky.

Je souffle:

– Cours, Indie!

J'espère que nous atteindrons toutes les deux notre but.

Je l'aime, il m'aime, il m'a appris à écrire pour que je puisse m'exprimer. Je ne peux pas rester là à ne rien faire. Je creuserai la terre, je poursuivrai le vent pour recueillir le moindre de ses mots.

Parce que, quand on aime, c'est trop tard. On ne peut pas faire marche arrière.

Ky occupe toutes mes pensées, emplit tout mon cœur, je sens sa paume chaude dans mes mains vides. Je dois tout faire pour le retrouver. Mon amour pour lui m'a donné des ailes et, maintenant, il faut que j'aie la force de les remuer.

Un dirigeable se pose au milieu du camp. Je remarque de nombreux visages inconnus parmi les Officiers. Ils paraissent harassés, préoccupés. L'un d'eux, en tenue de pilote, prononce quelques mots abrupts en regardant le ciel. Le soleil va bientôt se lever.

– Il en manque une, annonce-t-il.

Je me glisse dans la file.

– Vous êtes sûr ? réplique une de ses collègues en se tournant vers nous pour nous compter.

Elle se radoucit, soulagée. Elle a de longs cheveux châtains et l'air plutôt gentil, pour une Officière.

– Non, c'est bon.

– Ah bon ? s'étonne l'autre.

Il nous recompte. J'ai l'impression que ses yeux s'attardent sur moi, comme s'il avait remarqué que je n'étais pas là tout à l'heure, mais ce doit être mon imagination. Une fois encore, je me demande à quel point mon Officielle a prévu ce que je ferais, si elle me surveille toujours. Si la Société me surveille.

Un Officier pousse Indie à bord alors que nous sommes en train d'embarquer. Il a le visage tout griffé, leurs vêtements sont maculés de terre.

– Elle a essayé de s'enfuir, explique-t-il en la forçant à s'asseoir à côté de moi.

Elle ne cille même pas lorsqu'il la menotte. Moi, le bruit sec me fait tressaillir.

– Maintenant, on en a trop, constate l'Officière.

– Ce sont des Aberrations, peu importe. Il faut y aller.

– On les fouille tout de suite ?

Non. Je ne veux pas qu'ils trouvent les comprimés dans ma pochette.

– On le fera en vol. On y va !

Indie se tourne vers moi, nos regards se croisent. Pour

la première fois depuis que je la connais, je ressens une sorte de connexion avec elle, une sympathie qui pourrait se rapprocher de l'amitié. Nous allons traverser une épreuve ensemble.

Tout ceci est trop précipité, mal organisé, pas du tout le genre de la Société. J'ai beau être ravie d'avoir pu m'engouffrer dans la faille, je sens encore leurs murs qui m'entourent, à la fois étouffants et rassurants.

Un Officiel monte à bord.

– C'est bon ?

Les Officiers acquiescent.

Les portes se referment. C'est étonnant. D'habitude, les Officiels se déplacent toujours par trois. Celui-ci est seul, en compagnie de trois Officiers. Et vu comme ils lui obéissent, il doit être le plus haut placé.

On décolle. C'est la première fois que je monte à bord d'un dirigeable. Je ne connais que les aérotrains, les aéromobiles et les véhicules de transport. Mais quelle déception : il n'y a pas de hublots !

Ce n'est pas comme ça que j'avais imaginé mon premier vol. J'aurais voulu voir la terre minuscule qui s'éloigne, le ciel immense, les nuages, les étoiles.

Le pilote, dans son cockpit, regarde devant lui, mais la Société nous empêche de voir où l'on va.

CHAPITRE 7
KY

– Tout le monde te regarde, me glisse Vick.

Je préfère l'ignorer. Certains des projectiles dont l'Ennemi nous a bombardés hier soir n'ont pas explosé. Je récupère la poudre à l'intérieur pour la glisser dans le canon d'un fusil. C'est étrange, depuis que nous sommes arrivés ici, leurs munitions sont de plus en plus primitives, de moins en moins efficaces. Peut-être qu'ils sont réellement en train de perdre.

– Qu'est-ce que tu fabriques ? s'étonne Vick.

Je ne réponds pas. J'essaie de me rappeler comment ça marche. J'ai les doigts noirs de poudre.

Vick me prend par le bras.

– Arrête, tous les autres te regardent.

– Et alors, qu'est-ce que ça peut faire ?

– Ils vont penser que tu perds la tête. C'est mauvais pour le moral des troupes.

– Tu as dit toi-même que nous n'étions pas leurs chefs, je réplique.

Je lève les yeux. Ils évitent tous de croiser mon regard, à part Eli, qui me dévisage. Je lui souris pour lui montrer que je ne suis pas fou.

– Ky…, insiste Vick.

Et soudain, il comprend.

– Tu essaies de récupérer de la poudre pour fabriquer des munitions ?

– On ne peut pas en faire grand-chose. Ça ne produira qu'une grosse explosion. Comme une grenade. Faudra la lancer et filer.

Ça lui plaît, visiblement.

– On pourrait y ajouter des cailloux ou d'autres trucs. Tu vas prendre quoi pour la mèche ?

– Je ne sais pas. C'est le plus difficile.

– Pourquoi ? demande-t-il à voix basse. C'est une bonne idée, mais comment on va faire si on lève le camp ?

– Ce n'est pas pour nous.

Je jette un nouveau coup d'œil aux autres.

– On va leur montrer comment s'en servir avant de partir. Mais le temps presse. On devrait les laisser se charger des morts pour une fois.

Vick se lève et se tourne face au groupe.

– Ky et moi, on ne va pas pouvoir creuser aujourd'hui. Relayez-vous. Les nouveaux venus n'ont pas encore fait leur part du boulot.

Tandis qu'ils s'éloignent, je baisse les yeux vers mes

mains. Noires de cendre et de poudre. Je me rappelle ce qu'on faisait des restes dans mon ancien village. La Société et l'Ennemi croyaient être les seuls à être armés, mais nous retournions leurs projectiles contre eux. En frottant des pierres, des silex, nous pouvions les allumer quand nous en avions besoin.

– Je pense quand même qu'on devrait partir une nuit où il n'y a pas d'attaque. On pourrait leur faire croire qu'on s'est fait exploser avec ce truc…, affirme Vick en désignant la poudre autour de nous.

Il n'a pas tort. Je n'ai pas envisagé toutes les possibilités. Mais les autres vont vouloir nous suivre alors que, si nous profitons d'une attaque, notre départ passera inaperçu. Je ne veux pas qu'on soit trop nombreux. Plus il manquera d'appâts, plus la Société risque de le remarquer et de vouloir nous retrouver.

Et puis, je n'ai aucune idée de ce que nous allons trouver dans le Labyrinthe. Je n'ai jamais voulu jouer les chefs, j'essaie juste de survivre.

– Et si on partait ce soir, attaque ou pas? je propose. Qu'est-ce que tu dis de ça?

– OK, répond Vick après un long silence.

C'est réglé. Nous allons fuir. Ce soir.

Avec Vick, nous nous affairons pour trouver au plus vite un moyen de faire exploser les munitions. Lorsque les autres ont fini d'enterrer les corps et qu'ils comprennent ce que nous sommes en train de faire, ils nous aident en rapportant de la poudre et des pierres. Certains se mettent à fredonner en travaillant. Un frisson me parcourt, pourtant je ne devrais pas être surpris. Je connais cet air-là. C'est l'hymne de la Société.

La Société nous a dérobé la musique en sélectionnant soigneusement les Cent Chansons – des mélodies compliquées que seules leurs voix trafiquées peuvent exécuter. L'hymne est le seul morceau que l'on puisse chanter. Et il comporte malgré tout un passage montant dans les aigus, inaccessible sans un minimum de pratique. La plupart des gens doivent se contenter du refrain, plus facile. C'est justement ce qu'ils chantonnent.

Certains habitants des Provinces lointaines ont réussi à préserver leurs chants. Nous les entonnions en chœur en travaillant. Une femme m'a un jour confié qu'elle n'avait aucun mal à retenir ces vieilles mélodies, grâce à la présence toute proche des rivières et des canyons du Labyrinthe.

Je voudrais seulement me rappeler *comment* faire pour récupérer les restes des munitions. Mais les *qui* et les *pourquoi* me reviennent également en mémoire.

Vick secoue la tête.

– Même si on réussit, on les abandonne malgré tout à une mort certaine.

– Je sais. Mais au moins, ils pourront se défendre.

– Une seule fois.

Je n'ai jamais vu Vick aussi voûté, la tête aussi basse. Comme s'il réalisait qu'il est leur chef depuis toujours et que, brutalement, cette responsabilité pesait de tout son poids sur ses épaules.

– Ça ne suffira pas, dis-je en contemplant notre travail.

– Non, acquiesce Vick.

Je me suis efforcé de ne pas vraiment voir les autres appâts, mais c'est impossible. L'un d'eux a le visage tout tuméfié. Un autre a les mêmes taches de rousseur que celui de la rivière, à tel point que je me demande s'ils n'étaient pas frères, mais je ne poserai jamais la question. Ils sont tous vêtus de tenues de jour en haillons, avec de magnifiques manteaux pour avoir bien chaud en attendant la mort.

– Tu t'appelles comment, en vrai? me demande soudain Vick.

– Ky, c'est mon nom.

– Mais ton nom complet?

Je m'interromps un instant. Mon nom résonne dans ma tête pour la première fois depuis des années. *Ky Finnow.* Je m'appelais comme ça avant.

– Roberts, reprend Vick, agacé que j'hésite autant, c'est mon nom de famille. Vick Roberts.

– Markham. Ky Markham, dis-je.

Parce que c'est sous ce nom qu'elle me connaît. C'est comme ça que je m'appelle, maintenant.

Pourtant, mon autre nom sonnait juste dans ma tête quand je me le suis rappelé. *Finnow.* Le nom de mon père et de ma mère.

Je regarde les autres entasser des pierres. D'un côté, ça me fait plaisir de les voir s'activer, de savoir que je leur ai permis de se sentir mieux, ne serait-ce qu'un instant.

Mais dans le fond, je suis conscient de ne leur avoir jeté que des miettes. Ça ne les empêchera pas de mourir de faim.

CHAPITRE 8
CASSIA

Le premier souci de la Société, tandis que nous frissonnons dans cette atmosphère climatisée, est de nous promettre des manteaux.

– Avant la Société, au moment du Réchauffement, le climat a changé dans les Provinces lointaines. Il y fait froid, cependant pas autant qu'autrefois. La nuit, il gèle encore parfois, mais avec vos manteaux, vous serez protégées.

Les Provinces lointaines. C'est donc bien là qu'ils nous emmènent. Les autres filles, Indie y compris, regardent droit devant elles, sans ciller. Certaines tremblent plus que d'autres.

– Il s'agit d'une mission de travail ordinaire, affirme l'Officiel dans un silence de plomb. Vous allez cultiver les champs. Du coton, pour être exact. Ainsi l'Ennemi pensera que cette région est encore prospère. Cela fait partie de la stratégie de la Société.

– C'est vrai, alors ? Nous sommes en guerre contre l'Ennemi ? demande l'une des filles.

L'Officiel s'esclaffe :

– C'est un bien grand mot. La Société est en position de force. Mais l'Ennemi est imprévisible. Nous voulons leur faire croire qu'il y a encore des villages habités dans les Provinces lointaines. Cependant, la Société refuse d'obliger quiconque à y vivre trop longtemps. Nous avons donc mis en place une rotation de six mois. Dès que vous aurez fait votre temps, vous serez rapatriées, avec le statut de citoyennes.

J'ai envie de crier : « Vous avez beau avoir l'air d'y croire, c'est un tissu de mensonges. »

– Bon, vous allez passer derrière le rideau où on vous fouillera puis on vous remettra votre équipement, reprend-il en désignant l'Officière et l'Officier qui ne pilotent pas. Et vos belles vestes.

Ils vont nous fouiller. Maintenant.

Par chance, je ne suis pas la première à passer. Paniquée, j'essaie de trouver où glisser les comprimés, mais en vain. Cette cabine est bien dans le style habituel de la Société, tout en surfaces lisses, planes. Même nos sièges sont durs, nos ceintures bien serrées. Pas la moindre fente, pas le moindre recoin.

– Tu as quelque chose à cacher ? me chuchote Indie.

Je confirme. Inutile de mentir.

– Moi aussi. Je vais prendre ton truc, et tu prendras le mien quand ce sera à mon tour de passer.

J'ouvre ma pochette pour en sortir la plaquette de comprimés. Sans me laisser ajouter quoi que ce soit, Indie s'en saisit habilement, malgré ses menottes. Que va-t-elle en faire? Comment compte-t-elle les dissimuler, alors qu'elle est attachée?

Je n'ai pas le temps de voir.

– Suivante, lance l'Officière aux cheveux longs en me montrant du doigt.

Ne te retourne pas. Ne leur donne pas le moindre indice.

Derrière le rideau, je dois me mettre en sous-vêtements tandis que l'Officière fouille ma vieille tenue de jour marron. Elle m'en tend une nouvelle – noire.

– Voyons ta pochette, dit-elle en me la prenant des mains.

Elle feuillette les papiers. Je serre les dents en voyant l'un des plus anciens messages de mon frère tomber en poussière.

Puis elle me rend tout.

– Tu peux t'habiller.

Alors que je termine de boutonner ma tunique, elle s'adresse à l'Officiel:

– Elle n'a rien sur elle.

Il hoche la tête.

De retour sur mon siège, j'enfile ma veste neuve en murmurant:

– C'est bon.

– Je l'ai déjà mis dans ta poche, réplique Indie.

J'aimerais lui demander comment elle a pu faire aussi vite, mais je ne veux pas qu'on m'entende. La tête me tourne. Quel soulagement! On a réussi. Indie a réussi.

Lorsque l'Officière lui fait signe quelques minutes plus tard, elle se lève et s'avance, tête baissée, tenant docilement ses poignets menottés devant elle.

Elle joue vraiment bien la fille brisée.

À l'autre bout de la cabine, celle qu'ils ont fouillée après moi éclate en sanglots. Je me demande si elle a voulu cacher quelque chose et échoué – ce qui me serait arrivé sans l'intervention d'Indie.

— T'as raison de pleurer, marmonne une autre fille. On va dans les Provinces lointaines.

— Laisse-la tranquille, intervient une troisième.

Dès qu'il remarque la fille en larmes, l'Officiel lui apporte un comprimé vert.

En revenant s'asseoir près de moi, Indie ne dit rien. Elle ne jette même pas un regard dans ma direction. Je sens la plaquette dans ma poche. J'aimerais pouvoir vérifier qu'elle est bien là, garnie de tous les comprimés bleus que Xander m'a donnés et des trois miens. Mais je me retiens. J'ai confiance en Indie et elle a confiance en moi. Le poids n'a pas changé. Ce qu'elle a à cacher doit être petit et léger.

Je me demande de quoi il s'agit. Elle me le dira peut-être plus tard.

Ils nous ont fourni le minimum : deux jours de ravitaillement, une tenue de rechange, une gourde et un sac pour tout mettre. Pas de couteau, rien de coupant. Pas de fusil, ni d'arme d'aucune sorte. Une torche, mais si légère qu'elle ne peut pas servir à se battre.

Nos vestes sont aussi légères, mais chaudes, coupées dans un tissu spécial, je le sens. Bizarre qu'ils gaspillent de l'argent pour nous. Ces manteaux sont le seul signe qu'ils s'inquiètent de notre sort. C'est un investissement. Une dépense.

Je jette un regard à l'Officiel. Il se lève, ouvre la porte du cockpit et la laisse légèrement entrouverte. J'aperçois les dizaines de boutons et de voyants qui constellent le tableau de bord. Pour moi, ils sont aussi nombreux et mystérieux que les étoiles dans le ciel. Mais le pilote connaît son métier.

– Cet engin fait le même bruit qu'une rivière qui coule, affirme Indie.

Je m'étonne :

– Il y a beaucoup de rivières dans ta Province ?

Elle acquiesce.

– La seule dont j'ai entendu parler dans le coin, c'est la rivière Sisyphe.

– La rivière Sisyphe ? répète-t-elle.

Je vérifie du coin de l'œil que personne ne nous écoute. Ils ont l'air fatigués. L'Officière ferme même les yeux un instant.

– La Société l'a empoisonnée. Plus rien ne vit dans l'eau ni sur le rivage. Plus rien n'y pousse.

Indie me dévisage.

– On ne peut pas tuer une rivière. On ne peut pas tuer ce qui est en perpétuel mouvement, qui se transforme en permanence.

L'Officiel arpente le dirigeable, discutant avec le pilote, puis avec les deux autres Officiers. Sa démarche me rappelle un peu Ky – sa façon de garder l'équilibre même à bord d'un aérotrain, d'anticiper le moindre changement de direction.

Il n'a pas besoin de boussole pour se repérer. Et moi non plus.

Je vole vers lui. Je m'éloigne de Xander. Je pars vers le lointain. Vers l'inconnu.

– On est presque arrivés, annonce l'Officière aux cheveux châtains.

Elle nous lance un regard dans lequel je décèle une émotion – de la pitié. Elle est désolée pour nous. Pour moi.

Elle ne devrait pas. Pas plus que quiconque à bord de ce dirigeable. J'arrive enfin dans les Provinces lointaines.

Je m'imagine que Ky sera là pour m'accueillir à l'atterrissage. Que je vais le retrouver d'ici quelques minutes. Lui toucher la main et plus tard, dans le noir, effleurer ses lèvres.

– Tu souris, remarque Indie.

– Je sais.

CHAPITRE 9
KY

La nuit tombe brusquement alors que nous guettons la lune. Le ciel est rayé : bleu, rose et bleu encore. Un bleu plus foncé, presque noir.

Je n'ai pas prévenu Eli que nous partions.

Il y a un instant, Vick et moi, nous avons montré aux autres comment faire exploser les fusils. Maintenant, nous attendons pour leur fausser compagnie et nous engouffrer dans la gueule béante du Labyrinthe.

Un bip strident annonce l'arrivée d'un message sur le miniport. Vick l'approche de son oreille.

Je me demande ce que l'Ennemi pense de nous, individus dont la Société ne se soucie guère. Ils ont beau nous mitrailler, nous ressortons de nos trous, toujours aussi nombreux. Nous voient-ils comme des rats, des souris, des puces, une sorte de vermine dont ils n'arrivent pas à se débarrasser ? Ou se doutent-ils de ce que la Société complote ?

– Écoutez-moi, lance Vick en remettant le miniport à sa ceinture, je viens de recevoir un message de l'Officiel qui gère ce camp.

Un murmure parcourt la foule. Ils ont les mains noires de poudre et les yeux brillants d'espoir. J'ai du mal à soutenir leur regard. Des mots résonnent dans ma tête, sur un rythme familier. Il me faut un moment pour réaliser ce que je suis en train de faire. Je récite pour eux le poème que je dis habituellement pour les morts.

– Ils nous envoient de nouveaux villageois, annonce Vick.

– Combien ? demande quelqu'un.

– Aucune idée. L'Officiel m'a précisé qu'ils seraient différents, mais qu'il fallait les traiter comme les autres. Et que, si quoi que ce soit devait leur arriver, nous en serions tenus pour responsables.

Le silence se fait. Parmi tous leurs beaux discours, une chose, au moins, s'est vérifiée : si l'un de nous blesse ou tue un autre villageois, les Officiels rappliquent. Vite. C'est déjà arrivé. La Société a été très claire sur ce point : nous ne sommes pas là pour nous entre-tuer. C'est l'Ennemi qui s'en charge.

– Peut-être qu'ils seront nombreux, suggère un gars. Et qu'on devrait les attendre avant d'essayer de se défendre.

– Non, le coupe Vick d'un ton autoritaire, si l'Ennemi attaque cette nuit, on réplique.

Il désigne le cercle blanc de la lune à l'horizon.

– Allez, en position.

Une fois les autres partis, Eli demande :

– Qu'est-ce que ça signifie? En quoi ils seront différents, les nouveaux?

Vick serre les lèvres. Je sais que nous avons le même pressentiment. Des filles. Ils vont envoyer des filles.

– Tu as raison, fait-il en me regardant. Ils n'ont plus d'Aberrations.

– Et je parie qu'ils ont déjà envoyé toutes les Anomalies se faire massacrer avant nous…

J'ai à peine fini ma phrase que je vois son poing se diriger droit sur moi. J'ai juste le temps de l'esquiver. Machinalement, je le frappe au creux de l'estomac. Il titube, sans tomber.

Eli retient son souffle. Vick et moi, nous nous toisons.

La souffrance que je lis dans ses yeux, ce n'est pas à cause de mon coup de poing. Il a l'habitude d'encaisser les coups, comme moi. Je ne sais pas vraiment pourquoi il a réagi ainsi. Ce dont je suis sûr, c'est qu'il ne voudra jamais me le dire. J'ai mes secrets. Et lui, les siens.

– Tu penses que je suis classé Anomalie? reprend-il d'une voix posée.

Eli recule d'un pas, préférant se mettre en retrait.

– Non.

– Et si c'était le cas?

– J'en serais heureux, je réponds. Ça voudrait dire qu'il en reste. Que je me trompe concernant les projets de la Société…

Vick et moi, nous levons la tête. Nous avons entendu le même bruit.

L'Ennemi.

La lune est haute dans le ciel.

Et pleine.

– Ils arrivent! s'écrie Vick.

D'autres gars donnent l'alerte. Ils crient, ils hurlent. Dans leurs voix, je distingue la terreur, la colère et autre chose aussi, que j'ai connu il y a longtemps: la joie de pouvoir répliquer.

Vick me regarde, je sais que nous pensons la même chose. Nous sommes tentés de rester pour nous joindre au combat. Je secoue la tête. *Non.* Vick peut rester, s'il veut, mais pas moi. Il faut que je parte d'ici. Il faut que je rejoigne Cassia.

Des faisceaux de lumière s'agitent dans la nuit. Des silhouettes sombres courent en criant.

– On y va, décide Vick.

Je laisse tomber mon arme pour prendre le bras d'Eli.

– Viens avec nous.

Il me dévisage, perplexe.

– Où ça?

Je désigne le Labyrinthe, il écarquille les yeux.

– *Là-bas?*

– Oui, viens.

Il hésite un instant, avant de hocher la tête. Nous nous élançons. J'ai laissé mon fusil par terre. Il servira peut-être à un autre. Du coin de l'œil, je vois Vick déposer son arme et son miniport.

Nous courons dans l'obscurité. J'ai l'impression d'être

sur le dos d'un énorme animal, de zigzaguer entre ses vertèbres. Je me faufile entre d'immenses herbes fines et dorées qui scintillent au clair de lune comme du pelage.

Bientôt, en approchant du Labyrinthe, nous arriverons sur la roche, sèche et déserte; c'est là que nous serons le plus exposés.

Au bout de moins d'un kilomètre, je sens qu'Eli ralentit.

– Laisse ton fusil.

Comme il n'obéit pas, je le lui arrache des mains. Il tombe avec un grand bruit de ferraille.

Eli se fige.

– Eli!

Juste à ce moment-là, nous entendons des tirs.

Et des cris.

– Cours, Eli! N'écoute pas!

Je m'efforce de ne rien entendre non plus – les cris, les hurlements, la mort.

Au niveau des premiers rochers, nous rattrapons Vick qui s'est arrêté pour tenter de se repérer.

– Par ici, dis-je en tendant le bras.

– Il faut qu'on retourne les aider, supplie Eli.

Sans répondre, Vick se remet en route.

– Ky?

– Cours, Eli.

– Ils se font massacrer, tu t'en moques?

Pop pop pop.

Les armes que nous avons bricolées font un bruit pathétique dans notre dos. Devant nous, c'est le silence.

Je me retourne vers Eli, furieux qu'il rende les choses encore plus difficiles qu'elles ne le sont, qu'il me force à penser à ce qui se passe là-bas.

– Tu n'as pas envie de vivre ?

Soudain, sous nos pieds, l'animal frémit. Une violente détonation ébranle le sol. Eli et moi, nous détalons à toute allure, poussés par l'instinct de survie. Nous ne pensons plus à rien, à part fuir.

Je suis déjà passé par là. Il y a des années. Mon père m'avait dit :

– Si un jour il y a un problème, file dans le Labyrinthe.

C'est ce que j'ai fait. Pour survivre.

Les Officiels ont posé leur dirigeable juste devant moi. Ils avaient parcouru en quelques minutes ce qui m'avait pris des heures. Ils m'ont plaqué au sol. Je me débattais. La pierre m'écorchait le visage. Mais je n'ai pas lâché la seule chose que j'avais gardée de mon village : le pinceau de ma mère.

À bord, j'ai vu la seule autre survivante : une fille de mon village. Durant le vol, les Officiels nous ont tendu des comprimés rouges. J'avais entendu des rumeurs. Je pensais que j'allais mourir. Alors j'ai fermé la bouche, déterminé à ne pas le prendre.

– Allez, a fait l'une des Officielles.

Avec douceur, elle m'a glissé un comprimé vert entre les lèvres.

Un simulacre de calme m'a envahi et je n'ai pas pu me

défendre lorsqu'elle m'a fait avaler le rouge. Mais mes mains résistaient, j'ai serré le pinceau si fort qu'il s'est cassé.

Je ne suis pas mort. Ils nous ont fait passer derrière un rideau pour nous laver les mains, le visage, les cheveux. Ils nous ont traités avec ménagement. Ils nous ont fourni de nouveaux vêtements et une histoire pour remplacer la vérité.

– Désolés, ont-ils dit en prenant un air accablé. L'Ennemi a lancé une attaque sur les champs où travaillaient de nombreux habitants de votre village. Les pertes ont été minimes dans l'ensemble. Mais vos parents ont été tués.

J'ai pensé : *Pourquoi nous disent-ils ça ? Ils s'imaginent qu'on va oublier. Les pertes ont été terribles, presque tout le monde est mort. Et ça ne s'est pas passé dans les champs. J'ai tout vu.*

La fille a pleuré, hoché la tête, tout gobé. Pourtant, elle devait bien savoir qu'ils mentaient. C'est là que j'ai compris : j'étais censé oublier ce qui s'était passé.

Alors j'ai fait semblant. J'ai hoché la tête comme la fille, essayé de prendre la même expression figée que je distinguais derrière ses larmes.

Mais je ne pouvais pas pleurer comme elle. Si j'avais commencé, jamais plus je n'aurais pu m'arrêter. Et ils auraient su ce que j'avais vu.

Ils m'ont pris mon pinceau cassé en me demandant pourquoi j'avais ça dans les mains.

Sur le coup, j'ai paniqué. Je n'arrivais pas à me souvenir. Et si le comprimé rouge avait fonctionné, finalement ? Puis je me suis rappelé : ce pinceau était à ma mère. Je l'avais ramassé dans le village en redescendant du plateau, après l'attaque.

Je les ai dévisagés en disant :

– Je ne sais pas. Je l'ai trouvé.

Ils m'ont cru. C'est ainsi que j'ai appris à mentir juste ce qu'il faut pour être crédible.

Le Labyrinthe se dresse maintenant non loin de nous.

– Par où passe-t-on ? me questionne Vick.

En approchant, on voit ce que la distance ne permettait pas de distinguer : de grandes failles dans la roche donnant accès à différents canyons. Le moment est venu de choisir notre porte d'entrée dans le Labyrinthe.

Je ne sais pas. Je ne suis jamais allé plus loin, j'ai juste entendu mon père en parler, mais il faut que je me décide vite. En cet instant, je suis le chef.

– Par ici, dis-je en désignant la plus proche.

Il y a un gros tas de pierres au pied de la paroi rocheuse. Je ne sais pas pourquoi, mais cela me semble familier.

Impossible d'utiliser nos torches, il va falloir se contenter du clair de lune car nous avons besoin de nos deux mains pour nous frayer un chemin dans le canyon. Je m'égratigne le bras sur un rocher, des lianes vagabondes s'accrochent un peu partout.

Dans notre dos une explosion retentit. Il ne s'agit pas

de l'Ennemi et ça ne vient pas non plus du village. C'est plus près. Quelque part sur la plaine, juste derrière nous.

– C'était quoi? s'inquiète Eli.

Avec Vick, nous répliquons d'une seule voix:

– Avance!

Nous progressons de plus en plus vite, écorchés, tuméfiés, en sang. Comme des bêtes traquées.

Au bout d'un moment, Vick s'arrête, je lui passe devant. Nous devons nous enfoncer dans le canyon dès maintenant. Je les avertis:

– Attention, le sol n'est pas stable.

J'entends leurs souffles lourds derrière moi.

– C'était quoi? répète Eli dès que nous sommes à l'intérieur.

– Quelqu'un nous a suivis, explique Vick. Et a été abattu.

Grimpé sur un rocher en surplomb, je les presse:

– On ne peut pas s'arrêter ne serait-ce qu'une minute.

Ils m'imitent.

Vick a du mal à respirer. Je le regarde, inquiet.

– Ça va aller, m'assure-t-il. Ça m'arrive parfois, quand je cours.

– Qui l'a abattu? nous questionne Eli. L'Ennemi?

Vick ne dit rien.

– *Qui?* insiste-t-il d'une voix stridente.

– Je ne sais pas, soupire Vick. Aucune idée.

– Tu ne sais pas?

– Personne ne sait rien. À part Ky; il pense qu'il a découvert la vérité grâce à une fille.

Une vague de fureur me submerge. La haine pure et dure. Mais sans me laisser le temps de réagir, il ajoute:

– Si ça se trouve, il a peut-être raison.

Il repousse la paroi rocheuse contre laquelle il était appuyé.

– Allez, on y va. À toi l'honneur.

CHAPITRE 10
CASSIA

À l'atterrissage, j'aimerais être la première à descendre du dirigeable. Mais Ky m'a toujours dit qu'il fallait se fondre dans la masse, alors je reste au milieu du groupe de filles, scrutant les rangées de garçons tout en noir alignés devant nous.

Il n'est pas là.

Un Officiel leur fait la leçon :

— Vous ne devez pas traiter ces nouvelles recrues différemment des autres. Aucune violence ne sera tolérée. Nous vous avons à l'œil.

Personne ne répond. Il ne semble pas y avoir de chef. À côté de moi, Indie commence à s'agiter. Une fille ravale un sanglot.

— Venez chercher votre ration, ordonne l'Officiel.

Personne ne pousse. Personne n'essaie de doubler. Les garçons se mettent en file indienne et avancent un à un. Je fixe leurs dos, leurs mains tandis qu'ils prennent leur ravitaillement, leur visage lorsqu'ils passent devant l'Officiel. Ils ne se battent pas pour la nourriture ; chacun a sa part. Ils remplissent leur gourde à de gros tonneaux bleus.

Soudain, je m'aperçois que je suis en train de les classer.

Puis une pensée me saisit : *Et si je devais me mettre dans une catégorie ? Qu'est-ce que je verrais ? Suis-je de ceux qui vont s'en sortir vivants ?*

Je tente de me voir de l'extérieur : une fille qui regarde l'Officiel et les Officiers remballer leur équipement avant de repartir à bord du dirigeable. Elle porte une tenue étrange et dévore des yeux tous les visages qui défilent devant elle. Châtain, de petite taille, elle se tient bien droite, même une fois les Officiers partis, lorsque l'un des garçons s'approche pour les informer qu'il n'y a pas de vrais champs à cultiver, que l'Ennemi les mitraille toutes les nuits, que la Société ne leur fournit plus d'armes pour se défendre et que, de toute façon, leurs armes ne fonctionnaient pas, qu'ils ont été envoyés dans ce camp pour mourir et que personne ne sait pourquoi.

Alors que les autres tombent à genoux, la fille reste droite et forte car elle sait tout ça depuis longtemps. Elle ne peut pas se laisser aller, elle ne peut pas lever les bras au ciel ou se jeter à terre en larmes parce qu'elle a quelqu'un à retrouver. Elle est la seule à avoir un léger sourire aux lèvres.

En moi-même, je décide : *Oui, elle va s'en sortir vivante.*

Indie me réclame les comprimés. Je les lui tends. Elle ôte quelque chose de la plaquette avant de me la rendre. Je ne sais toujours pas ce qu'elle avait à cacher. Mais ce n'est pas le moment de lui demander. Une autre question plus urgente me taraude : où est Ky ?

À haute voix, j'annonce :

– Je cherche quelqu'un. Il s'appelle Ky.

Certains s'éloignent déjà, maintenant que le garçon nous a fait son petit discours.

J'insiste, plus fort :

– Il est brun aux yeux bleus. Il vient de la ville, mais il connaît la région. Il connaît des poèmes.

Je me demande s'il a réussi à les vendre, à les troquer contre quelque chose par ici.

Des regards de différentes couleurs se fixent sur moi – bleu, marron, vert, gris. Aucun de la couleur de Ky, aucun du bleu si particulier de ses yeux.

– Tu devrais essayer de te reposer, me conseille le garçon qui nous a dit la vérité. On a du mal à dormir la nuit car, en général, c'est là qu'ils attaquent.

Il a l'air épuisé. Alors qu'il fait volte-face, je remarque qu'il a un miniport à la main. A-t-il été une sorte de chef autrefois ? Continue-t-il à transmettre les informations par simple habitude ?

Les autres me tournent également le dos. Leur apathie m'effraie plus que la situation en elle-même. Ces gens ne semblent pas au courant de l'existence d'un mouvement de rébellion. S'ils ne se soucient plus de rien, s'ils ont capitulé, qui va m'aider à retrouver Ky?

– Je ne peux pas dormir alors que c'est peut-être le dernier jour qui me reste à vivre, remarque d'une voix éteinte l'une des filles de l'aéronef.

Au moins, elle parle. Les autres ont l'air sous le choc, presque catatoniques. Je vois un garçon s'approcher de l'une d'elles pour lui dire quelque chose. Elle hausse les épaules, nous jette un regard avant de s'éloigner en sa compagnie.

Mon cœur s'emballe. Dois-je intervenir? Que va-t-il lui faire?

– Tu as vu leurs chaussures? me glisse Indie.

J'acquiesce. J'ai remarqué la boue et les grosses semelles en gomme. Identiques aux nôtres, sauf qu'elles portent des entailles sur le côté. Je me doute de ce que ça signifie. Un décompte. Les jours gagnés sur la mort. Ma gorge se serre. Les marques ne sont jamais très nombreuses. Et ça fait presque douze semaines que Ky est parti.

Ils s'éloignent d'un pas traînant. Ils vont sans doute dormir à l'abri, chacun dans leur coin. Seul un petit groupe de garçons nous entoure. Ils ont l'air affamés.

« Arrête avec tes classements, Cassia. Regarde vraiment. »

Ils n'ont pas plus de quelques marques sur leurs semelles. Ils ne sont pas encore complètement apathiques. Il leur reste un soupçon de volonté. Ils sont nouveaux. Ils ne sont pas là depuis assez longtemps pour avoir connu Ky.

« Tu classes encore. Regarde! »

L'un d'eux a les mains brûlées et les pieds couverts de poudre noire, jusqu'aux genoux. Il se tient un peu en retrait. Remarquant que je fixe ses mains, il plante ses yeux dans les miens, avec une audace que je n'apprécie pas. Mais je soutiens son regard. J'essaie de voir vraiment.

Je m'adresse à lui :

– Tu le connais. Tu sais de qui je parle.

À ma grande surprise, il hoche la tête.

– Où est-il ?

– Mort.

– Tu mens, dis-je en ravalant la boule d'angoisse qui me monte dans la gorge. Mais je t'écouterai quand tu seras décidé à me dire la vérité.

– Qu'est-ce qui te fait croire que je vais te dire quelque chose ?

– Ton temps est compté. Comme à nous tous.

Non loin de moi, Indie scrute l'horizon. Elle fait le guet. Quelques autres s'agglutinent autour de nous, tendant l'oreille.

L'espace d'un instant, j'ai l'impression que le garçon va me parler, mais il se détourne en riant.

Je ne m'en fais pas. Je sais qu'il reviendra – je l'ai lu dans ses yeux. Et je serai prête.

La journée passe à la fois lentement et très vite. Tout le monde attend. La bande de garçons réapparaît, mais ils gardent leurs distances. La présence de leur ancien chef à nos côtés, son miniport à la main, prêt à rapporter le moindre incident, doit avoir un effet dissuasif. Ils craignent sans doute que les Officiels ne reviennent les punir s'ils nous font du mal.

Je suis en train de dîner avec les autres filles lorsque je vois approcher le garçon aux mains brûlées. Je lui tends ma barquette en papier alu à moitié pleine. Les portions sont si réduites qu'il doit mourir de faim.

– C'est idiot, murmure Indie mais elle se lève aussi.

Depuis que nous nous sommes entraidées à bord du dirigeable, nous sommes devenues des alliées.

– Tu essaies de m'acheter ? s'étonne le garçon, furieux, en apercevant ma barquette de viande et de féculents.

– Évidemment. Tu es le seul qui était présent. Le seul à posséder des informations.

– Je pourrais la prendre sans rien te donner, réplique-t-il. Je pourrais te prendre tout ce que je veux.

– Oui, mais ce ne serait pas malin, dis-je.

– Et pourquoi ça ?

– Parce que tu ne trouveras pas d'autre oreille pour écouter ton histoire. Personne ne veut savoir. À part moi. Je veux savoir ce que tu as vu.

Il hésite. J'insiste :

– Les autres ne veulent rien entendre, n'est-ce pas ?

Il se passe la main dans les cheveux, une habitude d'autrefois, j'imagine, car maintenant il a les cheveux ras, comme eux tous.

– D'accord, fait-il. Ça s'est passé dans un autre camp. Celui où j'étais avant d'être transféré ici. Il ne s'agit peut-être pas de la bonne personne. Le Ky que j'ai connu là-bas disait des poèmes, en effet.

– Quels poèmes ?

Il hausse les épaules.

– Il les récitait en enterrant les morts.

– Tu t'en souviens ?

– Pas vraiment. Ça parlait d'un Pilote.

J'écarquille les yeux, surprise. J'ignorais que Ky connaissais également le Tennyson. Comment est-ce possible ? Je me rappelle alors le jour où j'ai ouvert le poudrier pour la première fois, sur la Colline. Ky m'a avoué plus tard qu'il m'avait vue. Il l'a sans doute déchiffré par-dessus mon épaule. Ou peut-être l'ai-je murmuré à voix assez haute en le lisant et le relisant, à l'abri des bois. Je souris. *Alors il connaît aussi le second poème.*

Indie nous regarde tour à tour, intriguée.

– Et que disait-il au sujet du Pilote ?

Le garçon hausse à nouveau les épaules.

– Je ne sais pas. Il récitait ce truc pour les morts, c'est tout.

Il laisse échapper un petit rire désabusé.

– Il a dû le répéter pendant des heures, la dernière nuit.

– Que s'est-il passé la dernière nuit ?

– Une attaque, la pire de toutes.

– C'était quand ?

Il fixe ses chaussures avant de répondre, comme s'il avait du mal à y croire :

– Il y a deux jours. J'ai l'impression que c'était il y a une éternité.

Mon cœur s'emballe. S'il dit vrai, il était encore avec Ky il y a deux jours.

– Tu l'as vu cette nuit-là ? Tu es sûr ? Tu as vu son visage ?

– Pas son visage. Son dos. Avec son copain Vick, ils se sont enfuis en nous laissant pour morts. Ils nous ont laissés crever pour pouvoir se sauver. Il n'y a eu que six survivants. Je ne sais pas où les Officiers ont emmené les cinq autres, je suis le seul ici.

Indie m'interroge du regard : « Tu crois qu'il s'agit bien de lui ? » Ça ne ressemble pas à Ky d'abandonner les autres comme ça et, en même temps, c'est tout lui : même dans les situations les plus désespérées, il saisit sa chance, il profite de l'occasion.

– Alors il a pris la fuite durant l'attaque. Et il vous a laissés…

Je n'arrive pas à finir ma phrase.

Le silence se fait dans la nuit.

– Je ne leur en veux pas, reprend le garçon, dont l'amertume a cédé la place à l'abattement. J'aurais fait pareil. Si nous avions été trop nombreux à fuir, ils nous auraient rattrapés. Ils ont essayé de nous aider. Ils nous ont montré comment faire exploser nos fusils, pour qu'on puisse au moins se défendre. Mais ils savaient ce qu'ils faisaient. Le moment était bien choisi. Il y a eu tellement de morts cette nuit-là que la Société ne pouvait pas voir qui avait survécu ou pas. Moi, je savais. Je les ai vus partir.

– Tu as une idée d'où ils sont allés ? l'interroge Indie.

– Quelque part par là, fait-il en désignant les formations rocheuses, à peine visibles à cette distance. Notre village n'était pas loin de ces plateaux. Il les appelait le Labyrinthe. Mais c'est sans espoir, c'est la mort assurée là-bas. Entre les scorpions, les Anomalies, les crues soudaines. Pourtant…

Il s'interrompt, fixant le ciel.

– Pourtant, ils ont emmené un gamin avec eux. Eli. Il n'a pas plus de treize ans, c'était le plus jeune du groupe. Il ne pouvait pas la fermer deux secondes. Je ne comprends pas pourquoi ils l'ont choisi, lui, plutôt que nous.

C'est bien Ky.

Je le questionne :

– Mais si tu les as vus partir, pourquoi tu ne les as pas suivis ?

– Il y en a un qui a essayé. Mais trop tard. Les dirigeables l'ont abattu. Il n'y a qu'eux trois qui y soient arrivés.

Il fixe le Labyrinthe, plongé dans ses souvenirs.

– C'est loin d'ici ?

– Assez, quarante, quarante-cinq kilomètres.

Il me dévisage en haussant les sourcils.

– Tu veux y aller toute seule ? Il a plu la nuit dernière, l'eau aura effacé leurs empreintes.

– J'aimerais que tu m'aides. Que tu me montres exactement par où il est parti.

Il sourit. Ça ne me plaît pas, néanmoins je peux comprendre.

– Et qu'est-ce que tu me donnes en échange ? demande-t-il.

– Quelque chose qui a été volé dans un centre médical de la Société et qui te permettra de survivre dans les canyons. Je t'en dirai plus lorsque nous serons là-bas.

Je jette un coup d'œil à Indie. Nous n'avons pas abordé le sujet, mais je pense qu'elle est du voyage. Nous formons une équipe, maintenant.

– OK, fait-il, l'air intéressé. Mais je ne veux pas d'un autre repas au goût de papier alu.

Indie paraît surprise; moi, je sais pourquoi il ne marchande pas: il a envie de venir avec nous. Il veut s'enfuir, lui aussi, et pas tout seul. Il a autant besoin de nous que nous de lui.

– Promis, dis-je.

– Il faudra marcher toute la nuit. Tu en es capable?

– Oui.

– Moi aussi, affirme Indie. Je viens.

Ce n'est pas une question. Elle fait ce qu'elle veut. C'est le moment ou jamais de s'échapper.

– Bien.

– Je passerai vous chercher quand il fera nuit et que tout le monde dormira, indique le garçon. En attendant, trouvez un endroit pour vous reposer. Il y a une vieille épicerie, à la sortie du village. C'est pas mal. Les gars qui sont là-bas ne risquent pas de vous embêter.

– Parfait. Et s'il y a une attaque?

– S'il y a une attaque, j'attendrai que ce soit fini pour venir. Si vous n'êtes pas mortes. Ils vous ont donné des torches?

– Oui.

– Prenez-les. Nous n'aurons que la lune pour y voir, et elle n'est plus pleine.

La lune blanche s'élève dans le ciel, éclairant la silhouette noire de la falaise. Je ne l'avais pas remarquée. Pourtant, j'aurais dû : là où elle se dresse, il n'y a pas d'étoiles. Ici, elles brillent, innombrables, étincelant dans la nuit claire, comme à Tana.

– Je reviens tout de suite, m'annonce Indie.

Et elle disparaît avant que j'aie pu réagir.

– Ils attaquent quand, d'habitude ? s'inquiète l'une des filles.

Nous nous pressons près d'une fenêtre sans vitre. Le vent s'engouffre à l'intérieur, créant un courant d'air glacé dans le magasin abandonné.

– On ne peut pas savoir, soupire un garçon, résigné. On ne peut jamais savoir. Lorsqu'ils arrivent, le mieux, c'est de se cacher dans les caves. Il y en a dans ce village, ce n'est pas le cas partout.

– Y en a qui préfèrent rester en haut, intervient un autre. Moi, j'aime pas les caves. Ça ne tourne pas rond dans ma tête quand je suis sous terre.

On dirait qu'ils sont là depuis toujours ; pourtant, à la lueur de ma torche, je constate que leurs semelles ne portent que cinq ou six entailles.

– Je vais faire un tour dehors, dis-je au bout d'un moment. Ce n'est pas interdit ?

– Reste dans l'ombre et éteins ta lampe, me conseille

celui qui n'aime pas les caves. N'attire pas l'attention, au cas où ils nous guettent de là-haut.

– D'accord.

Indie est de retour juste au moment où je sors. Je laisse échapper un soupir de soulagement. Elle ne m'a pas faussé compagnie.

– C'est beau par ici, remarque-t-elle d'un ton dégagé en ressortant avec moi.

Elle a raison. Si on fait abstraction de tout ce qui s'y déroule, le paysage est magnifique.

La lune baigne les trottoirs en ciment de sa lumière blanche. Je repère notre guide. Il rase prudemment les murs, mais je sais qu'il est là. Quand il murmure à mon oreille, je ne suis pas surprise. Indie non plus.

– On part quand?

– Maintenant. Pour arriver là-bas avant l'aube.

Nous le suivons hors de la ville. J'aperçois d'autres silhouettes, qui vaquent à leurs occupations dans l'ombre. Personne ne semble nous remarquer.

Je m'étonne:

– Ils n'essaient jamais de s'enfuir?

– C'est rare, répond-il.

– Ou de se rebeller? je suggère en dépassant les derniers bâtiments du village. Personne n'a jamais eu l'idée de se révolter?

– Non, fait-il platement. Personne. Ôtez vos vestes.

Nous le dévisageons, stupéfaites. Avec un petit rire, il passe la sienne dans la lanière de son sac.

– Vous n'en aurez pas besoin. Vous allez avoir chaud, promet-il.

Nous l'imitons donc. Nos tenues noires se fondent dans la nuit.

– Suivez-moi.

La course a commencé.

Au bout d'un ou deux kilomètres, seules mes mains sont encore froides.

À Oria, j'ai couru pieds nus dans l'herbe pour tenter d'aider Ky. Là, j'ai de grosses chaussures, je cours sur un chemin caillouteux où je risque de me tordre la cheville, et pourtant je me sens plus légère, plus légère encore que sur le tapis parfaitement lisse de mon pisteur. Portée par l'espoir et l'adrénaline, je pourrais courir éternellement, courir vers Ky.

Lorsque nous nous arrêtons pour boire, je sens l'eau froide couler dans ma gorge et jusque dans mon estomac, laissant une traînée glacée qui me fait frissonner tandis que je rebouche ma gourde.

Hélas, je m'épuise rapidement. Je trébuche. Trop tard, j'atterris dans un buisson. Ses branches hérissées d'épines mordent dans mes vêtements, mes mollets.

Le chemin gelé craque sous nos pieds. Heureusement, il n'y a pas de neige. Quand on respire l'air froid du désert, on a l'impression de boire de la glace, on ne sent pas sa soif. Mais c'est trompeur car, en passant un doigt sur mes lèvres, je m'aperçois qu'elles sont desséchées.

Mieux vaut ne pas se retourner pour voir si nous sommes suivis, dans les airs ou sur la terre. Il faut rester concentré sur ce qu'il y a devant. La lune nous éclaire vaguement, mais nous nous risquons à sortir nos torches de temps à autre lorsque nous traversons un coin plus sombre.

Le garçon peste en allumant la sienne.

– J'aurais dû relever la tête.

C'est ce que je fais. En voulant éviter les ravins, les rochers trop escarpés, nous avons tourné en rond.

– Tu es fatiguée, constate Indie. Je vais passer devant.

– Je peux le faire, dis-je.

– Non, attends, intervient-elle d'une voix lasse. Je pense que tu seras la seule à avoir encore assez d'énergie pour nous guider à la fin.

Nos vêtements s'accrochent à des buissons épineux qui sentent fort. J'inspire à pleins poumons. « On dirait de la sauge. L'odeur préférée de Ky, l'odeur de son enfance. »

Au bout de quelque temps, nous arrêtons de courir en file indienne. Nous avançons côte à côte. C'est moins pratique, mais nous avons trop besoin les uns des autres.

Nous sommes tous tombés à un moment ou à un autre. Nous sommes tous en sang. Le garçon s'est fait mal à l'épaule ; Indie a les jambes tout écorchées ; je suis couverte de bleus suite à une chute dans un ravin. Nous courons si lentement que nous marchons presque.

– Un marathon, souffle Indie. C'est le nom qu'on donne à ce genre de course. Il y a une histoire à ce sujet

– Tu peux nous la raconter ? je demande.

– Vaut mieux pas.

– Si ! Allez !

Tout ce qui peut m'occuper l'esprit est bienvenu, pour m'éviter de penser à la distance qu'il nous reste à parcourir, à quel point c'est loin, à quel point c'est dur. Nous avons beau nous rapprocher du but, chaque pas est un pas de trop. C'est fou qu'Indie arrive encore à parler ; le garçon et moi, nous avons arrêté depuis des kilomètres.

– C'était à la fin du monde. Il y avait un message urgent à porter, halète-t-elle. Quelqu'un s'est proposé. Il a couru, couru. Plus de quarante kilomètres. Comme nous. Il a transmis le message.

– Et il a été récompensé ? je demande d'une voix entre-coupée. On a envoyé un dirigeable pour le rapatrier ?

– Non, il a transmis son message et il est mort.

Je me mets à rire, ce qui n'est pas conseillé quand on est à bout de souffle. Indie rit aussi.

– Je t'avais prévenue…

– Au moins, le message est arrivé à bon port, dis-je.

– C'est sûr.

Elle me regarde en souriant. Moi qui la croyais dure et froide, je comprends qu'en réalité un feu l'anime. Un feu qui lui permet de rester vive, vivante même dans un envi-ronnement aussi hostile.

Le garçon tousse, crache. Il supporte cet air sec et froid depuis plus longtemps que nous. Il est affaibli.

Nous cessons de parler.

À quelques kilomètres du Labyrinthe, l'air n'est plus frais et pur, ni plein d'effluves de plantes, mais lourd, chargé de fumée, avec une odeur de brûlé. En scrutant le paysage, j'ai l'impression de voir des braises, qui jettent des lueurs changeantes, rouge orangé, contrastant avec la blancheur de la lune.

Je remarque également une autre odeur dans la nuit – elle ne m'est pas familière, mais il me semble bien que c'est l'odeur de la mort.

Personne ne dit rien. Cette odeur nous pousse à courir, plus motivés que jamais. Et durant quelques kilomètres, nous ne respirons plus aussi fort.

Nous courons, courons sans nous arrêter. Je répète sans cesse les vers du poème, au rythme de mes foulées. J'ai presque l'impression d'entendre une autre voix que la mienne. Je ne sais pas où je trouve le souffle, je n'arrête pas de me tromper.

Loin des frontières du Temps et de la Mort,
Le flot m'emporte dans l'au-delà.

Ça ne fait rien. Jamais je n'aurais pensé que, finalement, les mots puissent ne pas compter tant que ça.

– Tu dis ça pour nous ? halète le garçon, rompant enfin son silence.

– On n'est pas morts.

Quand on est mort, on n'est pas aussi fatigué.

– On y est, annonce le garçon en s'arrêtant brusquement.

Je suis son regard et j'aperçois un éboulement, un tas de gros rochers qui risquent d'être difficiles, mais pas impossibles à franchir.

On a réussi.

Le garçon tente de reprendre son souffle, plié en deux. Après avoir échangé un regard avec Indie, je pose ma main sur son épaule, pensant qu'il ne se sent pas bien. Mais il se redresse.

– Allons-y, dis-je, sans comprendre ce qu'il attend.

– Je ne viens pas avec vous, annonce-t-il. Moi, je prends ce canyon-là.

Il tend le bras.

Je m'insurge:

– Mais pourquoi?

– Qui nous dit qu'on peut te faire confiance? Que c'est le bon canyon? renchérit Indie.

Il secoue la tête.

– C'est le bon, affirme-t-il en tendant la main pour obtenir son dû. Vite, le jour va bientôt se lever.

Il parle d'une voix morne, sans hausser le ton, ce qui me convainc qu'il dit la vérité. Il est bien trop épuisé pour mentir.

– Finalement, l'Ennemi n'a pas attaqué cette nuit. Les autres vont s'apercevoir de notre absence. Ils risquent de donner l'alerte avec le miniport. Il faut qu'on s'enfonce dans les canyons.

J'insiste :

– Viens avec nous.

– Non.

Il avait besoin de nous pour faire le trajet, c'était trop dur tout seul mais, maintenant, j'ignore pourquoi, il veut partir de son côté.

Il ajoute dans un murmure :

– S'il vous plaît.

J'ai les mains engourdies, glacées alors que je suis en sueur. Tandis que je sors tant bien que mal les comprimés de mon sac, il regarde derrière lui, là où il veut aller. J'aimerais qu'il nous suive. Mais il est libre.

– Tiens, dis-je en lui tendant la moitié des comprimés.

Il examine les pilules emballées individuellement et soigneusement étiquetées : bleu, bleu, bleu, bleu.

Puis il s'esclaffe.

– Bleues. Rien que des bleues.

Et comme si le simple fait d'avoir prononcé ce mot avait changé la couleur du ciel, nous remarquons qu'il fait jour.

– Prends-les.

Je vois des perles de sueur gelées au bout de ses cheveux trop courts, du givre dans ses cils. Il frissonne. Il devrait remettre sa veste.

– Tiens.

– Non, dit-il en repoussant ma main.

La plaquette tombe par terre. Avec un petit cri, je me précipite pour la ramasser.

– Bon, peut-être une ou deux, dit-il en la saisissant.

Il en détache deux petits carrés puis me jette le reste et fait volte-face pour détaler en courant.

Je lui crie :

– Mais j'en ai d'autres !

Il nous a aidées à arriver jusqu'ici, je pourrais lui donner mon comprimé vert, ça le calmerait, ou le rouge pour qu'il oublie ce trajet interminable et l'horrible odeur de la mort qui flottait dans le village incendié. Ou même les deux. J'ouvre la bouche pour le héler, mais je ne connais même pas son nom.

Indie n'a pas bougé. Je la presse :

– Il faut le rattraper. Viens !

– Numéro dix-neuf, dit-elle doucement.

Je ne comprends pas tout de suite, mais en suivant son regard, je découvre ce qui se dresse derrière les rochers. Pour la première fois, je vois le Labyrinthe de près et en plein jour.

– Oh !

Quel changement ! Ce n'est plus le même monde.

Devant moi, ce ne sont que canyons, gorges, falaises... Un monde d'ombre et de lumière, de promontoires et de failles. Du rouge, du bleu et même un petit peu de vert. Indie a raison. Au fur et à mesure que le ciel s'éclaircit, je distingue les roches déchiquetées, les failles béantes, le Labyrinthe me rappelle un peu le tableau que Xander m'avait imprimé.

Sauf que là, c'est pour de vrai.

Le monde est tellement plus vaste que je ne l'avais imaginé.

Si nous nous enfonçons dans ce labyrinthe avec ses kilomètres de montagnes, de vallées, de falaises, de coins et de recoins, nous nous fondrons dans son immensité. Nous ne serons presque plus rien.

Tout à coup, je me rappelle le jour où, à l'école secondaire, avant que nous ne soyons orientés vers nos spécialités professionnelles, ils nous ont montré un schéma de notre corps, de notre squelette, en nous expliquant que nous étions fragiles et que, sans la Société, nous risquerions de nous blesser ou de tomber malades. Sur ces images, j'ai découvert que nos os tout blancs étaient en réalité pleins de sang et de moelle rouge. Je me souviens d'avoir pensé : *je ne savais pas que j'étais comme ça à l'intérieur.*

Je ne savais pas que la terre était comme ça à l'intérieur. Le Labyrinthe me paraît aussi infini que le ciel qui le surplombe.

Je comprends pourquoi Ky est venu ici. C'est l'endroit idéal pour se cacher. On pourrait fomenter une révolution au fond de ces canyons sans que personne s'en doute. Un sourire se dessine sur mes lèvres.

Alors qu'Indie s'apprête à descendre les rochers pour pénétrer dans le Labyrinthe, je la retiens.

– Attends. Le soleil va bientôt se lever.

J'ai envie de tout voir, j'ai envie de mieux voir.

Elle secoue la tête.

– Non, il faut qu'on soit à l'intérieur avant qu'il fasse complètement jour.

Elle a raison. Je jette un dernier regard au garçon qui s'éloigne, bien plus rapide que je ne l'en aurais cru capable, point minuscule à l'horizon. Je regrette de ne pas avoir eu le temps de le remercier.

Puis, sur les talons d'Indie, je m'enfonce dans le canyon, animée du fol espoir que Ky ait emprunté ce passage deux jours plus tôt. Laissant derrière moi la Société, Xander, ma famille, la vie que je connais. Laissant derrière moi le garçon qui nous a guidées jusqu'ici. Laissant derrière moi la lumière qui éclaire petit à petit la terre, teintant le ciel en bleu, la roche en rouge, cette lumière qui pourrait nous coûter la vie.

CHAPITRE 11
KY

En principe, il devrait y avoir des patrouilles dans le canyon. Je m'étais préparé à marchander, à supplier pour qu'on nous laisse passer, comme mon père la première fois qu'il est venu. Mais on n'a vu personne. Pas croisé le moindre *check point*. Un tel silence, un tel calme, c'est perturbant. On entend les coyotes, les lapins, les daims qui s'affairent dans les buissons. Un minuscule renard gris détale en nous voyant approcher d'un ruisseau pour boire. Un petit oiseau s'abrite dans un arbre au tronc entaillé d'une large blessure sombre. Comme s'il avait été touché par la foudre, et avait continué à pousser malgré tout.

Mais pas de trace de vie humaine.

Où sont passées les Anomalies?

Le ruisseau s'élargit au fur et à mesure que nous progressons dans le canyon. Nous le suivons en sautant sur des rochers ronds et lisses. Ça nous évite de laisser des empreintes. « L'été, je prends une canne pour marcher carrément dans l'eau », m'avait expliqué mon père.

Mais à cette époque de l'année, elle est glacée. Elle a gelé sur les bords. En regardant autour de moi, j'essaie d'imaginer le paysage que traversait mon père en été. Les arbustes rachitiques et nus devaient être couverts de feuilles, si tant est qu'ils aient des feuilles dans ce désert. Ce devait être agréable de se tremper les pieds dans l'eau fraîche, sous ce soleil de plomb. Les poissons devaient filer entre ses jambes en le sentant arriver.

Le matin du troisième jour, à notre réveil, nous trouvons le sol couvert de givre. Et je n'ai pas de silex pour allumer un feu. Sans nos vestes, nous serions morts de froid.

Eli dit tout haut ce que je pense tout bas :

– Heureusement que la Société nous a fourni ces vestes. Je n'ai jamais eu un vêtement aussi chaud.

Vick acquiesce.

– On dirait du matériel militaire. Je me demande pourquoi la Société nous les a donnés à nous, c'est du gaspillage.

Effectivement, c'est bien ça qui me tracasse depuis le début. Il y a quelque chose qui cloche.

Lorsque j'enlève ma veste, le vent glacé me saisit, mais je m'efforce de ne pas trembler pour sortir mon agate.

– Qu'est-ce que tu fabriques ? s'étonne Vick.

– Je la découpe.

– Et on peut savoir pourquoi ?

– Je vais te montrer.

J'étale le vêtement comme une carcasse d'animal pour procéder à l'incision avec ma pierre tranchante.

– La Société a horreur du gâchis. Ils ne nous ont donc pas fourni ça sans raison.

Je soulève la première couche de tissu.

Un réseau de câbles waterproof sillonne le rembourrage.

Étouffant un juron, Vick arrache son manteau. Je lève une main pour l'arrêter.

– Attends, on ne sait pas encore à quoi ça sert.

– Ils veulent certainement nous pister. La Société doit savoir où nous sommes.

– Possible mais, en attendant d'en être sûr, autant que tu restes au chaud.

Je tire les câbles en me remémorant les gestes de mon père.

– Ces vestes sont équipées d'un système chauffant, dis-je. J'en ai déjà vu. C'est pour ça qu'elles sont aussi efficaces.

– Il y a forcément autre chose, insiste Vick. Pourquoi tiennent-ils absolument à ce qu'on ait chaud ?

– Pour qu'on les garde sur nous, je réplique.

À côté des fils rouges du système chauffant, j'examine un autre réseau de câbles, bleu celui-ci. Il part du col, descend le long des bras jusqu'aux poignets, couvre le dos, les côtés, passe sous les bras... et, au niveau du cœur, rejoint un disque argenté de la taille d'une microcarte.

– C'est quoi ? demande Eli.

Je laisse échapper un petit rire en déconnectant les câbles bleus du disque. Je les sépare avec précaution des rouges pour ne pas abîmer le système de chauffage.

— Ils se moquent bien de ce qui nous arrive, mais ils ne peuvent pas résister à l'idée de recueillir des données.

Ayant libéré la puce, je la tiens entre le pouce et l'index.

— Je parie que ce truc enregistre notre pouls, notre degré d'hydratation, l'heure de notre mort. Et tout ce qu'ils ont envie de savoir sur notre vie dans les villages. Ils ne s'en servent pas pour nous pister en permanence, ils récupèrent simplement les infos à notre mort.

— Quand les vestes ne brûlent pas, précise Vick.

— Non, ça résiste au feu, fais-je, puis je souris. En revanche, on ne leur a pas facilité les choses en enterrant tous les gars.

Mon sourire s'évanouit quand j'imagine les Officiers en train de les exhumer pour leur arracher leur veste.

— Tu te rappelles celui qu'on a dû mettre à l'eau ? se remémore Vick. Ils ont voulu qu'on la lui enlève avant.

— Mais s'ils se moquent de ce qui nous arrive, pourquoi ces infos les intéressent-elles ? s'étonne Eli.

J'ai ma petite idée là-dessus.

— La mort est l'une des dernières choses qu'ils ne maîtrisent pas encore. Ils veulent en savoir plus.

— Chaque fois que l'un de nous meurt, ça leur apprend comment éviter d'en arriver là, résume-t-il.

Il a une voix pensive, comme s'il venait de comprendre

que nous sommes des cobayes, et ça ne s'arrête pas aux vestes, ça va plus loin.

– Je me demande pourquoi ils ne sont pas intervenus, reprend Vick. On a enterré les corps pendant des semaines.

Je hausse les épaules.

– Je ne sais pas. Ils voulaient peut-être voir combien de temps on tiendrait.

Nous nous taisons un moment. J'enroule les câbles bleus – les viscères de la Société – pour les cacher sous un rocher. Puis je propose :

– Vous voulez que je m'occupe de vos vestes ? J'en ai pour deux minutes.

Vick me tend la sienne. Maintenant que je sais où passe le câble bleu, il me suffit de quelques fines incisions pour l'ôter. Puis je fais un trou au niveau du cœur afin d'extraire le disque.

– Et toi, comment tu vas faire ? s'inquiète Vick en se rhabillant.

– Je vais trouver un moyen de la réparer.

Repérant un conifère non loin de nous, je recueille de la résine pour recoller les pans de ma veste. L'odeur piquante et fraîche me rappelle les grands pins sur la Colline, à Oria.

– Je devrais avoir assez chaud, je n'ai pas coupé les fils rouges.

Je m'apprête à faire subir le même traitement à celle d'Eli, mais il m'arrête.

– Non, ça ne me gêne pas. Je la garde comme ça.

– D'accord, fais-je, un peu surpris.

Je crois que je comprends. Ce petit disque est notre seule chance d'accéder à l'immortalité. Le prélèvement de tissus vivants et leur stockage en attendant que la Société ait trouvé comment nous ranimer est réservé aux citoyens.

Je ne suis pas sûr qu'ils disposeront un jour de cette technologie. Même la Société ne peut pas ressusciter les morts. En revanche, nos données personnelles nous survivent. Elles sont enregistrées, étudiées, remaniées pour fournir à la Société les chiffres dont elle a besoin.

Un peu comme le Soulèvement avec le mythe du Pilote.

J'ai toujours entendu parler de ce mouvement de rébellion et de son chef.

Pourtant, je ne l'ai jamais mentionné devant Cassia.

J'ai bien failli, le jour où, sur la Colline, je lui ai raconté l'histoire de Sisyphe. Pas l'adaptation qu'en a faite le Soulèvement, non, la version que je préfère. Nous étions tous les deux dans la forêt, avec nos chiffons rouges à la main. J'avais fini mon histoire, j'allais lui en dire plus… quand elle m'a demandé la couleur de mes yeux. À cet instant précis, j'ai réalisé que l'amour pouvait être une forme de rébellion – plus dangereuse encore que les autres.

Depuis mon enfance, j'avais entendu certains vers de Tennyson. Mais, lorsque je les ai lus sur les lèvres de Cassia, dans cette forêt d'Oria, j'ai compris que ce poème n'était pas spécifique au Soulèvement. Tennyson ne l'a pas écrit pour eux – il l'a composé bien avant la fondation de la Société.

Pareil pour le mythe de Sisyphe. Il existait longtemps avant que le Soulèvement, la Société ou mon père ne le reprenne à son compte.

Quand je travaillais à Oria, répétant les mêmes gestes jour après jour, j'ai également réinterprété l'histoire. J'ai décidé que c'était ce qu'on avait dans la tête qui importait plus que tout.

Du coup, je ne lui ai jamais dit que j'avais déjà entendu ce poème, je ne lui ai jamais parlé du Soulèvement. Pourquoi ? Parce que la Société s'immisçait déjà dans notre relation, ça suffisait, pas la peine d'en rajouter. Ainsi, nous pouvions donner le sens que nous voulions à nos poèmes, à nos histoires. C'était à nous de choisir notre voie, ensemble.

Nous trouvons enfin un signe de la présence des Anomalies dans le canyon : un passage d'escalade. Au pied de la falaise, le sol est maculé d'étranges taches bleues. En me penchant pour les examiner plus attentivement, je crois d'abord qu'il s'agit de carapaces d'insectes. Bleues dessus et violettes dessous. Aplaties et mêlées à la boue.

Puis je m'aperçois que ce sont en fait des baies de genièvre tombées d'un arbre voisin et écrasées par des piétinements fréquents. La pluie a effacé les empreintes de pas, il ne reste plus que de vagues creux. Je passe la main sur la roche, cherchant les failles et les pitons en métal auxquels les Anomalies ont arrimé leur matériel d'escalade. Les cordes ont disparu.

CHAPITRE 12
CASSIA

Sur le chemin, je cherche des traces du passage de Ky. En vain. Pas d'empreintes, pas le moindre signe de vie humaine. Même les arbres sont petits et rabougris, l'un d'eux a une grande cicatrice sombre au milieu du tronc. L'abattement s'empare de moi. J'ai beau savoir qu'il a plu récemment, j'espérais tout de même trouver un signe m'indiquant que Ky était bien passé par là.

Et également des preuves de l'existence du Soulèvement. Au moment où j'ouvre la bouche pour demander à Indie si elle en a déjà entendu parler, je me ravise. De toute façon, à quoi peut bien ressembler un signe de rébellion, franchement?

Nous trouvons un minuscule ruisseau, si maigre qu'il disparaît presque lorsque nous y plongeons nos gourdes. Ce matin, dans la pénombre, je n'ai pas remarqué où il prenait sa source. Après avoir parcouru de plus grands cours d'eau, des morceaux de bois flotté ont échoué sur de petites plages de sable, blancs et secs comme des ossements. J'essaie d'imaginer ce que ça donne vu d'en haut : un fil argenté, tiré de l'une des Cent Robes, serpentant dans l'immensité de roche rouge du Labyrinthe. On ne nous verrait même pas, Indie et moi, nous sommes trop petites.

Je soupire :

– J'ai l'impression qu'on n'est pas dans le bon canyon.

Elle ne répond pas tout de suite. Elle s'est penchée pour ramasser une étrange boule grise, fragile. Elle me la montre, posée avec précaution au creux de sa paume.

– Un vieux nid de guêpes, dis-je en examinant les cercles concentriques, fins comme des mouchoirs en papier.

– On dirait un coquillage, murmure-t-elle tout en le glissant doucement dans son sac. Tu veux faire demi-tour, essayer un autre canyon ?

Je m'arrête un instant. Cela fait près de vingt-quatre heures que nous sommes parties et nous n'avons presque plus rien à manger. Nous avons dévoré nos provisions pour reprendre des forces à notre arrivée devant le Labyrinthe. Je ne veux pas gâcher des comprimés en faisant marche arrière, surtout que je n'ai aucune idée de ce qui nous attend.

– Non, on continue. On va peut-être trouver un signe de son passage bientôt.

Indie acquiesce et repart, ses deux pierres tranchantes à la main. Je l'imite. Il y a des empreintes d'animaux dans le coin, même si nous n'avons encore vu aucune trace des Anomalies.

Aucun signe de présence humaine – morte ou vivante. Aberration ou Anomalie. Officiel ou rebelle.

Ce soir-là, assise dans le noir, je travaille sur mon poème. Ça m'évite de penser à tout ce que j'ai laissé derrière moi.

J'ai une nouvelle idée pour le premier vers. Encore.

Comme je ne pouvais pas voler jusqu'à toi, j'ai marché, pas à pas, sur la roche rouge.

Des premiers vers, j'en ai plein la tête. En fin de compte, heureusement que je n'ai pas encore retrouvé Ky parce que je ne sais toujours pas ce que je lui murmurerai à l'oreille quand je le verrai, quels mots choisir pour marquer cet instant.

Indie me tire de mes pensées.

– J'ai faim.

Sa voix sonne creux, vide comme son nid de guêpes.

– Tu veux un comprimé bleu ?

J'ignore pourquoi j'hésite à les prendre alors que c'est précisément pour ce genre de situation que Xander me les a donnés. Peut-être parce que le garçon qui nous a servi de guide n'en a pas voulu. Ou parce que j'aimerais garder quelque chose à offrir à Ky, puisque j'ai troqué sa boussole. Ou parce que j'entends la voix de mon grand-père résonner dans ma tête : « Tu es assez forte pour t'en passer. » Il parlait des comprimés verts, mais quand même.

Indie me dévisage, stupéfaite.

Soudain, j'ai une idée. Je sors ma torche pour regarder autour de moi. Ma mère ne m'a pas appris le nom de tous les végétaux, mais je sais reconnaître la présence éventuelle de poison. Cette plante ne présente aucun signe de toxicité et ses épines indiquent qu'elle a quelque chose à protéger. Elle est charnue, verte, bordée de mauve. On est loin de la végétation luxuriante d'Oria, mais c'est toujours mieux que les brindilles sèches et noires des autres plantes affamées par l'hiver. Sur certaines branches nues, on aperçoit des cocons gris, souvenirs laissés par les papillons.

Indie me regarde cueillir délicatement une feuille épaisse et piquante, avant de m'imiter. Accroupies, nous ôtons les épines à l'aide de nos « pierres-couteaux ». Au bout d'un moment, il nous reste un long morceau gris-vert de plante écorchée.

– Tu crois que c'est du poison ? s'inquiète-t-elle.

– Je ne pense pas. Je vais goûter la première.

– Non, on va en prendre chacune un tout petit bout et voir ce que ça donne.

Nous mâchonnons activement pendant une bonne minute. Ça n'a rien à voir avec ce que j'ai mangé toute ma vie, les plats préparés par la Société, mais au moins ça nous rassasie un peu.

Comme rien ne se passe, au bout d'un moment, nous en reprenons une bouchée. Une nouvelle rime me vient alors à l'esprit, je la note, puis je l'efface. Ça ne va pas.

– Qu'est-ce que tu fabriques ? s'étonne Indie.

– J'essaie de composer un poème.

– Un de la liste?

– Non, un nouveau, avec mes propres mots.

Elle s'approche, intriguée, pour regarder les lettres que j'ai tracées dans le sable.

– Tu sais écrire?

– Il m'a appris. Le garçon que je cherche.

Un autre vers me vient.

Ma main au creux de la tienne qui me montre comment faire.

– Pourquoi es-tu classée Aberration? me questionne Indie. Tu es la première de ta famille?

J'hésite. Je n'ai pas envie de lui mentir... mais, en fait, ce n'est plus un mensonge. Si la Société a découvert que je me suis enfuie, ils ont dû changer mon statut. Et si ce n'est pas fait, ça ne saurait tarder.

– Oui, je suis de première génération.

– C'est toi qui as fait quelque chose, alors?

– Oui, j'ai été déclassée par ma faute.

Ça aussi, c'est vrai, mes parents n'y sont pour rien.

Indie grignote un bout de plante avant de me confier:

– Ma mère a construit un bateau. Elle l'a creusé dans le tronc d'un vieil arbre. Ça lui a pris des années. Et quand elle s'est enfuie à la rame, les Officiels l'ont rattrapée en moins d'une heure.

Elle soupire.

– Ils l'ont ramenée à terre. Ils nous ont dit qu'elle voulait simplement essayer son bateau, qu'elle était contente qu'ils l'aient sauvée.

J'entends un bruit étrange dans le noir, un bruissement, comme un murmure. Je mets un instant à comprendre que c'est Indie qui fait tourner le nid de guêpes dans ses mains tout en parlant.

– Je n'ai jamais vécu au bord de l'eau, enfin de la mer, je veux dire.

– L'océan t'appelle, sans cesse, chuchote-t-elle.

Avant que j'aie pu lui demander ce qu'elle entend par là, elle poursuit :

– Plus tard, une fois les Officiels partis, elle nous a raconté ce qui s'était réellement passé, à mon père et à moi. Elle avait l'intention de s'en aller, vraiment. Et le pire, c'est que, lorsqu'ils l'ont rattrapée, elle voyait encore le rivage.

J'ai l'impression que je suis au bord de l'eau et que quelque chose, une idée, une révélation, vient me chatouiller les pieds. Je la vois presque, cette femme sur son bateau, qui veut partir loin, laisser la terre derrière elle, ne plus voir que le ciel et la mer. Je l'entends presque soupirer quand elle constate qu'elle n'est pas allée assez loin. C'est dommage, j'aurais tant aimé qu'elle y arrive.

Indie reprend à voix basse :

– Lorsque les Officiels se sont aperçus qu'elle nous avait tout dit, ils nous ont fait prendre les comprimés rouges.

– Oh...

Dois-je lui montrer que je connais leur effet? L'oubli?

– Mais je n'ai pas oublié.

J'ai beau ne pas voir ses yeux dans le noir, je sais qu'elle me regarde.

Elle a supposé que j'étais au courant. Elle est comme Ky et Xander. Insensible à leur effet.

Est-ce si fréquent? Suis-je comme eux?

Je suis parfois tentée de le prendre, ce comprimé rouge, au milieu de tous les bleus. Comme le jour où ils ont emmené Ky. Seulement, maintenant, ce n'est pas parce que je veux oublier, c'est parce que je veux savoir. Y suis-je insensible moi aussi?

Mais si ce n'est pas le cas, le moment serait mal choisi pour avoir un trou de mémoire. Et en plus, je risque d'en avoir besoin plus tard.

En me remémorant les reproches de Xander, je demande:

– Tu lui en as voulu d'avoir tenté de s'enfuir?

J'ai à peine fini ma phrase que je la regrette déjà. Heureusement, Indie ne le prend pas mal.

– Non, elle avait l'intention de revenir nous chercher.

– Oh...

Le silence s'installe. Je repense à ce jour où Bram et moi, nous attendions notre mère, au bord d'une petite mare, à l'arboretum. Il avait très envie de jeter un caillou dans l'eau, tout en sachant qu'il risquait d'avoir des ennuis si quelqu'un le voyait. Alors il s'est retenu. Il a attendu. Guetté. Et, juste au moment où je croyais qu'il n'aurait pas le cran, il a lancé sa pierre pour faire des ricochets dans la mare.

Indie reprend la parole :

— Elle avait entendu parler d'un mouvement de rébellion sur une île, pas très loin de la côte. Elle voulait d'abord la localiser avant de nous y emmener.

Dans un soudain élan d'enthousiasme, je m'écrie :

— J'en ai entendu parler aussi ! Ça s'appelle le Soulèvement !

— C'est ça, me confirme Indie, aussi excitée que moi. On lui a dit qu'ils avaient des groupes un peu partout. Le Labyrinthe serait l'endroit idéal pour un mouvement de ce genre, non ?

— Oui, je trouve aussi.

Dans ma tête, je vois comme un film transparent posé sur une carte de la Société, indiquant ces endroits qu'elle ignore ou qu'elle veut nous empêcher de voir.

— On dit qu'ils ont un chef, le Pilote. Tu crois que c'est vrai ?

— Bien sûr ! s'exclame Indie.

À ma grande surprise, elle se met à réciter des vers d'une voix douce, très différente du ton brusque qu'elle emploie habituellement :

Chaque jour, le soleil suit son cours
Jusqu'au seuil de la nuit.

Chaque nuit, les étoiles luisent toujours

Haut dans le ciel, sans bruit.

Sur son bateau, un jour,
Elle filera jusqu'au rivage, eh oui.

Un pincement de jalousie me serre le cœur.

– C'est toi qui l'as écrit ? Il ne fait pas partie des Cent Poèmes.

– Non et non. De toute façon, ce n'est pas un poème.

– Ça y ressemble, pourtant.

– Non.

– Alors c'est quoi ?

J'apprends à mes dépens qu'il ne sert à rien de contredire Indie.

– Ce que ma mère me chantait tous les soirs pour m'endormir. Quand j'ai été assez grande, elle m'a expliqué que le Pilote prendrait la tête du Soulèvement. Elle pensait que ce serait une femme qui viendrait de l'océan.

– Oh…

Je me suis toujours figuré que le Pilote descendrait du ciel. Mais il se peut qu'elle ait raison. Je me souviens que, dans le poème de Tennyson, il était question d'eau.

Indie s'est visiblement fait la même réflexion.

– Le poème que tu récitais en courant… je ne l'avais jamais entendu, mais ça prouve que le Pilote pourrait tout à fait venir de l'eau. Une barre, c'est une sorte de banc de sable. Et le Pilote guide les bateaux pour quitter et regagner le port sans encombre.

– Je ne sais pas grand-chose à ce sujet…

C'est vrai, cependant je me suis forgé une image de celui qui pourrait mener la rébellion, et elle ne correspond pas à celle d'Indie. Mais dans le fond, c'est à peu près la même idée. D'ailleurs, l'histoire que l'Archiviste m'a donnée précise que le Pilote change sans arrêt. Si ça se trouve, nous avons toutes les deux raison.

– Je crois que ça n'a pas grande importance que ce soit une femme ou un homme, qu'il vienne du ciel ou de l'océan. Qu'est-ce que tu en penses ?

– Tout à fait d'accord ! s'écrie Indie, victorieuse. Je le savais. Tu cherches un garçon, d'accord, mais pas seulement !

Le cœur battant, je lève les yeux vers l'étroite bande de ciel constellée d'étoiles scintillantes qui s'étend entre les deux parois du canyon.

Se pourrait-il qu'elle dise vrai ? Je viens de si loin et, pourtant, je n'ai pas l'impression d'être allée assez loin encore.

– On pourrait monter sur le plateau et essayer un autre canyon, suggère Indie. Voir si on le trouve, lui… ou le Soulèvement.

Elle allume sa torche pour éclairer la falaise.

– Je sais grimper. On apprend l'escalade à Sonoma, ma Province. On pourra chercher un passage demain, un endroit où la paroi est moins haute et moins abrupte.

– Je n'ai jamais fait d'escalade. Tu crois que je peux y arriver ?

– Si tu te concentres et que tu ne regardes pas vers le bas.

Le silence se fait. Je remarque alors que, même dans cette étroite rivière de ciel, je vois plus d'étoiles que je n'en ai jamais vu à Oria. Et ça me redonne espoir, car il y a sûrement tant d'autres choses que je ne vois pas, que je n'imagine même pas. J'ai espoir pour mes parents et Bram, pour Xander, pour Ky.

– On n'a qu'à essayer.

– On cherchera un passage dès l'aube, avant le lever du jour, décide Indie. Je ne veux pas me retrouver exposée en pleine lumière.

– Moi non plus.

Dans le sable, j'écris un début de poème et, pour la première fois, un deuxième vers également :

Je grimpe vers toi dans la nuit,
M'attends-tu là-haut, dans les étoiles ?

CHAPITRE 13
KY

Les parois du canyon ont une teinte noir orangé. Tel un feu soudain changé en pierre.

– C'est drôlement profond ! s'exclame Eli en levant les yeux, impressionné.

À cet endroit, les deux falaises sont plus hautes que tous les immeubles que j'aie pu voir dans ma vie, plus hautes que la Colline d'Oria, même.

– On dirait que quelqu'un a fait une grosse entaille dans la terre et nous a laissés tomber au fond.

J'acquiesce.

– Je sais…

À l'intérieur du Labyrinthe, on découvre des rivières, des grottes, des rochers qu'on ne devine pas d'en haut. Comme si, brusquement, on voyait son propre corps en gros plan, avec le sang qui coule dans les veines au rythme des battements du cœur.

– Ça n'a rien à voir avec Central, murmure Eli.

Vick et moi, nous nous étonnons en chœur :

– Tu viens de Central ?

– Oui, j'y ai passé mon enfance. Je n'ai jamais vécu ailleurs.

– Tu dois te sentir vraiment isolé, par ici.

Je me rappelle, en arrivant à Oria quand j'avais l'âge d'Eli, avoir eu le sentiment d'être isolé, parce que, au contraire, il y avait trop de monde autour de moi.

– Comment les Anomalies ont atterri ici ? demande-t-il.

Je tente de lui expliquer :

– Au départ, à l'époque de la fondation de la Société, les Anomalies avaient choisi de s'en exclure. Ceux qui vivent dans le Labyrinthe ne se considèrent pas comme des Anomalies, ils préfèrent qu'on les appelle les Fermiers.

– Comment ont-ils pu faire ce choix ? me demande-t-il, intrigué.

– Ils se sont doutés que la Société allait prendre le contrôle sur tout et ils n'étaient pas d'accord. Ils ont donc entrepris de stocker des choses dans le Labyrinthe.

Je désigne les parois rocheuses.

– Il y a des grottes là-dedans. Les Fermiers possédaient assez de réserves pour tenir en attendant de pouvoir planter et récolter les semences qu'ils avaient apportées. Ils ont baptisé leur camp « une communauté » parce qu'ils ne voulaient pas reprendre les mots de la Société.

– Et la Société ne s'est pas lancée à leur poursuite ?

– Si, mais les Fermiers avaient un avantage : ils connaissaient les lieux et ils ont toujours réussi à semer ceux qui essayaient de les suivre. La Société a estimé que, de toute façon, ils finiraient tous par mourir car les conditions de vie sont difficiles, par ici.

Un pan de ma veste s'est décollé, je le répare avec de la résine.

– Et puis, la Société s'en est servie pour effrayer le reste des citoyens. Ils ont fait courir le bruit que les Fermiers étaient brutaux et cruels, si bien que les habitants des Provinces lointaines n'osaient plus pénétrer dans le Labyrinthe.

– Tu crois qu'ils vont vouloir nous tuer ? s'inquiète Eli.

– Ils ne montrent aucune pitié envers ceux qui viennent de la Société, mais nous, nous n'en faisons plus partie. Nous sommes des Aberrations. Ils ne s'attaquent aux Aberrations ou aux Anomalies que pour se défendre.

– Comment vont-ils connaître notre statut ?

– Regarde-nous ! On n'a pas franchement l'air de citoyens ou d'Officiels !

Trois jeunes gens, sales, échevelés, clairement en fuite.

– Mais pourquoi ton père n'a jamais voulu que vous vous installiez ici avec ta mère ? me questionne Vick.

– La Société n'a pas tort sur certains points. Ici, on meurt libre, mais on meurt plus jeune. Dans les canyons, les Fermiers n'ont pas accès aux soins médicaux ni aux technologies dont dispose la Société. Ma mère n'était pas d'accord pour venir et mon père a respecté son choix.

Vick hoche la tête.

– Nous allons donc aller trouver ces gens pour leur

demander de nous aider, comme ils ont aidé ton père à l'époque.

– Oui. J'espère pouvoir faire du troc avec eux. Ils ont des cartes, des plans, de vieux livres. Ou, tout au moins, ils en avaient.

– Et toi, qu'est-ce que tu as à leur proposer en échange? me demande Vick d'un ton sec.

– La même chose qu'Eli et toi. Des informations au sujet de la Société. Des informations venues de l'intérieur. Il n'y a plus de vrais villages dans les Provinces lointaines, ceux qui vivent dans les canyons n'ont donc pas dû avoir de nouvelles fraîches depuis longtemps.

– Bon, et s'ils acceptent le marché, reprend Eli, pas franchement convaincu, qu'est-ce qu'on fera de tous ces vieux bouquins une fois qu'on les aura?

– Tu pourras en faire ce que tu veux. Tu n'es même pas obligé d'en prendre. Moi, je vais leur demander une carte pour atteindre les Provinces frontalières.

– Attends, me coupe Eli, tu veux retourner dans la Société? Mais pourquoi?

– Je ne veux pas retourner sur mes pas, juste aller assez loin pour lui envoyer un message, afin qu'elle sache où e suis.

– Mais comment feras-tu? Même si tu atteins les Provinces frontalières, la Société surveille tous les ports de communication. Tu te feras tout de suite repérer.

– Voilà pourquoi j'ai besoin de livres et de papiers, pour faire du troc avec un Archiviste. Ils ont moyen d'envoyer des messages sans passer par les ports officiels. Mais ça coûte cher.

— Un Archiviste? répète Eli sans comprendre.

— Ce sont des gens qui font des échanges au marché noir. Ils ont commencé avant la Société. Mon père faisait également commerce avec eux.

— C'est ça, ton plan, alors, conclut Vick. Rien de plus...

— Rien de plus, je confirme. Pour l'instant.

— Tu crois que ça va marcher? s'étonne Eli.

— Je ne sais pas.

Un oiseau se met à chanter. Il lance quelques notes aiguës, obsédantes, qui résonnent dans le canyon. Je sais qu'il s'agit d'un troglodyte mignon car mon père imitait souvent son chant en sifflant. Selon lui, c'était la mélodie du Labyrinthe.

Il adorait venir ici.

Quand mon père me racontait des histoires, il brouillait les frontières entre réel et fiction.

— Il y a toujours un fond de vérité, avait-il coutume de répondre lorsque ma mère le taquinait à ce propos.

— Mais il y a bien une communauté de Fermiers dans le canyon, ça c'est vrai? demandais-je pour m'en assurer.

— Oui, un jour, je t'y emmènerai, tu verras, me promettait-il.

Je me fige, stupéfait, en la découvrant au détour d'un virage. Pile où il me l'avait dit, dans la partie la plus large du canyon.

La lumière dorée de fin d'après-midi ajoute au sentiment d'irréalité qui me saisit. La communauté est exactement comme il me l'avait décrite au retour de sa première visite : « Le soleil couchant baignait tout d'une lueur dorée : le pont, les bâtiments, les gens, et même moi. J'avais du mal à en croire mes yeux alors que j'en avais entendu parler depuis des années. Plus tard, lorsque les Fermiers m'ont appris à écrire, j'ai eu cette même impression. Comme si j'avais toujours le soleil dans le dos. »

Le soleil d'hiver donne un reflet cuivré au pont et aux bâtiments qui se dressent devant nous.

– On y est, dis-je.

– Alors, c'est bien vrai, constate Vick.

Eli ne dit rien. Il sourit.

Devant nous, les constructions forment un centre-ville compact puis s'éparpillent le long de la rivière, adossées aux rochers. Des maisons, des bâtiments plus grands. De petits champs à l'endroit où le canyon s'élargit.

Il manque juste une chose. Les habitants. Il règne un silence complet. Vick me lance un regard. Il a remarqué, lui aussi.

Je soupire :

– On arrive trop tard. Ils sont partis.

C'est récent, ça se voit.

Ils avaient préparé ce départ depuis longtemps, ce n'était pas précipité. Les pommes ont été cueillies ; il n'en reste que quelques-unes, luisant sur les branches noires et tortueuses.

La plupart des outils agricoles ont disparu. Les Fermiers ont dû les démonter pour les emmener, n'abandonnant que deux ou trois pièces rouillées.

– Où sont-ils allés ? demande Eli.

– Aucune idée.

Reste-t-il seulement quelqu'un de vivant en dehors de la Société ?

De hauts peupliers bordent un ruisseau. Un petit arbre noueux pousse tout seul dans un coin.

– Attendez, dis-je, je n'en ai pas pour longtemps.

En prenant garde de ne pas tailler trop profond, pour ne pas abîmer l'arbre, je grave son nom dans le tronc en repensant, comme toujours, au jour où je lui ai appris à écrire. Vick et Eli me regardent sans prononcer un mot.

Je recule d'un pas pour admirer mon travail.

Les racines courent à la surface du sol sableux. L'écorce est grise, rugueuse. L'arbre n'a plus de feuilles depuis longtemps, mais c'est beau quand même, ce nom, sur son tronc.

Les maisons, en pierre ou en bois, usées par le temps, nous intriguent tous les trois. Cela fait si longtemps que nous n'avons pas vu un véritable foyer, où ont vécu de vraies familles. Eli monte les marches d'un perron. Nous lui emboîtons le pas.

– Ky, regarde ! s'exclame-t-il.

Finalement, j'ai un doute. Ils ont tout de même dû se presser un peu pour partir, sinon pourquoi auraient-ils laissé leur maison dans cet état ?

Ils n'ont pas eu tout à fait le temps d'achever leurs préparatifs. De nombreuses images sont peintes sur les murs ; s'ils avaient pu, les Fermiers les auraient sans doute effacées, car elles en disent trop sur leur compte.

Dans cette maison, un bateau est peint dans le ciel, échoué sur un tas de nuages blancs. L'artiste a signé son œuvre, dans un coin de la pièce. Son nom clame la propriété de cette peinture, de ces idées. Il y a tellement longtemps que je rêve de voir cet endroit que j'en ai le souffle coupé.

C'est ici qu'il a appris.

À écrire.

À peindre.

– On n'a qu'à rester ici, propose Eli. Il y a des lits superposés. On pourrait s'y installer définitivement.

– Tu n'oublies pas un petit détail ? réplique Vick. Si les gens qui vivaient ici sont partis, c'est qu'ils avaient une bonne raison.

Je hoche la tête.

– On trouve une carte, de quoi manger et on repart. Allons voir dans les grottes.

Nous les explorons toutes, de chaque côté du canyon. Dans certaines, les murs sont peints, comme dans les maisons. En revanche, nous ne trouvons pas le moindre morceau de papier.

Pourtant, ils lui ont appris à écrire. Ils savaient le faire. Alors où ont-ils bien pu ranger leurs documents ? Ils n'ont pas pu tout emporter.

Il fait presque nuit; la lumière faiblissant, on ne voit plus les couleurs, juste des nuances de gris.

– C'est bizarre, fait Eli en braquant sa torche sur l'une des peintures. Il en manque un morceau.

L'eau a effacé le bas de l'image, il ne reste plus que le haut: le sommet du crâne d'une femme. On ne voit que ses yeux et son front.

– Elle ressemble à ma mère, ajoute-t-il doucement.

Je me tourne vers lui, surpris, car c'est le mot qui résonne dans ma tête en ce moment même. Pourtant, elle n'a jamais mis les pieds ici. Je me demande si ce mot, «mère», est aussi dangereux pour Eli que pour moi. Plus dangereux même que le mot «père». Parce que je ne ressens aucune colère envers elle. Juste une immense peine, et c'est un sentiment contre lequel il est beaucoup plus difficile de lutter.

– Je crois savoir où ils ont dû cacher les cartes, annonce brusquement Eli.

C'est la première fois que je vois ses yeux briller de malice. Je me demande si je l'apprécie autant parce qu'il me fait penser à Bram... ou parce qu'il me fait penser à moi. J'avais à peu près son âge quand j'ai volé les comprimés rouges des Carrow.

À mon arrivée à Oria, j'étais étonné de voir les gens sortir de chez eux, du travail ou des aérotrains tous en même temps. Ça me mettait mal à l'aise, cette façon d'aller tous au même endroit au même moment. Je m'imaginais que les rues étaient des ornières dans la terre sèche.

La foule les remplissait comme l'eau de pluie s'y engouf-
frant après une averse. Tous ces gens en tenue de jour
bleue ou grise n'étaient qu'une force de la nature parmi
d'autres.

Puis, un jour, je me suis perdu dans un quartier voisin.
Et Xander m'a surpris ma boussole à la main en train d'essayer de rentrer chez moi. Il m'a fait du chantage : si je ne
voulais pas qu'il le dise à Patrick, il fallait que je vole des
comprimés rouges.

Il devait savoir que j'étais classé Aberration. J'ignore
comment il a pu le deviner aussi rapidement, on n'en a
jamais reparlé. Mais ce n'est pas grave. Ça m'a donné une
bonne leçon. Il faut prendre les choses pour ce qu'elles
sont, et non essayer de trouver des points communs avec
ce qu'on connaît déjà. J'étais ailleurs, tout était différent.

– Où ça, Eli ? je lui demande.

Il reste un moment silencieux, tout sourire. Je me rappelle aussi cette jubilation – le moment triomphal de la
révélation.

J'ai ouvert la paume pour montrer à Xander les deux
comprimés que j'avais volés. Il ne m'en croyait pas
capable. Et moi, je voulais lui montrer que, malgré mon
statut d'Aberration, j'étais aussi malin que lui. Je voulais
qu'il le sache puisque j'allais désormais devoir faire semblant d'être inférieur à ceux qui m'entouraient. L'espace
d'un instant, je me suis senti puissant. Comme mon père.

– À l'abri de l'eau, m'annonce Eli. Ils ne stockent rien
ici, il doit y avoir des grottes plus haut.

– J'aurais dû y penser! dis-je avant de filer dehors pour examiner les falaises.

Mon père m'avait parlé des inondations. Quand les Fermiers voyaient le niveau de la rivière monter, ils savaient que ça allait se produire. Parfois, ça arrivait sans prévenir, une crue subite. Ils étaient obligés de vivre et de cultiver la terre au fond du canyon, là où il y avait de la place mais, dès que l'eau montait, ils se repliaient dans des grottes plus hautes.

« Ici, la frontière entre la vie et la mort est mince, disait mon père. Il faut espérer être du bon côté. »

Je remarque maintenant la trace des précédentes crues un peu partout: des traces de sédiments sur les parois du canyon, des troncs d'arbres coincés sous des rochers, emportés par la violence du courant. Cette force, même la Société ne pourrait la maîtriser.

– Moi qui ai toujours cru qu'il valait mieux tout enterrer, marmonne Vick.

– Non, parfois, mieux vaut monter le plus haut possible, dis-je en pensant à la Colline.

Nous mettons pratiquement une heure pour trouver l'accès que nous cherchons. Il faut suivre un sentier qui grimpe, grimpe et s'insinue dans un repli de la paroi. Impossible de le deviner d'en bas. Les Fermiers l'ont creusé dans la roche, de façon qu'il s'y fonde.

Ce n'est qu'une fois là-haut qu'on voit l'entrée des grottes.

L'endroit idéal pour stocker tout ce qu'on veut, bien

caché, difficilement accessible. Et sec, en plus. Vick se faufile dans la première.

– Il y a de la nourriture ? demande Eli dont l'estomac gargouille.

Nous avons eu beau nous rationner, il était temps que nous arrivions à la communauté.

– Non, répond Vick. Mais viens voir, Ky.

Je le rejoins pour découvrir quelques caisses empilées. Près de l'entrée, il y a des traces par terre, comme si quelqu'un était venu chercher des choses, récemment.

J'ai déjà vu ce genre de caisse. J'en ouvre une avec précaution. Câbles. Claviers. Explosifs. Du matériel de la Société.

Pourtant cela m'étonnerait que les Fermiers fassent du commerce avec la Société. Ils ont dû les voler ou les obtenir au marché noir. Il faut sûrement des années pour remplir une grotte de cette taille.

Mais où est passé ce qui manque ?

Lorsque Eli se glisse derrière moi, je le retiens en tendant le bras.

– On dirait les mêmes câbles que dans nos vestes. Tu veux qu'on en prenne ?

– Non, continue à chercher de quoi manger. Et n'oublie pas la carte.

Eli ressort de la grotte.

Vick hésite.

– Ça pourrait nous servir. Tu saurais bidouiller tout ça, non ?

– Je pourrais essayer, mais je ne préfère pas. Mieux vaut remplir nos sacs de provisions et de papiers si on en trouve.

J'ai l'impression que la passion de mon père pour les câbles l'a conduit à sa mort. Il se prenait pour Sisyphe, il croyait pouvoir retourner les armes de la Société contre elle.

D'accord, j'ai fait pareil pour les gars du village en arrangeant leurs fusils avant notre départ. Et visiblement, ils n'ont pas mieux fini que mon père.

– C'est dangereux de bricoler ces trucs-là. Je ne sais même pas si les Archivistes s'y risquent encore.

Vick secoue la tête, mais il n'insiste pas.

En s'enfonçant dans la grotte, il trouve un rouleau de plastique épais.

– Tu sais ce que c'est?

Je l'examine de plus près. Il y a des cordes et des tubes tout fins à l'intérieur.

– Un genre d'abri?

– Non, un bateau, j'en ai vu sur la base militaire où je vivais, m'explique Vick.

C'est la première fois qu'il me révèle une information aussi importante sur son passé. J'attends qu'il en dise plus.

Mais Eli nous appelle, surexcité:

– Si vous voulez à manger, il y a ce qu'il faut!

Nous le trouvons en train de croquer une pomme dans la deuxième grotte.

– Ce devait être trop lourd à porter, dit-il. Il reste toutes sortes de pommes et des céréales. Et aussi plein de graines.

– Ils ont sans doute stocké ça ici au cas où ils devraient revenir, suppose Vick. Ils ont pensé à tout.

J'acquiesce. En voyant tout ce que ces hommes ont laissé, je suis admiratif. Et déçu, car j'aurais aimé les rencontrer.

Vick ressent visiblement la même chose.

– On a tous rêvé de s'enfuir. Eux, ils l'ont fait.

Nous remplissons nos sacs de provisions. Des pommes et une sorte de pain plat qui doit se conserver longtemps. Il y a aussi des allumettes qu'ils ont dû fabriquer eux-mêmes – j'en prends pour plus tard quand nous pourrons faire un feu dans un endroit sûr. Une fois nos sacs pleins, nous en dénichons d'autres que nous chargeons également.

– Maintenant, il faut trouver une carte et des documents à troquer.

J'inspire profondément. Ça sent la pierre humide... et la pomme.

La voix d'Eli me parvient du fond de la grotte.

– Ça doit être par ici, il y a une autre salle.

Vick et moi, nous le rejoignons. Nous scrutons la pièce à la lueur de nos torches. Elle est propre, bien rangée. Pleine de cartons. Je soulève un couvercle : que des livres et des documents soigneusement empilés.

Je m'efforce de ne pas penser à mon père. « Ce doit être ici qu'il a appris. Il devait être assis sur ce banc. »

– Ils ont laissé tellement de choses..., murmure Eli.

– Ils ne pouvaient pas tout emporter. Ils ont dû faire une sélection.

– Ils avaient peut-être un infopod, suggère Vick, ils ont pu scanner certains documents pour les enregistrer.

– Peut-être…

Mais ça a dû être terrible d'abandonner les originaux. Cette grotte est une vraie mine d'informations, un trésor amassé par leurs ancêtres au fil des années. J'imagine la peine qu'ils ont eue à s'en séparer.

Au milieu de la pièce se dresse une table faite de morceaux de bois qui ont dû être assemblés une fois à l'intérieur. La salle, la communauté entière donnent cette impression d'avoir été assemblées avec précaution. Tout a un sens, une fonction. Rien n'est tombé du ciel, balancé par la Société. Il a fallu travailler, se donner du mal pour trouver, fabriquer chaque objet.

Braquant ma torche sur la table, je découvre un saladier en bois plein de crayons.

J'en prends un. Il laisse une petite marque noire dans ma paume. Ça me rappelle les outils de fortune que j'avais bricolés, à Oria. Je ramassais des bâtons ici et là, une branche d'érable cassée par exemple. J'en faisais un fagot que je glissais dans l'incinérateur pour en brûler juste la pointe, afin d'écrire et de dessiner. Une fois, j'ai eu besoin de rouge, alors j'ai volé des pétales de néoroses dans un massif de fleurs pour colorier les mains des Officiels, mes mains et le soleil.

– Regarde.

Je me retourne. Vick a trouvé un carton rempli de cartes. Il en sort quelques-unes. La lueur chaude de la torche jaunit le papier et renforce l'impression qu'il est ancien. Nous fouillons dans la boîte jusqu'à ce que je déniche un plan du Labyrinthe.

Je l'étale sur la table et pointe le doigt.

– On est ici...

Mais c'est le canyon voisin qui attire mon regard. De grosses croix noires délimitent une zone, comme des points de suture. Je me demande ce que ça signifie. « Si seulement je pouvais la refaire. » Ce serait tellement agréable de dessiner le monde tel que j'aimerais qu'il soit plutôt que d'essayer de comprendre ce qu'il est.

– J'aimerais tant savoir écrire, soupire Eli.

C'est dommage que je n'aie pas le temps de lui apprendre. Peut-être un jour... Mais, pour l'instant, on ne peut pas s'arrêter.

– C'est beau, fait-il en effleurant la carte. Ça ne fait pas le même effet que quand on peint sur les écrans de la Société.

Effectivement, son auteur est un véritable artiste. Tout est juste : l'échelle, les couleurs, les proportions.

– Tu sais dessiner ? me demande Eli.

– Un peu...

– Comment ça se fait ?

– Ma mère a appris toute seule, puis elle m'a montré. Mon père venait souvent ici faire du troc avec les Fermiers. Un jour, il lui a rapporté un pinceau. Un vrai. Il avait l'intention de revenir pour prendre de la peinture, il n'a jamais pu.

– Mais alors, elle ne pouvait pas peindre, dit-il, déçu.

– Si, elle peignait avec de l'eau, sur des pierres.

Je repense aux bas-reliefs anciens gravés dans un repli de la falaise, près de notre maison. Je me demande si c'est ce qui lui a donné l'idée de prendre la roche pour support. En tout cas, elle peignait délicatement avec de l'eau.

– Simplement, ses peintures se volatilisaient dans les airs, j'ajoute.

– Mais alors, comment pouvais-tu savoir à quoi elles ressemblaient? demande Eli.

– Je les voyais avant qu'elles ne sèchent. C'était beau.

Eli et Vick ne disent plus rien. Je ne suis pas sûr qu'ils me croient. Ils pensent sans doute que j'invente, que j'ai rêvé. Mais je dis la vérité. Ses peintures semblaient presque vivantes, scintillantes, avant de disparaître pour laisser place à d'autres images qui se formaient sous ses doigts. C'était beau parce qu'elle peignait bien, mais aussi parce que c'était éphémère.

– Enfin, bref... On peut sortir par ici.

Je leur montre que le canyon débouche sur une plaine. D'après la carte, c'est plus vert, il y a même un cours d'eau assez large. Dans les montagnes bordant la plaine, j'ai repéré une petite maison noire, qui doit indiquer un village, ou un abri, car c'est le même symbole qu'uti-lisent les Fermiers pour représenter leurs communautés. Au-delà, au nord des montagnes, se déploient les lettres SOCIÉTÉ. L'une des Provinces frontalières.

– Je pense qu'on en a pour deux ou trois jours de marche jusqu'à la plaine. Et encore autant pour arriver aux montagnes.

En étudiant la carte, Vick remarque soudain, les yeux brillants :

– Une rivière traverse la plaine. Dommage qu'on ne puisse pas prendre l'un des bateaux des Fermiers pour descendre le courant.

– On pourrait essayer, dis-je. Seulement, on ne sait pas où elle mène. À mon avis, mieux vaut passer par les montagnes. Il y a sans doute une communauté là-bas.

Les montagnes sont en haut de la carte, tandis que le cours d'eau descend et sort de la feuille.

– Tu as raison. Mais on pourrait au moins s'arrêter pour pêcher. Le poisson fumé, ça se conserve longtemps.

Je tends la carte à Eli.

– Qu'est-ce que tu en penses ?

– Allons-y ! déclare-t-il en posant l'index sur la petite maison au creux des montagnes. J'espère qu'on y trouvera les Fermiers, j'aimerais les rencontrer.

– Qu'est-ce qu'on pourrait emporter d'autre ? demande Vick en examinant quelques livres.

– On verra demain matin, dis-je.

Je ne sais pas pourquoi, mais tous ces livres bien rangés et abandonnés, ça me rend triste. Je me sens las. J'aimerais que Cassia soit là, à mes côtés. Elle les feuilletterait tous, jusqu'à la dernière page. Je l'imagine, dans la pénombre de la grotte, son regard lumineux, son sourire… Je ferme les yeux. Pour l'instant, je dois me contenter de ce souvenir vague. Nous avons beau posséder une carte, maintenant, la distance à parcourir pour la retrouver me paraît encore insurmontable.

– Il faut qu'on dorme, dis-je pour chasser le doute qui s'insinue en moi et qui ne mène à rien. On partira à l'aube.

Je me tourne vers Eli.

– Tu veux retourner dormir dans la maison où il y avait des lits?

– Non, répond-il en se roulant en boule par terre. On n'a qu'à rester là.

Je comprends. La nuit, la communauté déserte est inquiétante à cause de la rivière toute proche, du silence pesant, des yeux et des mains fantomatiques qui luisent sur les peintures murales. Ici, dans la grotte où les Fermiers ont mis à l'abri leurs biens les plus précieux, nous nous sentons aussi protégés.

Dans mes rêves, les chauves-souris ne cessent d'entrer et sortir de la grotte. Certaines passent en rase-mottes, gorgées de sang. D'autres volent haut, plus légères, le ventre vide. Toutes battent bruyamment des ailes.

Je me réveille aux aurores alors que Vick et Eli dorment encore. Je me demande ce qui m'a tiré du sommeil. Un bruit dans la communauté?

Je m'approche de l'entrée de la grotte pour jeter un coup d'œil dehors.

Il y a de la lumière dans l'une des maisons, en bas.

CHAPITRE 14
CASSIA

J'attends le lever du jour, recroquevillée sous mon manteau. Ici, je marche, je dors dans les profondeurs de la terre, à l'abri du regard de la Société. Je commence à croire qu'ils ne savent vraiment pas où je suis. Que j'ai réussi à m'échapper.

Quelle sensation bizarre !

J'ai toujours vécu sous surveillance. La Société m'a vue aller à l'école, apprendre à nager, monter les marches pour me rendre à mon Banquet de couplage ; ils ont analysé mes rêves ; quand ils trouvaient des données intéressantes, ils intervenaient dans ma vie et enregistraient mes réactions comme l'a fait mon Officielle.

Et même si c'était une surveillance d'un autre genre, ma famille veillait sur moi également.

Vers la fin de sa vie, mon grand-père s'asseyait devant sa fenêtre au coucher du soleil. Je me suis toujours demandé s'il demeurait là toute la nuit, jusqu'à ce que le soleil se lève. Est-ce durant l'une de ces nuits sans sommeil qu'il a décidé de me donner les poèmes ?

Je fais comme s'il n'avait pas vraiment disparu, comme s'il flottait quelque part au-dessus. Alors qu'il domine le monde entier, il a choisi de regarder une gamine recroquevillée au fond d'un canyon. Il se demande si je vais me réveiller et me relever quand l'horizon s'éclaircira enfin.

Grand-père avait-il prévu tout ça ?

– Tu dors ? me questionne Indie.

– Non, je n'ai pas fermé l'œil.

En fait, je n'en suis pas sûre. C'est peut-être dans mes rêves que j'ai vu mon grand-père.

– On peut repartir dans cinq minutes, si tu veux, propose-t-elle.

Le temps que nous échangions ces quelques mots, le ciel a changé. Je la vois déjà mieux.

Indie choisit un bon endroit pour grimper. La paroi est moins haute et moins escarpée qu'ailleurs. Un éboulement au pied de la falaise permet de commencer doucement l'ascension.

Malgré tout, c'est impressionnant, d'autant plus que je n'ai guère d'expérience.

Indie me tend la main d'un geste péremptoire.

– Donne-moi ton sac.

– Pourquoi ?

– Tu es débutante. Je vais mettre tes affaires avec les miennes, comme ça tu le porteras vide, ce sera plus simple. Je ne veux pas que le poids te déséquilibre.

– Tu es sûre ?

Tout à coup, je panique. Je ne veux pas lui laisser les comprimés.

Indie s'impatiente.

– Je sais ce que je fais. Comme toi pour les plantes.

Elle fronce les sourcils.

– Allez, tu m'as bien fait confiance à bord du dirigeable.

Elle a raison et ça me rappelle quelque chose.

– Indie ? Qu'est-ce que tu as emporté, toi ? Qu'est-ce que tu avais à cacher ?

– Rien.

– Rien ?

– Le seul moyen pour gagner ta confiance, c'était de te faire croire que j'avais également quelque chose à perdre.

– Mais... après, tu as fait semblant de reprendre ce qui t'appartenait, alors ?

– Oui, acquiesce-t-elle sans l'ombre d'un remords.

Je secoue la tête et, malgré moi, je ris en lui tendant mon sac.

Elle l'ouvre et en vide le contenu – torche, feuilles de plante, gourde vide, comprimés bleus – dans le sien.

Soudain, je me sens coupable. J'aurais pu m'enfuir avec tous les comprimés, elle avait confiance en moi.

– Tu pourras garder quelques comprimés si tu veux.

Son expression change brusquement.

– Oh, fait-elle d'une voix hésitante, d'accord.

Elle me rend mon sac vide, je le glisse sur mes épaules. Nous gardons nos vestes, on est un peu engoncées, mais ce sera moins encombrant pour grimper. Indie remet son sac sur son dos, par-dessus sa longue natte, presque aussi flamboyante que la roche orangée à la lueur du soleil levant.

– Prête ?

– Je crois, dis-je en fixant la falaise.

– Tu n'as qu'à me suivre, je vais te guider.

Elle glisse ses doigts dans une faille pour se hisser. Dans ma hâte de l'imiter, je dérape sur un petit tas de cailloux. Tandis qu'ils roulent, je tiens bon.

– Ne regarde pas vers le bas, me conseille-t-elle.

Il faut bien plus longtemps pour grimper que pour tomber.

Je suis surprise car l'escalade, finalement, c'est surtout attendre en se cramponnant, chercher la prochaine prise, puis décider comment l'aborder. Je m'agrippe, les doigts et les orteils crispés sur la roche. Je me concentre sur la tâche à exécuter et, même si je ne pense pas à Ky, il m'habite complètement. Car j'agis comme lui.

Ici, les parois du canyon sont rouge orangé, mouchetées de noir. On dirait qu'une vague d'épais goudron a éclaboussé la falaise.

– Tu te débrouilles bien, remarque Indie alors que je la rejoins sur un parapet rocheux. Maintenant, on attaque le plus dur. Je vais essayer d'abord.

Je m'assieds sur le rebord de pierre, adossée contre la paroi. J'ai mal aux bras à force de me crisper. J'aimerais que la roche nous porte, nous soutienne lorsqu'on s'y accroche, mais elle demeure indifférente.

– Je crois que j'y suis, souffle Indie. Quand tu arriveras là...

J'entends des cailloux tomber, quelque chose qui racle la roche. Je me redresse brusquement. Le rebord est étroit, mon équilibre instable.

– Indie!

Elle est suspendue dans le vide. L'une de ses jambes se balance juste au-dessus de moi, en sang. Je l'entends pester entre ses dents.

– Ça va?

– Pousse-moi, ordonne-t-elle d'une voix éprouvée. Pousse-moi vers le haut.

Je cale ma paume sous la semelle de sa chaussure, usée par la longue marche à travers la plaine, voilée par la fine poussière du canyon.

Durant un instant qui me paraît interminable, elle repose au creux de ma paume, si lourde... je sais qu'elle ne trouve pas de prise pour se hisser. Puis brusquement, le poids s'envole, sa chaussure quitte ma main, y laissant juste son empreinte.

– J'y suis! m'annonce-t-elle. Passe par la gauche, je te dirai comment faire.

– Ce n'est pas trop dangereux? Tu es sûre que ça va?

– C'est de ma faute, la roche est plus friable que vers chez moi. J'ai fait porter tout mon poids à un endroit, ça a cassé.

La roche a beau être friable, elle lui a bien écorché la jambe. Ici, tout est si différent de ce qu'on connaît. Les rivières toxiques, la pierre qui casse comme du verre. On ne sait jamais à quoi s'attendre. Ce qui passe, ce qui casse.

La seconde partie de l'ascension me paraît plus aisée, Indie avait raison. Je me cramponne du bout des doigts, les articulations blanchies, priant pour que mes pieds ne dérapent pas. Je glisse mes bras et mes jambes dans les failles verticales en plaquant mon corps contre la roche comme Indie me l'a appris, pour rester en contact avec la paroi.

Je l'entends au-dessus de moi

– On y est presque. Laisse-moi une minute pour monter, puis rejoins-moi. C'est facile.

J'essaie de reprendre mon souffle en faisant une petite pause sur un rebord. Finalement, la roche me soutient. Je souris, ravie d'être arrivée aussi haut.

Ky aurait adoré. Si ça se trouve, lui aussi, il fait de l'escalade.

Allez, un dernier effort.

Je ne regarde pas en bas ni en arrière, mais seulement vers l'avant, vers le haut. Mon sac vide tangue un peu et je me raidis, plantant mes ongles dans la pierre. Non, non. Un truc volant et léger me frôle. Je sursaute. Pour me calmer, je pense au poème que Ky m'a offert pour mon anniversaire, celui qui parle d'eau :

Marée haute et le héron plongea dès que je traversai
*La frontière**

---

* NdT : Poème en octobre, Dylan Thomas, in *Vision et prière*, traduction d'Alain Suied, in Poésie, Éditions Gallimard.

J'ai l'impression d'être une créature échouée sur ce rivage de pierre, abandonnée par la mer qui s'est retirée. Je grimpe, je grimpe, tentant de trouver par où est passé Ky.

Et même s'il n'est pas là-haut, je le retrouverai. Je traverserai toutes les frontières pour le rejoindre là où il est.

Je m'arrête un instant afin de reprendre mon équilibre et, là, malgré moi, je regarde par-dessus mon épaule.

La vue est complètement différente de celle que nous avions du haut de la Colline, Ky et moi. Ni maisons ni Dôme municipal, aucun bâtiment. Du sable, de la pierre, des arbustes malingres, c'est tout. Mais je suis arrivée en haut et j'ai l'impression que, d'une certaine façon, Ky m'a accompagnée.

– J'y suis presque, je murmure.

Pour lui, pour Indie.

Je me hisse en haut de la falaise, le sourire aux lèvres, puis je lève les yeux.

Nous ne sommes pas seules.

Je sais maintenant d'où vient l'expression « faire feu ». Des cendres, partout. Le vent qui balaie le sommet du Labyrinthe me brouille la vue. J'ai de la poussière plein les yeux.

J'essaie de me convaincre que ce n'est qu'un incendie, presque éteint. Des bouts de bois carbonisés, partis en fumée.

Mais le visage d'Indie me fait comprendre qu'elle sait ce qui s'est passé, et dans le fond, je le sais aussi. Les formes noires gisant à terre ne sont pas des bouts de bois. Ils sont bien réels, ces cadavres qui jonchent le plateau.

Indie se penche puis se redresse, quelque chose à la main. Un morceau de corde roussi, presque intact.

– On y va, dit-elle, les mains noires de suie.

En voulant écarter une mèche rousse de son visage, elle laisse une trace sur sa joue.

Je regarde les gens. Leur peau est marquée également, des lignes bleues qui serpentent sur leurs membres. Je me demande ce que c'est.

« Comment êtes-vous arrivés jusqu'ici ? Cette corde, c'est vous qui l'avez fabriquée ? Qu'avez-vous appris d'autre pendant que le reste des gens vous oubliaient ? Ou ignoraient carrément votre existence ? »

– Ils sont morts depuis longtemps ? je demande.

– Pas mal, une semaine, peut-être plus, estime Indie d'une voix tendue. Je ne sais pas. Mais ceux qui ont fait ça risquent de revenir. Il faut filer.

Du coin de l'œil, je vois quelque chose bouger. Je fais volte-face. De grands drapeaux rouges flottent furieusement au vent au bord de la falaise. Bien que plantés dans le sol, ils me rappellent les chiffons rouges que Ky et moi avions accrochés aux arbres sur la Colline.

Qui a laissé cette marque ? Qui a tué tous ces gens ? La Société ? L'Ennemi ?

Où est le Soulèvement ?

– Il faut qu'on y aille maintenant, Cassia, insiste Indie dans mon dos.

– Non, on ne peut pas les laisser là.

Et si c'était eux, le Soulèvement?

– C'est ainsi que meurent les Anomalies, affirme Indie d'un ton froid. Nous ne pourrons rien y changer toutes seules, toi et moi. Il faut qu'on trouve d'autres personnes.

– Et si c'était justement ceux qu'on cherchait?

Oh, non. Pourvu que ce ne soit pas le Soulèvement. Pourvu que tout ne soit pas fini avant même qu'on ait eu le temps de les rejoindre. Oh, Ky. Jamais je n'aurais imaginé... Alors c'est ça, cette mort que tu as côtoyée?

Indie et moi, nous traversons le plateau du Labyrinthe en courant, laissant les cadavres derrière nous. Je me répète sans cesse: « Ky est encore vivant. C'est obligé. »

Dans le ciel, le soleil brille, seul. Rien ne vole. Il n'y a pas d'anges ici.

CHAPITRE 15
KY

Nous courons, courons, pressés de mettre le plus de distance possible entre nous et quiconque se trouve dans la communauté. Nous ne parlons presque pas, nous courons, courons au fond du grand canyon. Au bout de quelques heures, je sors la carte pour vérifier où nous sommes.

– J'ai l'impression que nous n'avons pas cessé de grimper, remarque Eli, un peu essoufflé.

– C'est vrai, je confirme.

– Alors pourquoi on est toujours aussi bas ? s'étonne-t-il.

En lui montrant sur la carte la façon dont les Fermiers ont symbolisé l'altitude, je lui explique :

– Parce que les parois du canyon s'élèvent aussi. Regarde.

Il secoue la tête, perplexe.

– Imagine que le Labyrinthe et tous ses canyons sont un immense bateau, intervient Vick. L'endroit où on est entrés était situé sous l'eau, alors que l'endroit où l'on ressort est sur le pont. Tu vois? Maintenant, on est au-dessus de la plaine.

— Tu t'y connais en bateau? demande Eli.

— Un peu. Pas beaucoup.

— On peut s'arrêter une minute, dis-je en sortant ma gourde pour boire.

Vick et Eli m'imitent.

— Tu sais, le poème que tu disais pour les morts, commence Vick, sur lequel je t'avais posé des questions...

— Oui...

Je regarde la petite maison dans les montagnes indiquée sur la carte. Il faut qu'on arrive là-bas.

— D'où tu le connais?

— Je suis tombé dessus, à Oria.

— Pas dans les Provinces lointaines? s'étonne-t-il.

J'en sais plus que je ne veux bien l'avouer et il l'a deviné. Je lève les yeux. Vick et Eli sont de l'autre côté de la carte, ils me dévisagent. La dernière fois que Vick s'est emporté, c'était au village quand j'avais évoqué la manière dont la Société se débarrasse des Anomalies. Je vois la même étincelle de défi briller dans ses yeux. Il pense qu'il est temps d'aborder le sujet.

Il a raison.

Je suis obligé d'admettre:

— Si, aussi. J'ai toujours entendu parler du Pilote, depuis que je suis né.

Dans les Provinces lointaines, dans les Provinces frontalières, à Oria et maintenant ici, dans le Labyrinthe.

– Tu as une idée de qui il s'agit ? me questionne Vick.

– Certains pensent que le Pilote dirige un mouvement de rébellion contre la Société.

Je vois le regard d'Eli s'animer.

– Le Soulèvement. J'en ai aussi entendu parler, confirme Vick.

– Il y a une rébellion ? s'enthousiasme Eli. Et le Pilote c'est le chef ?

– Peut-être, dis-je, mais ce ne sont pas nos affaires.

– Bien sûr que si ! réplique Eli, furieux. Pourquoi tu ne l'as pas dit aux autres appâts ? On aurait pu faire quelque chose !

Je demande avec lassitude :

– Quoi ? Vick et moi, nous avons entendu parler du Pilote, mais nous ne savons pas de qui il s'agit. Ni même si c'est un homme ou une femme. Et même si nous le savions, je ne crois pas qu'il puisse faire quoi que ce soit, à part entraîner avec lui beaucoup trop de monde dans la mort.

Vick secoue la tête sans rien dire.

– Ça aurait pu leur redonner espoir, insiste Eli.

– Et à quoi ça sert, s'il n'y a rien derrière ?

– C'est pourtant ce que tu as essayé de faire en bricolant les armes, fait-il valoir, têtu.

Il a raison. Je soupire.

– Je sais, mais leur parler du Pilote n'aurait rien arrangé. C'est juste une vieille histoire que mon père racontait souvent.

Soudain, je revois les illustrations que peignait ma mère en l'écoutant parler. Lorsqu'il arrivait à la fin du mythe de Sisyphe et que les peintures séchaient, j'avais l'impression qu'il était enfin apaisé, pour un instant.

Soudain, Vick prend la parole :

– Moi aussi, j'ai entendu parler du Pilote chez moi.

Il s'interrompt avant de demander :

– Qu'est-ce qui leur est arrivé, à tes parents ?

– Ils ont été tués dans une attaque.

Au début, je pense m'en tenir à ça, mais je continue. Il faut que je leur raconte pour qu'ils comprennent pourquoi je n'y crois pas.

– Mon père organisait souvent des réunions avec tous les habitants du village.

C'était un moment important, excitant, on s'installait sur des bancs pour discuter tous ensemble. Les visages s'illuminaient lorsque mon père arrivait.

– Il avait trouvé le moyen de déconnecter le port du village sans que la Société s'en aperçoive. Enfin, c'est ce qu'il croyait, en tout cas. J'ignore si, en fin de compte, il fonctionnait encore ou si quelqu'un a prévenu les Officiels pour les réunions. Toujours est-il que le village entier était rassemblé au moment de l'attaque. Presque tout le monde a été tué.

– Alors c'était ton père, le Pilote ? souffle Eli, impressionné.

– Si c'était lui, maintenant il est mort, dis-je. Et il a emporté tout notre village avec lui.

– Ce n'est pas lui qui les a assassinés, fait valoir Vick. Tu ne peux pas lui en vouloir pour ça.

Si. Je lui en veux. Mais je conçois qu'on puisse penser différemment.

Après un silence, il me questionne :

– Qui a fait feu ? La Société ou l'Ennemi ?

– On aurait dit des dirigeables de l'Ennemi. Mais la Société n'est pas intervenue. C'était nouveau. Avant, ils faisaient au moins semblant de nous défendre.

– Et toi, tu étais où quand ça s'est produit ?

– Sur le plateau. J'étais monté guetter la pluie.

– Comme les gars qui ont voulu aller à la rencontre de la neige, remarque Vick. Sauf que tu n'es pas mort.

– Non, ils ne m'ont pas repéré.

– Tu as eu de la chance, affirme-t-il.

– La Société ne croit pas à la chance.

– J'ai décidé que c'était la seule chose en laquelle je croyais. Chance et malchance. Pour nous, c'est plus souvent la deuxième option.

– Ce n'est pas vrai, proteste Eli. On a réussi à s'échapper de la Société pour se réfugier dans ce canyon. On a trouvé une carte dans la grotte et on s'est enfuis de la communauté avant que quelqu'un ne nous tombe dessus.

Je n'approuve pas. Je ne crois pas en la Société pas plus qu'en un quelconque soulèvement, pilote, chance ou malchance. Je crois en Cassia. En dehors de cela, je crois seulement en *ce qui est* et *ce qui n'est pas*.

Et pour le moment, *je suis*, et j'ai bien l'intention que ça dure.

– Allons-y, dis-je en roulant la carte.

À la tombée du jour, nous décidons de camper dans une grotte indiquée sur la carte. Lorsque nous pénétrons à l'intérieur en baissant la tête, nous découvrons toute une série de peintures et de bas-reliefs muraux à la lueur de nos torches

Eli se fige. Je sais ce qu'il ressent.

Je me rappelle la première fois que j'ai vu ce genre de gravures, dans ce repli de la falaise, près de notre village. Ma mère et mon père m'y avaient emmené quand j'étais petit. Nous avions essayé de deviner la signification de ces symboles. Mon père s'était entraîné à les copier dans le sable – à l'époque, il ne savait pas encore écrire. Il avait toujours envie d'apprendre, de trouver du sens en chaque chose. Le moindre symbole, le moindre mot, la moindre situation. Et quand il ne trouvait pas, il l'inventait.

La grotte où nous venons d'entrer est incroyable. Les peintures sont très colorées et les bas-reliefs fourmillent de détails. Quand on grave cette pierre, elle prend une couleur plus claire – le contraire de ce qui se produit quand on trace des signes par terre, dans la poussière.

C'est Eli qui rompt le silence :

– Qui a bien pu faire ça ?

– Beaucoup de gens. Les peintures ont l'air récentes, je pense que c'est l'œuvre des Fermiers. En revanche, les bas-reliefs sont plus anciens.

– Ils datent de quand, à ton avis ?

– Des siècles.

Celui qui paraît le plus vieux représente des personnages aux épaules larges et aux doigts écartés, très costauds. L'un d'eux tend la main vers le ciel. Je fixe longuement sa silhouette, cette main tendue, en me remémorant la dernière fois que j'ai vu Cassia.

La Société est venue me chercher à l'aube. Le soleil n'était pas encore levé et les étoiles avaient presque disparu. C'était dans cet entre-deux, le moment idéal pour faire disparaître ce que l'on veut.

Je me suis réveillé en sursaut lorsqu'ils se sont penchés vers moi afin de me servir leurs formules habituelles : « Tu n'as rien à craindre. Suis-nous. » Mais je les ai frappés sans leur laisser le temps d'articuler le moindre son. J'ai fait couler leur sang avant qu'ils puissent m'emmener répandre le mien loin d'ici. Mon instinct me disait de lutter, de me débattre de toutes mes forces. C'est ce que j'ai fait. Pour une fois.

Je me suis battu parce que j'avais trouvé la paix avec Cassia. Parce que le simple fait de la toucher m'apaisait, m'enflammait, me purifiait.

À six contre un, le combat n'a pas duré bien longtemps. Patrick et Aida dormaient encore.

— Viens sans faire de bruit, m'ont recommandé les Officiers et les Officiels. Ça simplifiera les choses pour tout le monde. Sinon, tu veux qu'on te bâillonne ?

J'ai secoué la tête.

— Le système des classes ne ment jamais, finalement,

a remarqué l'un d'eux. Celui-ci devait être docile, il s'est montré coopératif pendant des années. Mais une Aberration reste une Aberration.

Nous étions presque arrivés à la porte quand Aida nous a vus.

Nous nous sommes enfoncés dans les rues sombres, talonnés par Aida qui hurlait et Patrick qui parlait sans hausser le ton, toujours calme, mais avec un débit précipité.

Non. Je ne veux pas repenser à tout ça. Après Cassia, Patrick et Aida sont les deux personnes que j'aime le plus au monde, et si je la retrouve un jour, ensuite, je partirai à leur recherche. C'est trop affreux : ces parents qui m'ont accueilli à bras ouverts et n'ont reçu en échange qu'une nouvelle dose de souffrance. C'était courageux de leur part d'oser aimer à nouveau. Ça m'a fait croire que j'en étais aussi capable.

Du sang dans ma bouche, sous ma peau tuméfiée. Tête baissée, les bras attachés dans le dos.

Et soudain…

Mon nom.

Elle a crié mon nom devant tout le monde, sans se soucier de montrer à tous qu'elle m'aimait. J'ai crié son nom, moi aussi. Je l'ai vue, échevelée, pieds nus, les yeux rivés sur moi et sur moi seul. Puis elle a tendu le doigt vers le ciel.

Je sais ce que tu voulais dire. Que je resterai à jamais dans ta mémoire, mais Cassia, je crains que tu m'oublies.

Nous balayons du revers de la main les brindilles et les

cailloux pour pouvoir nous allonger. J'ai trouvé quelques silex, sans doute cachés là par les Fermiers. Je déniche également une pierre presque parfaitement ronde qui me fait aussitôt penser à ma boussole.

– Tu crois que des Fermiers ont campé ici dans leur fuite ? me demande Eli.

– Aucune idée. Sans doute. On dirait qu'ils sont souvent venus ici.

Il y a plusieurs foyers éteints par terre, beaucoup d'empreintes de pas et des carcasses d'animaux qui ont été rôtis et mangés.

Comme d'habitude, Eli s'endort rapidement. Il s'est pelotonné au pied d'une silhouette aux deux bras levés gravée dans la pierre.

Je me tourne vers Vick en ouvrant le sac où j'ai tassé les livres de la grotte-bibliothèque. Avant de prendre la fuite, nous avons saisi tout ce qui nous tombait sous la main, sans avoir vraiment le temps de faire notre choix.

– Alors, qu'est-ce que tu as emporté ?

Vick se met à rire.

– C'est quoi ?

– J'espère que tu as eu plus de chance que moi, dit-il en me montrant une pile de brochures marron. J'en avais déjà vu, à Tana. En fait, c'est toujours la même.

– Et ça raconte quoi ?

Une histoire.

– Ça peut quand même nous être utile, dis-je. Et sinon, je te donnerai un des miens.

J'ai quelques recueils de poésie et deux livres contenant des récits qui ne sont pas sur la liste des Cent.

– On demandera aussi à Eli quand il se réveillera.

Vick feuillette une de ses brochures.

– Attends, ça, c'est intéressant.

Il m'en tend une ouverte à la première page.

Le papier est rugueux, de mauvaise qualité. Produit dans les confins de la Société avec du matériel hors d'âge, sans doute volé sur un chantier de restauration. Je lis à la lueur de ma torche.

LE SOULÈVEMENT
Une brève histoire de notre rébellion contre la Société

Le Soulèvement a débuté à l'époque des commissions de sélection des cent.

Le taux d'éradication du cancer stagnait à 85,1 % depuis plus d'un an. C'était la première fois que la Ligue d'éradication du cancer rencontrait un tel écueil. La Société n'a pas pris cet échec à la légère. Bien que conscients que la perfection était impossible à atteindre dans tous les domaines, ils tenaient absolument à avoisiner les 100 % de réussite dans certains secteurs d'importance capitale. Et ils savaient que cela requérait une concentration, une motivation, une dévotion totales.

Ils ont donc décidé de concentrer leurs efforts sur les

domaines de la productivité et de la santé. Les Officiels de haut rang se sont mis d'accord par scrutin pour réduire ce qui risquait de détourner la Société de sa tâche, par exemple la poésie ou la musique, tout en conservant un taux optimum de culture et de loisirs pour satisfaire le besoin naturel de distraction. C'est ainsi qu'ont été formés les commissions des cent, chargées d'opérer une sélection dans tous les domaines des arts.

C'est à partir de là que la Société a commencé à abuser de son pouvoir. Ils ont au même moment cessé de demander par référendum à chaque génération si elle souhaitait continuer à vivre selon les règles de la Société. Ils se sont mis à écarter les Anomalies et les Aberrations de la population en isolant ou en éliminant ceux qui étaient les plus gênants.

Le poème *Le Passage de la barre*, de Tennyson – que la Société n'a pas retenu dans la liste des Cent Poèmes – est alors devenu un signe de ralliement et de reconnaissance entre les membres de la rébellion. Il fait référence à deux aspects importants du Soulèvement :

1. Un guide, nommé le Pilote, conduit le mouvement.

2. Ceux qui en font partie estiment qu'il est possible de revenir à la belle époque de la Société, celle d'avant les commissions des cent.

Certaines des Anomalies qui se sont échappées de la Société à ses débuts ont rejoint le mouvement. Le Soulèvement est présent dans toute la Société, mais il est plus actif dans les Provinces lointaines et frontalières, surtout dans les régions où les Aberrations ont été exilées depuis la période des Cent.

– Tu étais au courant de tout ça ? me questionne Vick.

– En partie. Je savais pour le Pilote et la fondation du mouvement. Et pour les commissions des cent, évidemment.

– Et l'élimination des Aberrations et des Anomalies, ajoute Vick.

– Aussi, fais-je d'une voix amère.

– Quand je t'ai entendu réciter ce poème pour le gars qu'on a mis à l'eau, je me suis figuré que tu voulais me dire que tu faisais partie du Soulèvement.

– Eh bien, non.

– Alors que ton père était l'un des leaders ?

Je secoue la tête.

Je n'ai pas envie de creuser le sujet. Je ne suis pas d'accord avec ce qu'a fait mon père, mais je ne veux pas non plus le trahir. Encore une frontière que je me refuse à franchir.

– Aucun autre gars n'a reconnu le poème, remarque Vick. J'aurais pourtant cru que la plupart des Aberrations parlaient du Soulèvement à leurs enfants.

– Peut-être que ceux qui étaient au courant se sont enfuis avant que la Société ne commence à nous envoyer servir d'appâts dans les villages.

– Et les Fermiers ne font pas partie du Soulèvement, alors ? reprend Vick, perplexe. Je pensais pourtant que tu nous emmenais là-bas pour qu'on puisse intégrer le mouvement.

– Je ne vous ai emmenés nulle part. Les Fermiers sont au courant pour le Soulèvement, mais je ne sais pas s'ils en font partie.

– Tu ne sais pas grand-chose, conclut Vick en souriant.

Je ne peux pas m'empêcher de rire.

– Non, c'est vrai.

– Je m'imaginais que tu avais un objectif, une sorte de grand plan, remarque-t-il pensivement. Pour rassembler des gens et rejoindre le Soulèvement. En fait, tu es venu jusqu'ici pour sauver ta peau et retrouver ton amoureuse. Un point, c'est tout.

– C'est tout.

Il peut penser ce qu'il veut de moi, c'est la vérité.

– OK, fait-il. Alors bonne nuit.

Pendant que les autres dorment, je grave la pierre avec mon morceau d'agate, ça laisse de belles marques blanches. Cette boussole ne fonctionne pas, évidemment. On ne peut pas l'ouvrir, la flèche ne tourne pas, mais ça m'est égal. Il va falloir que je me procure une autre agate, j'ai usé celle-ci à force de graver, et non de tuer.

Une fois ma boussole achevée, je la pose au creux de ma paume, la flèche dans la direction du nord – ou tout au moins, je crois –, et je m'allonge. Cassia a-t-elle encore la vraie, celle que mon oncle et ma tante m'avaient donnée?

Elle est là-haut, au sommet de la Colline, un objet rond et doré à la main : la boussole. Un disque rond et doré se dessine à l'horizon : le soleil levant.

Elle ouvre la boussole, regarde la flèche.

Les larmes roulent sur ses joues, le vent souffle dans ses cheveux.

Elle porte une robe verte. L'ourlet frôle l'herbe lorsqu'elle se penche pour poser la boussole par terre.

Xander attend derrière elle. Il lui tend la main.

– Il est parti. Moi, je suis là, dit-il d'une voix triste, pleine d'espoir.

– Non, je proteste, mais Xander a raison.

Je ne suis plus là-bas, plus vraiment. Je ne suis plus qu'une ombre qui observe la scène du ciel. Ils sont réels. Mais plus moi.

– Ky !

Eli me secoue.

– Ky, réveille-toi. Qu'est-ce qui ne va pas ?

Vick allume sa torche et la braque sur moi.

– Tu as fait un cauchemar. Tu rêvais de quoi ?

Je secoue la tête.

– De rien, dis-je en contemplant la pierre au creux de ma paume.

La flèche est figée. Elle ne tourne pas. Elle ne bouge pas. Comme moi avec Cassia. Je suis tendu vers un seul but, un seul projet. Une vérité à laquelle je me raccroche alors que tout s'écroule autour de moi.

CHAPITRE 16
CASSIA

Dans mon rêve, il se tient devant le soleil, silhouette sombre alors qu'il n'est que lumière.

— Cassia, fait-il de sa voix douce qui me fait monter les larmes aux yeux, Cassia, c'est moi.

Je n'arrive pas à parler. Je tends les bras, souriant, pleurant, tellement contente de ne pas être seule.

— Je vais m'écarter maintenant. Même si tu es éblouie, tu dois ouvrir les yeux.

Je proteste, perplexe :

— Mais ils sont ouverts.

— Non, tu dors. Il faut te réveiller. C'est l'heure.

— Tu ne t'en vas pas, hein ?

Je ne pense qu'à ça. J'ai peur qu'il s'en aille.

— Si, dit-il.

— Non, ne pars pas, s'il te plaît.

— Ouvre les yeux, répète-t-il.

J'obéis et je découvre un ciel lumineux.

Mais Xander n'est pas là.

Tu gaspilles de l'eau à pleurer, me dis-je. Seulement, je ne peux pas m'arrêter.

Les larmes coulent sur mes joues, laissant des traînées dans la poussière. J'étouffe mes sanglots pour ne pas réveiller Indie qui dort encore malgré le soleil. Hier, après avoir découvert les corps aux marques bleues, nous avons marché toute la journée, longeant le lit d'un ruisseau asséché, au fond de ce second canyon. Nous n'avons rien vu. Croisé personne.

Je porte la main à ma joue, trempée de chaudes larmes.

J'ai tellement peur. Pour moi, pour Ky. J'ai cru que nous étions dans le mauvais canyon parce qu'il n'y avait aucune trace de lui. Mais s'ils l'ont changé en cendres, je ne saurai jamais par où il est passé.

J'ai toujours espéré que je le retrouverais – durant ces longs mois à planter des graines, durant ces longs trajets dans des dirigeables sans hublots, durant cette longue marche jusqu'au Labyrinthe.

Mais si ça se trouve, il n'y a plus rien à retrouver, me dit une petite voix dans ma tête. *Si ça se trouve, Ky a disparu et le Soulèvement aussi. Et si le Pilote est mort et que personne n'a pris la relève ?*

Je jette un coup d'œil à Indie. Est-ce vraiment mon amie ? *Si ça se trouve, c'est une espionne envoyée par mon Officielle. Elle doit suivre ma déchéance et vérifier que je suis bien morte dans le Labyrinthe, confirmant les prévisions de la Société sur le dénouement de cette expérience…*

Je ne comprends pas ce qui m'arrive, pourquoi je m'imagine tout ça. Et soudain, c'est une évidence : je suis malade.

Cela se produit rarement dans la Société, sauf que là, je suis sortie de la Société. J'examine les différents facteurs qui ont pu jouer sur mon état de santé : épuisement, déshydratation, excès de stress, alimentation insuffisante. C'était prévisible.

Je me sens déjà mieux de le savoir. Je suis malade, normal que je ne sois pas moi-même. Toutes ces idées bizarres à propos de Ky, d'Indie et du Soulèvement, c'est parce que je délire. J'ai l'esprit tellement confus que j'oublie que ce n'est pas mon Officielle qui a mis en place cette expérience. Je me rappelle avoir vu dans ses yeux qu'elle me mentait, devant le musée d'Oria. Elle ignorait qui avait introduit le nom de Ky dans le panel de couplage.

Je prends une profonde inspiration. Mon rêve avec Xander me revient en mémoire, m'apaisant un instant. Il m'a dit d'ouvrir les yeux. Pourquoi ? Que dois-je voir ? Je balaie du regard la grotte où nous avons campé cette nuit : Indie, les rochers, mon sac avec les comprimés à l'intérieur.

Les bleus ne m'ont pas été fournis par la Société, mais par Xander, en qui j'ai toute confiance. J'ai assez attendu.

Avec mes doigts engourdis, j'ai du mal à en sortir un de la plaquette. Je le glisse dans ma bouche et je l'avale tout rond. C'est la première fois que je prends un comprimé –

à ma connaissance, en tout cas. Mon grand-père m'apparaît alors, l'air déçu.

Je baisse les yeux vers la capsule d'où j'ai tiré le comprimé… mais elle n'est pas vide. Il y a un bout de papier à l'intérieur.

Du papier issu d'un port de communication. Je le déplie, les mains tremblantes. Jusque-là il était protégé, mais à l'air libre il va vite se désintégrer.

Fonction : médecin.
Chances d'obtenir une affectation permanente et une promotion rapide : 97,3 %

– Oh, Xander, je murmure.

C'est un extrait de la présentation enregistrée sur la microcarte de couplage. Et que je n'ai jamais pris la peine de consulter puisque je pensais tout savoir de lui. Je regarde la plaquette de comprimés dans ma main. Comment a-t-il réussi à y introduire ce bout de papier ? Y en a-t-il d'autres ?

Je l'imagine en train d'imprimer ces informations sur le port, puis de les découper en fines bandes à glisser parmi les comprimés. Il a dû deviner que je n'avais pas lu la microcarte. Il savait que j'avais choisi de regarder Ky.

Je pense aux serviettes en papier que Ky m'a données, à Oria. Deux garçons qui m'ont confié leur histoire sur des bouts de papier. J'ai les larmes aux yeux, car j'aurais dû connaître celle de Xander.

« Regarde-moi à nouveau », semble-t-il me dire.

Je sors un autre comprimé de sa capsule. Le second papier indique :

Nom complet : Xander Thomas Carrow.

Un souvenir me revient : enfant, j'allais le chercher chez lui et, en sautant d'un carreau à l'autre dans son allée, je criais :

– Xander ! Thomas ! Carrow !

J'étais petite, j'oubliais souvent qu'il était interdit de crier. J'adorais prononcer son nom. Je trouvais que ça sonnait bien. Trois mots de deux syllabes, un rythme parfait pour accompagner mes pas.

– Pas besoin de hurler ! me répondait-il en ouvrant la porte, le sourire aux lèvres. Je suis là.

Il me manque, je ne peux pas m'empêcher d'ouvrir d'autres comprimés, pas pour les prendre, mais pour lire les petits papiers :

A toujours vécu dans le quartier des Érables.
Sport préféré : natation.
Activité de loisirs préférée : salle de jeux.
Cité comme élève le plus populaire par 87,6 % de ses camarades.
Couleur favorite : le rouge.

Ça me surprend, j'ai toujours cru qu'il préférait le vert. Y a-t-il d'autres choses que j'ignore à son sujet ?

Je souris, je me sens déjà mieux. En jetant un coup d'œil à Indie, je m'aperçois qu'elle dort. Moi, j'ai besoin de bouger, alors je décide de sortir pour découvrir les environs que je distinguais à peine hier soir dans l'obscurité.

À première vue, nous sommes dans une partie assez large du canyon, comme tant d'autres : parois ocre, veinées de noir et de rouge, ponctuées de grottes, encombrées de rochers. Mais en y regardant mieux, finalement, l'une des parois me paraît bizarre.

J'enjambe le lit du ruisseau asséché pour poser ma main à plat sur la roche. Elle est rugueuse, pourtant elle me semble trop parfaite.

Comme tout ce qui vient de la Société.

Et je reconnais les failles de cette perfection. Je me rappelle quand Ky m'a expliqué qu'on entendait le souffle des chanteurs, parce que ça fait plus vrai, plus humain et que ça nous plaît. Mais même ça, c'est calculé.

Ma gorge se serre. Si la Société est arrivée jusqu'ici, le Soulèvement n'y est pas.

Je suis la paroi de la main, cherchant la fissure, la frontière entre la Société et la nature. Quand, soudain, derrière un buisson touffu, je découvre un corps gisant à terre.

Le garçon... celui qui nous a accompagnées jusqu'au Labyrinthe mais a choisi ce canyon plutôt que l'autre.

Il est couché sur le côté, recroquevillé. Les paupières closes. Une fine couche de poussière recouvre sa peau, ses vêtements, ses cheveux. Ses mains pâles sont maculées de sang. Il a dû gratter, gratter la paroi du canyon, mais il n'a pas pu entrer. Je ferme les yeux. La vue du sang séché et de la poussière me rappelle le sucre et les fruits rouges de la tourte au Banquet final de grand-père, et me donne la nausée.

Mais je me force à rouvrir les yeux. Puis-je l'aider? Je n'ai aucune formation médicale, je ne sais pas quoi faire. Il ne respire pas. Je pose la main sur son poignet, là où on prend le pouls. Rien.

– Cassia, murmure quelqu'un.

Je fais volte-face.

Ce n'est qu'Indie. Soupir de soulagement.

– C'est le garçon qui nous a accompagnées.

Elle s'accroupit à mes côtés.

– Il est mort, constate-t-elle avant de remarquer ses mains. Qu'est-ce qu'il était en train de faire?

– À mon avis, il voulait pénétrer à l'intérieur. Ils ont camouflé ça dans la roche, mais je pense qu'il s'agit d'une porte, dis-je en désignant la paroi.

Elle se relève, regardant tour à tour les mains du garçon et les traces de sang sur la pierre.

– Il n'a pas réussi à entrer. Et il a pris le comprimé bleu, mais c'était trop tard.

Elle me dévisage, perplexe.

– Il faut qu'on sorte d'ici. La Société est dans ce canyon, je le sens.

– Tu as raison, déclare-t-elle finalement. On devrait retourner dans l'autre. Au moins, il y avait de l'eau.

– Tu crois qu'on devrait revenir sur nos pas ? dis-je en frissonnant à la pensée des cadavres étalés sur le plateau.

– Non, on peut passer par là, maintenant qu'on a une corde.

Elle désigne des arbres aux racines noueuses cramponnés à la paroi, à moitié dans le vide.

– On gagnera du temps.

Elle tire la corde de son sac, et arrange quelque chose dans le fond avant de le refermer.

Le nid de guêpes !

– Tu l'as gardé ?

– Quoi ? me demande-t-elle, surprise.

– Ton nid de guêpes, il n'est pas cassé ?

Elle secoue la tête d'un air las. J'ai dû dire quelque chose qui lui a déplu, mais je ne vois pas quoi. Une grande fatigue s'empare de moi, j'ai juste envie de m'allonger par terre pour me reposer, comme le garçon.

Une fois sur le plateau, nous ne nous retournons pas en direction des corps. De toute façon, c'est trop loin, on ne verrait rien.

Je ne parle pas. Indie non plus. Nous courons vite, luttant contre le vent glacé. Ça me réveille et me rappelle que je suis en vie, que je ne peux pas me reposer pour l'instant, bien que j'en meure d'envie.

J'ai l'impression que nous sommes les deux seules personnes vivantes dans toutes les Provinces lointaines.

Indie accroche la corde en haut de la falaise.

– Allez, viens, me dit-elle.

Nous redescendons dans le premier canyon, celui par lequel nous sommes entrées dans le Labyrinthe. Nous n'y avons pas trouvé trace de Ky, mais au moins, il y a de l'eau et aucun signe de la Société. Pour l'instant.

Une empreinte me redonne espoir. Une demi-empreinte de pied dans de la boue séchée, trop profonde pour être effacée par les vents.

J'essaie de ne pas penser aux autres empreintes que j'ai vues dans ces canyons, des fossiles figés il y a si longtemps qu'il ne reste plus que les os, la silhouette de ce qui fut vivant autrefois. Cette marque est récente. Il faut que j'y croie. Il y a quelqu'un de vivant par ici. Et c'est peut-être Ky.

CHAPITRE 17
KY

Nous nous élevons au-dessus du Labyrinthe, laissant derrière nous les canyons et la communauté des Fermiers. La plaine s'étend, immense, avec ses hautes herbes dorées. Un bouquet d'arbres borde le ruisseau et, à l'horizon, les montagnes bleues dressent fièrement leurs sommets enneigés. Des neiges éternelles.

C'est une longue marche quelle que soit la saison, mais encore plus maintenant, au cœur de l'hiver. Je sais que nos chances de réussite sont minces et je suis d'autant plus content d'être arrivé jusque-là.

— C'est loin, soupire Eli, abattu.

— C'est peut-être plus court en réalité que sur la carte, dis-je.

— On va s'abriter sous ces arbres, propose Vick.

— Ce n'est pas trop dangereux ? s'inquiète Eli en scrutant le ciel.

— Pas si on est prudents, réplique-t-il, déjà en mouvement.

Ce ruisseau m'a l'air plus profond que celui du canyon. Je parie qu'il y a de gros poissons, là-dedans.

Arrivé au bosquet, Vick me questionne :

– Tu as déjà pêché ?

– Jamais.

J'ai même rarement mis les pieds dans l'eau. Dans mon village, elle était déversée par les gros tuyaux de la Société, c'est tout. Et au fond des canyons, les ruisseaux se réduisent à un filet cascadant entre les rochers, rien à voir avec ce cours d'eau, large, qui serpente et ralentit par endroits.

– Tu ne crois pas que les poissons sont morts, par ce froid ? L'eau doit être glacée.

– Oui, mais elle est constamment en mouvement, c'est rare qu'elle gèle.

Il s'accroupit au bord et annonce, tout excité :

– Je crois avoir vu des truites ! C'est délicieux à manger !

Je le rejoins aussitôt.

– Comment on va faire ?

– Elles viennent de frayer. Elles sont engourdies. On doit pouvoir les attraper à la main en se penchant. Ça ne va pas être trop dur, affirme-t-il presque à regret. On ne procédait jamais comme ça, par chez moi, on avait une ligne

– C'est où par chez toi ?

Il me regarde, hésitant, en pensant sûrement que maintenant qu'il sait d'où je viens, il peut me le dire aussi.

– Je suis de la Province de Camas. Les montagnes sont encore plus hautes que celles-ci, ajoute-t-il en désignant l'horizon. Les rivières regorgent de poisson.

Il s'interrompt pour observer la surface de l'eau. Ça remue.

Eli est à plat ventre, comme je le lui ai conseillé. Nous sommes à découvert, sous un ciel immense, entre le Labyrinthe et la chaîne de montagnes, et je n'aime pas ça.

Vick se tourne vers lui.

– Cherche une zone de courant. C'est un endroit où l'eau moins profonde accélère. Par exemple ici. Et fais comme moi.

Il s'accroupit doucement, lentement, tout au bord. Il attend, puis il plonge les mains dans l'eau, en les rapprochant petit à petit jusqu'à ce que ses doigts se retrouvent pile sous le ventre du poisson. Là, hop! d'un revers de main, il le lance hors de l'eau. La truite atterrit sur le bord, ouvrant et fermant ses ouïes, avec ses écailles brillantes.

Nous la regardons mourir.

Le soir, nous retournons nous abriter à l'intérieur du Labyrinthe afin de camoufler la fumée de notre feu. Je frotte des silex, préférant garder les allumettes des Fermiers pour plus tard. C'est notre premier vrai feu de camp. Un feu amical, contrairement à celui des armes. Eli tend les mains au-dessus des flammes pour se réchauffer.

– Ne t'approche pas trop, je lui conseille.

Il acquiesce.

La lueur dansante des flammes illumine la roche, qui se pare de rouge orangé comme au soleil couchant.

Notre truite cuit doucement dans les braises. Je regarde

les volutes de fumée, espérant qu'elles se dissipent avant de sortir du canyon.

Vick nous a prévenus qu'il faudrait des heures pour que toute l'eau du poisson s'évapore. Mais ainsi il se conservera plus longtemps et nous avons besoin de provisions pour traverser la plaine.

Nous avons préféré quitter la communauté en toute hâte de peur d'être poursuivis plutôt que de prendre davantage de ravitaillement. Maintenant que nous savons ce qui nous reste à parcourir l'estomac vide, nous le regrettons.

— Il existe aussi des truites arc-en-ciel, nous explique Vick, l'air pensif. Elles ont pratiquement disparu lors du Réchauffement, mais j'en ai péché une un jour, à Camas.

— C'est aussi bon que celle-ci? veut savoir Eli.

— Sûrement…

— Tu l'as remise à l'eau, n'est-ce pas? je devine.

Vick sourit.

— Je n'ai pas eu le cœur de la manger. Je n'en avais jamais vu de ma vie. Je me suis dit que c'était peut-être la dernière sur terre.

Assis sur les talons, le ventre plein, je me sens libre, loin de la Société et du territoire des Fermiers. Tout n'est pas empoisonné. Et l'eau en mouvement gèle rarement. Voilà deux choses bonnes à savoir.

Je n'ai pas été aussi heureux depuis la Colline. Peut-être vais-je réussir à la retrouver, finalement…

— Tes parents étaient des Officiers avant d'être déclassés? me questionne Vick.

Mon père? Un Officier? Je m'esclaffe. Pareil pour ma mère, d'ailleurs. Pour un tas de raisons, cette idée me paraît ridicule, inimaginable.

– Non, dis-je. Pourquoi?

– Tu t'y connais en armes. Et tu as su ôter le câble des manteaux. Je me demandais qui t'avait appris tout ça.

– C'est mon père. Mais il n'était pas Officier.

– Il tenait également ça des Fermiers? Ou du Soulèvement?

– Non, il avait en partie été formé par la Société, pour son travail...

Mais il s'était surtout formé tout seul.

– ... Et toi, tes parents?

– Mon père était Officier, me confie Vick.

Ça ne me surprend pas, ça explique son allure, son aptitude à commander, le fait qu'il ait vécu sur une base militaire et qu'il ait identifié la veste comme du matériel militaire. Qu'a-t-il bien pu arriver pour qu'un membre d'une famille d'Officiers – quelqu'un de si haut placé – soit déclassé?

Constatant que Vick n'a pas l'intention d'en dire plus, Eli intervient:

– Moi, mes parents sont morts.

Je m'en doutais, néanmoins c'est dur à entendre.

– Comment? demande Vick.

– Ils sont tombés malades. Ils sont morts dans un centre médical de Central. C'est pour ça qu'on m'a envoyé dans les Provinces lointaines. Si j'avais eu le statut de citoyen, on m'aurait fait adopter. Mais je suis une Aberration depuis toujours.

Ses parents sont morts de maladie? Comment est-ce possible? Ce n'est pas censé arriver à des personnes de cet âge, même des Aberrations. On ne meurt pas aussi jeune, à part peut-être dans les Provinces lointaines, mais en tout cas pas à Central. Je pensais qu'ils avaient connu la même fin que celle qu'on nous réservait, sous le feu de l'Ennemi dans un village perdu.

Mais Vick ne paraît pas surpris. Je me demande si c'est pour ne pas gêner Eli ou parce qu'il a déjà entendu une histoire de ce genre.

– Je suis désolé pour toi, lui dis-je.

J'ai eu de la chance. Que le fils de Patrick et Aida soit mort, qu'ils aient autant insisté auprès de la Société. Sinon, je n'aurais jamais pu venir à Oria. Et je serais sans doute mort à cette heure.

– Moi aussi, je suis désolé.

Eli ne répond pas. Il se rapproche du feu et ferme les yeux, comme si cette discussion l'avait épuisé.

– Je n'ai plus envie d'en parler. Je voulais juste que vous le sachiez.

Pour changer de sujet, je demande au bout de quelques minutes :

– Qu'est-ce que tu as pris dans la grotte des Fermiers, Eli?

Ouvrant les paupières, il tire son sac vers lui.

– C'est tellement lourd que je n'ai pu en emporter que

deux. Mais regarde. Ce sont de vrais livres, avec du texte et des images.

Il en ouvre un pour nous le montrer. Une énorme créature ailée au dos multicolore survole une grande maison en pierre.

– Je crois que mon père m'a parlé de ces livres. Ils étaient destinés aux enfants, qui regardaient les images pendant que leurs parents leur lisaient l'histoire. Puis, en grandissant, ils pouvaient déchiffrer tout seuls.

– Ça vaut quelque chose? demande Vick.

À mon avis, ça ne va pas être facile à troquer, car on peut reproduire le texte mais pas les images. Je pense que lorsque Eli les a pris, il ne pensait pas à les échanger.

Assis autour des braises rougeoyantes, nous lisons les histoires par-dessus son épaule. Les illustrations nous aident à comprendre les mots que nous ne connaissons pas.

Eli ferme le livre en bâillant avant d'annoncer d'un ton décidé:

– On continuera demain.

Je me retiens de sourire en le voyant ranger précieusement son bien dans son sac, l'air de dire: « Ils sont à moi et on les regarde si je veux. »

Je ramasse un bâton par terre pour écrire le nom de Cassia dans la poussière. La respiration d'Eli ralentit, il s'est endormi.

– Moi aussi, j'ai été amoureux, me confie Vick quelques minutes plus tard. Quand j'étais à Camas.

Il va enfin me raconter son histoire, j'avais fini par croire que jamais ça n'arriverait. Mais, ce soir, la douce lueur du feu nous pousse aux confidences. Je pèse mes mots, pour être sûr de poser la bonne question. Un morceau de charbon s'embrase brusquement, puis s'éteint.

– Elle s'appelait comment ?

Silence.

– Laney, elle travaillait sur la base militaire où on habitait. C'est elle qui m'a parlé du Pilote.

Il s'éclaircit la voix.

– J'étais déjà au courant, évidemment. Sur la base, les gens se demandaient s'il pouvait s'agir d'un des Officiers. Mais pour la famille de Laney, c'était différent, plus important.

Il jette un coup d'œil à l'endroit où j'ai écrit, encore et encore, Cassia dans la poussière.

– J'aimerais savoir faire ça. À Camas, nous n'avions que des scripteurs et des ports de communication.

– Je pourrais t'apprendre.

– Tiens, vas-y, écris là-dessus, me demande-t-il en me tendant un morceau de bois.

Sans doute de l'écorce de peuplier, il y en avait à l'endroit où nous avons pêché. Je grave les lettres avec ma pierre aiguisée, sans lever les yeux vers lui. Eli dort paisiblement à côté de nous.

– Elle aimait pêcher elle aussi, reprend Vick. On se retrouvait au bord du ruisseau. Elle…

Il s'interrompt un instant.

– Mon père était furieux lorsqu'il l'a découvert. Je ne

l'avais jamais vu dans cet état. Je savais ce qui m'attendait et pourtant...

– Ça arrive. C'est normal de tomber amoureux, dis-je d'une voix rauque.

– Pas pour les Anomalies ni les Aberrations, réplique-t-il. Et en général, dans ce cas, les gens ne vont pas jusqu'à s'unir par contrat.

Je retiens mon souffle. Laney était classée Anomalie ? Et ils se sont unis par contrat ?

– Il n'a pas été reconnu par la Société, poursuit-il. J'avais choisi de ne pas être couplé. Mais j'ai demandé à ses parents si on pouvait passer un contrat, ils ont accepté. Les Anomalies ont leur propre cérémonie, qui n'a de valeur qu'à leurs yeux.

– Je l'ignorais, dis-je en enfonçant l'agate plus profondément dans le bois.

Je ne savais même pas qu'il y avait encore des Anomalies au sein de la Société, sauf dans le Labyrinthe. À Oria, personne n'en avait croisé depuis des années, à part l'assassin de mon cousin, le premier fils des Markham.

– J'ai demandé sa main à ses parents le jour où j'ai pêché la truite arc-en-ciel, précise-t-il. En la sortant de l'eau, j'ai vu ses couleurs scintiller au soleil. Je l'ai aussitôt remise dans la rivière. Quand j'ai raconté ça à ses parents, ils m'ont affirmé que c'était un bon présage. Un signe. Tu sais ce que c'est ?

J'acquiesce. Mon père parlait de ce genre de choses parfois.

– Je n'en ai pas revu depuis. De truite arc-en-ciel, je veux dire. Et finalement, ce n'était pas un si bon présage que ça, soupire-t-il. À peine deux semaines plus tard, j'ai appris que les Officiels venaient nous arrêter. J'ai couru la chercher ; elle était déjà partie. Avec toute sa famille.

Vick prend l'écorce pour la regarder. Je n'ai pas fini, j'en suis à LAN. Que des lignes droites, comme les entailles que nous gravons dans nos semelles. Soudain, je comprends ce que symbolisent ces entailles pour lui. Non pas le temps qu'il a survécu, mais les jours passés loin d'elle.

– Ils m'ont arrêté alors que je rentrais chez moi et ils m'ont envoyé directement dans les Provinces lointaines.

Il me rend le morceau de bois pour que je puisse continuer. La lueur du feu joue sur mon agate comme les rayons du soleil sur les écailles de la truite arc-en-ciel.

– Et tes parents, qu'est-ce qui leur est arrivé ? je demande.

– Rien, j'espère. La Société m'a déclassé, forcément, mais je pense que ma famille va bien.

Je tente de le rassurer en affirmant :

– J'en suis sûr.

Il me dévisage.

– Vraiment ?

– Que la Société se débarrasse des Aberrations et des Anomalies, d'accord. Mais s'ils commencent à éliminer tout leur entourage, alors il ne restera pas grand monde.

C'est ce que j'espère, en tout cas. Pour qu'il n'arrive rien à Patrick et Aida.

Vick hoche la tête.

– Tu sais ce que je croyais ?

– Quoi ?

– Tu vas rire mais, quand tu as récité ce poème la première fois, j'ai cru non seulement que tu faisais partie du Soulèvement, mais aussi que tu venais me tirer de là. Mon Pilote personnel.

– Et qu'est-ce qui t'a fait penser ça ?

– Mon père était haut placé dans l'armée. Très haut. Je croyais qu'il avait envoyé quelqu'un pour me sauver. Et que c'était toi.

– Désolé de t'avoir déçu, dis-je d'une voix glaciale.

– Tu ne m'as pas déçu. Tu nous as bien fait sortir du village des appâts, non ?

Malgré moi, ça me fait chaud au cœur de l'entendre dire ça. Je souris dans l'obscurité.

– Et elle, qu'est-ce qu'elle est devenue, à ton avis ?

– Je pense qu'ils se sont enfuis. Autour de nous, de nombreuses Aberrations et Anomalies disparaissaient, mais je ne pense pas que la Société était en cause. Selon moi, Laney et ses parents sont partis à la recherche du Pilote.

– Tu crois ?

Je regrette maintenant d'avoir laissé entendre si souvent qu'il n'existait peut-être pas.

– J'espère, dit-il.

Il a l'air las, vidé, maintenant qu'il m'a raconté son histoire.

Je lui tends le morceau d'écorce que j'ai gravé. Il l'admire un moment avant de le glisser dans sa poche.

– Bon, alors, comment va-t-on faire pour traverser cette plaine ? Je risque de te suivre un petit moment, tu sais.

– Arrête de dire ça. Je ne suis pas le chef. On fait équipe.

Je lève les yeux vers le ciel. Les étoiles brillent si fort et je ne sais pas pourquoi.

Mon père voulait tout changer, sauver le monde. C'était dangereux. Mais les gens croyaient en lui. Ceux du village. Ma mère. Moi. Pourtant, en grandissant, j'ai compris qu'il n'y arriverait jamais. J'ai cessé de croire en lui. Je ne suis pas mort comme les autres, parce que je n'assistais plus aux réunions.

– D'accord, fait Vick. En tout cas, merci de nous avoir conduits jusqu'ici.

– Merci à toi aussi.

Il hoche la tête. Avant de s'endormir, il sort son agate pour faire une entaille dans sa semelle.

Une journée de plus sans elle.

CHAPITRE 18
CASSIA

– Tu n'as pas l'air bien, remarque Indie. Tu veux ralentir un peu ?

– Non, il ne faut pas.

Si je m'arrête, je ne pourrai jamais repartir.

– Ça ne nous avancera pas à grand-chose si tu meurs en chemin, réplique-t-elle d'un ton furieux.

– Mais non, fais-je en riant.

J'ai beau être épuisée, complètement vidée, desséchée, éreintée, l'idée que je puisse mourir me paraît ridicule. Je ne vais pas mourir maintenant, alors que chaque pas me rapproche de Ky. En plus, j'ai les comprimés bleus. Je souris en pensant aux autres bandes de papier qui m'attendent.

Je ne cesse de chercher un autre signe du passage de Ky. Même si ce n'est pas au point d'en mourir, je dois être plus malade que je ne le croyais, parce que je vois des signes partout. Je m'allonge au bord d'une flaque de boue séchée, croyant pouvoir lire un message dans les craquelures.

– Ça ressemble à quoi, selon toi ?

– À de la boue, répond Indie.

– Non, regarde mieux.

– De la peau, des écailles…, suggère-t-elle.

Oh oui… si ça se trouve, ce canyon est un long serpent et, en arrivant au bout, soit nous sauterons de sa queue, soit nous tomberons dans sa gueule et il nous avalera tout rond.

Finalement, je trouve un vrai signe alors que le ciel se teinte de rose et que l'air se rafraîchit.

Mon nom, Cassia, gravé dans le tronc d'un jeune peuplier, au bord d'un ruisseau.

Cet arbre n'aura pas une longue vie. Ses racines courent à la surface de la terre, assoiffées, traquant la moindre goutte d'eau. Mais Ky s'est tellement appliqué qu'on dirait que mon nom fait partie de l'écorce.

– Tu as vu, Indie ?

Elle acquiesce.

Je le savais.

Non loin du ruisseau, il y a un campement. Un verger aux troncs noueux, les branches chargées de fruits dorés. J'ai envie de cueillir quelques pommes pour les donner à Ky, lui montrer que je l'ai suivi pas à pas. J'aimerais avoir autre chose à lui donner que mon poème – je n'aurai pas le temps de le finir, de trouver les bons mots.

En scrutant le sol, je repère des empreintes qui s'enfoncent dans le canyon. Je ne les avais pas remarquées tout de suite car elles se mêlent aux traces d'autres créatures venues boire l'eau du ruisseau.

Là, entre les traces de pattes, de coussinets et de griffes, je distingue nettement des empreintes de semelles.

Indie enjambe la clôture du verger.

– Viens! Pourquoi veux-tu t'arrêter là? On n'a qu'à suivre les traces. On a de l'eau et des comprimés.

– Non, on va cueillir quelques pommes, dit-elle en joignant le geste à la parole. Les comprimés, ce n'est pas bon.

– Bien sûr que si! J'en ai pris un.

Indie se fige, les dents dans la pomme.

– Tu en as pris un? Mais pourquoi?

– Eh bien, parce qu'on n'avait plus de provisions. Ça remplace la nourriture.

Elle se rue sur moi en me tendant un fruit.

– Vite, mange ça.

Elle secoue la tête.

– Quand l'as-tu pris?

– Dans l'autre canyon, dis-je, sans comprendre pourquoi elle s'inquiète.

– C'est pour ça que tu es malade, affirme-t-elle. Tu n'es pas au courant, alors?

– Au courant de quoi?

– Les comprimés bleus, c'est du poison.

– N'importe quoi!

C'est ridicule. Xander ne m'aurait jamais empoisonnée! Indie serre les lèvres.

– Si, je t'assure. Il ne faut plus que tu en prennes.

Elle ouvre mon sac pour y glisser quelques pommes.

– Comment sais-tu par où on doit aller?

J'agite la main en direction des empreintes, en affirmant, agacée :

– Parce que je le sais ! Il y a des signes qui ne trompent pas.

Indie me dévisage, hésitant à me croire. Elle pense que le comprimé m'a rendu malade, que je délire.

Mais elle a vu mon nom sur le tronc, et elle sait que ce n'est pas moi qui l'ai gravé.

– Je pense que tu devrais quand même te reposer un peu, insiste-t-elle une dernière fois.

– Je ne peux pas.

Et elle sait que je dis vrai.

Peu après avoir quitté le hameau, j'entends un bruit. Des pas, derrière nous. Je m'arrête au bord de l'eau.

– Il y a quelqu'un, dis-je en me tournant vers Indie. Quelqu'un qui nous suit.

Elle me regarde d'un air las.

– D'abord, tu as cru voir des choses qui n'existent pas, et maintenant tu entends des bruits…

– Non, écoute !

Nous nous figeons, tendant l'oreille. Mis à part le chuchotis du vent dans les feuilles, le silence règne dans le canyon. Lorsque le vent retombe, j'entends un bruit léger. Des pas sur le sable ? Une main qui s'accroche à la roche ? Quelque chose en tout cas.

– Tiens, tu as entendu, non ?

– Rien du tout, affirme-t-elle, avec l'air néanmoins préoccupé. Ça ne va pas. Il faut que tu te reposes un peu.

Je lui réponds en me remettant en marche. Je tends l'oreille, mais je n'entends plus que le bruissement des feuilles agitées par la brise.

Nous marchons jusqu'à la tombée du jour, puis nous continuons à la lueur de nos torches. Indie devait avoir raison : je n'ai plus l'impression d'être suivie, maintenant. Je n'entends que ma respiration. Je sens l'épuisement dans la moindre de mes veines, dans le moindre de mes muscles, à chacun de mes pas. Mais rien ne m'arrêtera, pas alors que je suis si près de Ky. Je vais reprendre un comprimé bleu, Indie se trompe.

Je profite de ce qu'elle a le dos tourné pour en sortir un de la plaquette. Mais je tremble tellement que je le laisse tomber... avec un morceau de papier. « Ah, c'est vrai. Les messages de Xander. Je voulais les lire. »

Un coup de vent l'emporte. Je suis trop fatiguée pour courir après et même pour chercher le comprimé bleu dans le noir.

CHAPITRE 19
KY

Un monstrueux vacarme venu du ciel me tire du sommeil.

Paniqué, je pense : *Ils attaquent dès l'aube, maintenant ?*

Mais il fait plus clair que je ne le croyais, j'ai dormi tard, je devais être fatigué.

– Eli !

– Je suis là !

– Où est passé Vick ?

– Il voulait pêcher un peu avant de repartir. Il m'a dit de ne pas te réveiller.

– Non, non, non...

Le bruit est tellement fort qu'il couvre nos voix. Les tirs ont l'air plus nourris. Plus précis. On dirait que des pierres grosses comme des boulets tombent du ciel.

Lorsque ça s'arrête, je n'attends pas un instant, je bondis.

– Reste ici, Eli, dis-je avant de foncer à travers la plaine, me faufilant entre les hautes herbes en direction de ce maudit ruisseau, ce maudit marécage.

Eli me suit et je le laisse faire. Je rampe jusqu'au bord du ruisseau, sans regarder.

Je ne crois que ce que je vois. Alors, si je ne vois pas le corps de Vick, ça veut dire qu'il n'est pas mort.

Je fixe le cours d'eau. Il y a eu une explosion. Les herbes marron et vertes pendent comme une touffe de cheveux, ensevelies sous une grosse motte de terre.

La force de la détonation a retourné la terre du rivage et l'a envoyée dans l'eau.

En suivant la berge, je constate qu'ils ont fait ça tout du long. Au lieu d'un ruisseau, il n'y a plus que des flaques. Des morceaux de rivière qui ne vont plus nulle part.

J'entends Eli sangloter dans mon dos.

En me retournant, je vois Vick.

– Tu peux faire quelque chose pour lui, Ky ?

– Non.

Il a été projeté dans les airs avec une telle violence qu'il a la nuque brisée. Il a dû mourir sur le coup. Ça devrait me consoler. Mais non. Vick n'est plus là, ses yeux vides reflètent le bleu du ciel.

Pourquoi n'est-il pas resté à l'abri des arbres ? Qu'est-ce qui l'a attiré par ici ?

Je découvre l'explication dans une flaque, à côté de lui. Bien que je n'en aie jamais vu, je sais immédiatement de quel poisson il s'agit.

Une truite arc-en-ciel. Ses écailles multicolores scintillent alors qu'elle se débat, piégée dans sa mare.

Vick l'avait-il repérée ? Est-ce cela qui l'a poussé à s'aventurer à découvert ?

La flaque s'assombrit. Il y a quelque chose, une sorte de grosse boule au fond de l'eau. En me penchant, je m'aperçois qu'elle libère peu à peu un produit toxique.

Ce n'est pas Vick qu'ils voulaient tuer, mais la rivière.

La truite se retourne, découvrant son ventre blanc, et remonte à la surface.

Morte. Comme Vick.

J'ai envie de rire et de hurler en même temps.

– Il avait ça à la main, dit Eli.

Je me tourne vers lui.

C'est le morceau d'écorce gravé.

– Il l'a lâché en tombant.

Eli lui prend la main et la tient un instant, puis il lui croise les bras sur la poitrine, le visage ruisselant de larmes.

– Allez, fais quelque chose.

Je m'éloigne en me dévêtant.

– Qu'est-ce que tu fais ? me questionne-t-il, horrifié. On ne peut pas le laisser comme ça.

Je n'ai pas le temps de répondre. Je jette ma veste par terre avant de plonger les mains dans la flaque la plus proche – celle de la truite. Le froid glacial me saisit. L'eau en mouvement gèle rarement, mais celle-ci ne bouge plus. Je tire la boule toxique de la mare. Malgré son poids, je cours la poser, je la bloque avec une pierre, puis je repars en chercher une autre. Je ne peux pas tout réparer, mais je peux au moins éviter que le produit toxique ne se répande. Je sais que c'est ridicule. Tout comme essayer de rejoindre Cassia dans une Société qui veut ma mort.

Mais je ne peux pas m'arrêter.

Eli s'approche et m'imite.

– C'est trop dangereux ! Retourne te cacher sous les arbres.

Sans répondre, il me donne un coup de main pour tirer une deuxième boule de l'eau. Ça me rappelle quand Vick m'aidait à enterrer les cadavres, alors je le laisse faire.

Durant toute la journée, Vick me parle. Ça signifie que je perds la tête, mais je n'y peux rien, je l'entends.

Il me parle tandis que nous sortons les boules de la rivière. Il me raconte en boucle son histoire avec Laney. Je me l'imagine – quand il est tombé amoureux. Quand il lui a avoué son amour. Le jour où il a vu la truite arc-en-ciel et où il est allé voir ses parents. Le jour de leur contrat. Main dans la main, souriant pour clamer leur bonheur, envers et contre la Société. Courant, courant jusque chez elle pour la trouver partie.

– Arrête ! je le supplie.

Eli me regarde, surpris. Je deviens comme mon père. Il entendait des voix, qui lui disaient d'aller convaincre les gens, d'essayer de changer le monde.

Lorsque nous avons sorti toutes les boules que nous avons pu trouver, nous creusons une tombe pour Vick. C'est dur, même si la terre est déjà retournée. Mes muscles crient leur épuisement. Le trou n'est pas aussi profond que je l'aurais voulu. Eli m'aide maladroitement, prenant la terre dans ses petites mains.

Puis nous déposons Vick dedans.

Il avait vidé l'un de ses sacs au campement et l'avait emporté pour y mettre sa pêche. J'y trouve un poisson mort qui le rejoint dans sa tombe. Nous lui laissons sa veste, avec un trou au niveau du cœur – là où se trouvait le disque argenté –, comme une petite blessure. Si la Société le découvre, ils ne sauront rien de lui. Ils ne pourront même pas interpréter les entailles de ses semelles.

Vick continue à me parler tandis que je sculpte une pierre en forme de poisson pour poser sur sa tombe de fortune. Ses écailles sont orange et ternes. Une truite arc-en-ciel sans couleurs. Pas comme la vraie. Mais je ne peux pas faire mieux. J'aimerais qu'on sache non seulement qu'il est mort, mais qu'il a aimé et été aimé en retour.

« Ils ne m'ont pas tué », me confie-t-il.

– Non ? dis-je à voix basse pour ne pas qu'Eli m'entende.

« Non, répond-il en souriant. Pas tant que les poissons sont là, à nager dans le courant, frayer et pondre des œufs. »

– Tu ne vois donc pas ce qui s'est passé ? On a fait tout notre possible. Mais ils vont mourir, eux aussi.

Alors, il arrête de me parler. Ça y est, il est vraiment parti. Je regrette de ne plus entendre sa voix dans ma tête. Je viens de comprendre que, tant que mon père avait ça, il n'était jamais seul.

CHAPITRE 20
CASSIA

Je respire mal. Mon souffle vacille comme de petites vaguelettes se brisant contre un rocher, s'épuisant à essayer de le faire bouger.

– Parle-moi, Indie.

Je remarque qu'elle porte deux sacs, deux gourdes. Comment ça se fait? Où sont mes affaires? Je m'en moque, je suis trop fatiguée.

– Qu'est-ce que tu veux que je te raconte? me demande-t-elle.

– N'importe quoi.

J'ai besoin d'entendre autre chose que ma respiration haletante, mon pouls filant.

J'ai conscience qu'elle me confie des choses, beaucoup de choses, qu'elle ne peut plus s'arrêter maintenant qu'elle a commencé, mais je suis bien trop fatiguée pour l'écouter. J'aimerais m'accrocher aux mots, mémoriser ce qu'elle me dit, mais je n'entends qu'un flot continu de sons dans lequel je distingue quelques bribes de phrases : « Tous les soirs avant de m'endormir » et « J'espérais que tout allait changer après » et « Je ne sais pas combien de temps je pourrai encore y croire ».

On dirait presque de la poésie. Je me demande si j'arriverai un jour à finir mon poème pour Ky. Si je trouverai les mots, les bons mots à lui dire quand nous serons réunis. Si nous aurons le temps d'aller plus loin qu'un premier vers.

J'aimerais qu'Indie me donne un comprimé bleu, mais j'entends mon grand-père m'assurer que je suis assez forte pour m'en passer.

« Grand-père, dis-je, je n'ai pas bien saisi ce que tu voulais. Les poèmes du poudrier. Je croyais avoir compris mais... Lequel dois-je croire ? »

Je me souviens de ce qu'il m'a dit ce jour-là : « Cassia, a-t-il murmuré, je te donne quelque chose qui t'échappe encore. Mais, un jour, tu comprendras. Toi, plus que tout autre. »

Une idée volette dans ma tête, comme un manteau royal, ces papillons qui abandonnent leurs cocons vides sur les branches, ici et à Oria. C'est une idée qui m'a déjà traversé l'esprit sans que je la suive jusqu'au bout : « Grand-père, as-tu un jour été le Pilote ? »

Puis une autre idée fuse, filant si vite que je ne peux l'attraper, me laissant avec la sensation d'avoir juste effleuré ses ailes battantes.

« Je n'en ai plus besoin. »

Des comprimés. De la Société. J'ignore si c'est vrai. Mais ça me semble juste.

C'est alors que je la vois. Une boussole, en pierre, posée sur un rocher, au niveau de mes yeux.

Je la ramasse, alors que j'ai laissé tomber tout le reste.

Je la serre au creux de ma main en marchant, bien qu'elle pèse plus lourd que tout ce que je n'ai pas été capable de porter.

C'est bon, même si c'est lourd. C'est bon, ça me permet de garder les pieds sur terre.

CHAPITRE 21
KY

– Récite le poème, me demande Eli.

J'ai les mains qui tremblent, je suis épuisé. Au-dessus de nos têtes, le ciel s'assombrit.

– Je ne peux pas, Eli. Ça ne veut rien dire.

– Si, vas-y ! m'ordonne-t-il, les larmes aux yeux.

– Je ne peux pas.

Je soupire en posant mon poisson en pierre sur la tombe.

– Il le faut. Pour Vick.

– J'ai déjà fait tout ce que je pouvais pour Vick. Et tu m'as bien aidé. On a essayé de sauver le ruisseau. Il faut y aller. Il aurait fait pareil.

– On ne peut pas traverser la plaine maintenant.

– On restera à couvert des arbres. Il ne fait pas encore nuit. Essayons d'avancer.

Nous retournons prendre nos affaires près du feu de camp, à l'entrée du canyon. Lorsque nous emballons les poissons fumés, ils laissent des écailles argentées sur nos mains et nos vêtements. Eli et moi, nous nous partageons les provisions que Vick avait dans son sac.

– Tu en veux quelques-unes ? dis-je en sortant les brochures.

– Non, je préfère mes livres.

J'en glisse une dans mon sac, abandonnant le reste. Pas la peine de se charger inutilement.

Puis nous repartons sur la plaine au crépuscule.

Eli se retourne pour regarder en arrière. Erreur.

– Il faut qu'on continue, Eli.

– Attends. Arrête-toi.

– Pas question.

– Ky, insiste-t-il. Regarde.

En me retournant, dans la lueur du soir, je la vois.

Cassia.

Même de loin, je la reconnais à ses cheveux bruns volant au vent, à la façon dont elle se tient sur la roche rouge du Labyrinthe. Elle est plus belle que la neige.

Est-ce un mirage ?

Elle tend le doigt vers le ciel.

CHAPITRE 22
CASSIA

Nous sommes bientôt arrivées en haut. Nous surplombons pratiquement la plaine.

– Cassia! me crie Indie. Stop!

– On y est presque, dis-je. Je veux voir.

J'ai repris des forces durant ces dernières heures. J'ai l'esprit plus clair. Je veux grimper là-haut pour essayer de repérer Ky. J'ai l'impression que le vent froid me purifie; c'est agréable.

Je monte au sommet du plus haut rocher.

– Arrête! proteste Indie. Tu vas tomber.

– Oh...

Quelle vue! La roche ocre, la plaine couverte d'herbe beige, les montagnes bleues. L'horizon qui s'assombrit, les gros nuages, le soleil rougeoyant et quelques petits flocons de neige qui tombent.

Deux silhouettes noires qui regardent au loin.

Qui me regardent?

C'est lui ?

À cette distance, il n'y a qu'un seul moyen de le savoir.

Je tends le doigt vers le ciel.

Pendant quelques longues secondes, rien ne se produit. La silhouette demeure immobile et moi, je reste là, debout dans le froid et...

Il se met à courir.

Je dévale les rochers, sautant, glissant, dérapant, pressée de rejoindre la plaine. Mes pieds sont trop lourds, maladroits, plus vite, plus vite. *J'aimerais pouvoir courir, j'aimerais avoir un poème à lui dire, j'aimerais avoir gardé sa boussole...*

Mais en atteignant la plaine, j'ai tout ce qu'il me faut.

Ky. Qui court vers moi.

Je ne l'ai jamais vu courir aussi vite, libre, fou, déchaîné. Il vole presque. Il est tellement beau, il bouge tellement bien.

Il s'arrête juste à temps pour que je voie le bleu de ses yeux, que j'oublie le rouge sur mes mains et le vert de la robe que j'aurais aimé porter.

– C'est toi, c'est bien toi, souffle-t-il d'une voix rauque.

Il est en sueur, couvert de poussière, et il me regarde comme s'il n'y avait plus que moi sur la terre.

J'ouvre la bouche pour dire oui, mais il est déjà contre moi. Et ses lèvres se posent sur les miennes.

CHAPITRE 23
KY

– Notre poème, murmure-t-elle. Tu peux me le dire ?

Je me penche à son oreille. Mes lèvres effleurent son cou. Ses cheveux sentent la sauge. Je reconnais la bonne odeur de sa peau.

Je ne peux pas articuler un mot.

C'est la première à réaliser que nous ne sommes pas seuls.

– Ky, chuchote-t-elle.

Nous nous écartons un peu. Dans la lumière du crépuscule, je remarque ses cheveux emmêlés, sa peau brunie. Elle est si belle, ça me fait mal.

– Cassia, fais-je d'une voix rauque, je te présente Eli.

Lorsqu'elle le voit, son visage s'éclaire. Je ne me suis pas trompé, il ressemble tellement à Bram.

– Et voici Indie, renchérit-elle en désignant la fille qui se tient à son côté, les bras croisés.

Silence.

Eli et moi, nous échangeons un regard. Vick nous manque. Nous aurions dû le leur présenter, mais il n'est plus là.

Hier encore, à la même heure, il était en vie. Ce matin, au bord de l'eau, il admirait la truite et ses écailles chatoyantes en pensant à Laney.

Puis il est mort.

– Nous étions encore trois ce matin, dis-je.

– Que s'est-il passé ? demande Cassia.

Sa main se raidit dans la mienne, je la serre doucement, en faisant attention aux entailles que je sens dans sa peau. Qu'a-t-elle dû endurer pour me retrouver ?

– Une attaque. Ils ont tué notre ami Vick. Et la rivière également.

Soudain, je réalise que nous sommes debout au milieu de la plaine, à découvert.

– Rentrons dans le Labyrinthe.

À l'ouest, le soleil se couche derrière les montagnes. Ainsi s'achève une journée d'ombre et de lumière. Vick est parti. Cassia est là.

En pénétrant dans le Labyrinthe, je l'attire contre moi.

– Comment as-tu fait ?

Elle se tourne pour me répondre, je sens son souffle chaud sur ma joue. Nous nous embrassons à nouveau, affamés l'un de l'autre. Tout contre sa peau douce, je murmure :

– Comment nous as-tu retrouvés ?

– La boussole, dit-elle en me glissant dans la main la pierre que j'ai sculptée.

– Bon, alors où on va ? s'inquiète Eli lorsque nous arrivons à l'endroit où nous avons campé avec Vick.

Une légère odeur de fumée flotte encore. Le faisceau de nos torches fait scintiller les écailles de poisson qui jonchent le sol.

– On traverse la plaine ou pas, finalement ?

– Impossible, rétorque Indie. Pas avant un jour ou deux. Cassia a été malade.

– Je vais mieux, maintenant, affirme-t-elle d'une voix assurée.

Je sors mon silex de mon sac pour allumer un nouveau feu.

– On va passer la nuit ici, Eli. Pour la suite, on y verra plus clair demain matin.

Il acquiesce et, sans que je le lui demande, va ramasser des brindilles pour le feu.

– Il est tellement jeune, remarque Cassia. C'est la Société qui l'a envoyé par ici ?

Je confirme tout en frottant ma pierre. En vain.

Elle pose alors sa main sur la mienne. Je ferme les yeux et recommence. Cette fois, une étincelle jaillit.

Eli revient, les bras chargés de broussailles touffues. Lorsqu'il les jette dans les flammes, le feu crépite. Un parfum de sauge s'élève dans la nuit, piquant, sauvage.

Cassia s'assied entre mes jambes et je la serre dans mes bras. Je sais qu'elle n'a pas besoin de moi – elle se débrouille très bien toute seule –, c'est plutôt moi que cela rassure de la tenir tout contre moi. Je me sens entier, enfin.

– Merci, Eli, dit-elle.

J'entends à sa voix qu'elle sourit. Il lui rend son sourire, une ombre de sourire, avant de s'asseoir à la place qu'occupait Vick hier soir. Indie se pousse pour lui laisser de l'espace et se penche vers le feu. Lorsqu'elle me regarde, je vois les flammes danser dans ses yeux.

Je me tourne légèrement afin qu'elle ne puisse voir que mon dos. Le faisceau de ma torche tombe sur les mains de Cassia.

– Que t'est-il arrivé ?

– C'est la corde qui m'a brûlée. On a fait de l'escalade pour te chercher dans un autre canyon avant de revenir dans celui-ci.

Elle jette un regard aux deux autres puis me dévisage en souriant.

– Ky, on est enfin réunis.

J'ai toujours adoré entendre mon nom dans sa bouche.

– J'ai du mal à y croire.

– Il fallait que je te retrouve, dit-elle.

Elle passe les mains sous ma veste, je sens ses doigts dans mon dos. Je fais pareil. Elle est tellement mince, tellement fine. Et pourtant si forte. Personne d'autre n'aurait pu accomplir cela.

Je la serre plus fort encore. Ça me fait du bien et du mal en même temps, comme sur la Colline. C'est encore plus intense maintenant.

– Il faut que je t'avoue quelque chose, me chuchote-t-elle à l'oreille.

– Je t'écoute.

– Je n'ai plus ta boussole. Celle que tu m'as donnée à Oria.

D'une voix étranglée, elle poursuit :

– J'ai fait du troc avec un Archiviste.

– Ce n'est pas grave, dis-je.

Et je suis sincère. Elle est là, dans mes bras. Après tout, ce n'est pas grand-chose d'avoir perdu cette boussole. Et je ne comptais pas qu'elle me la rende. Cependant, je suis curieux de savoir :

– Qu'est-ce qu'il t'a donné en échange ?

– Pas ce que j'attendais. J'avais demandé des informations sur le lieu où ils emmenaient les Aberrations et comment s'y rendre.

– Cassia...

Je m'interromps. C'était dangereux. Mais elle le savait. Pas besoin que je le lui rappelle.

– À la place, il m'a donné une histoire. Au début, j'ai cru qu'il m'avait arnaquée, j'étais furieuse. Il ne me restait plus que les comprimés bleus pour te rejoindre.

– Attends... des comprimés bleus ?

– Oui, que m'avait donnés Xander. Je les ai gardés car je savais qu'on en aurait besoin pour survivre ici, dans le canyon.

Elle interprète mal mon expression.

– Je suis désolée, j'ai dû me décider si rapidement...

Je la coupe en lui prenant le bras :

– Ce n'est pas le problème. Ces comprimés bleus sont empoisonnés. Tu en as pris ?

– Juste un, mais ils ne sont pas mauvais…

– J'ai essayé de la prévenir, mais je n'étais pas là quand elle l'a pris, intervient Indie.

J'ai le souffle court.

– Comment as-tu fait pour ne pas t'endormir ? Tu as mangé, depuis ?

Tandis qu'elle hoche la tête, je sors un pain plat de mon sac.

– Avale ça tout de suite.

Eli en sort un également. Cassia prend tout.

– Comment as-tu su que ces comprimés étaient toxiques ? me questionne-t-elle, incrédule.

Je m'efforce de ne pas paniquer.

– C'est Vick qui me l'a dit. La Société nous a toujours répété qu'en cas de catastrophe, ces comprimés nous sauveraient. Mais c'est faux. Au contraire, ils t'endorment. Et si personne ne vient à ton secours, tu meurs.

– J'ai du mal à y croire, fait-elle. Xander ne m'aurait pas donné quelque chose qui pouvait me faire du mal.

– Il ne devait pas être au courant. Ou bien, il pensait que tu allais les troquer.

– L'effet a déjà dû s'estomper, affirme Indie. Tu as réussi à lutter contre, Cassia. Je ne pensais pas que c'était possible. Mais tu voulais tellement retrouver Ky… Tu refusais de t'arrêter.

Nous nous tournons tous vers Cassia. Elle réfléchit, essayant de trouver une explication logique. Moi, je sais : elle possède en elle une force que la Société est loin d'imaginer.

– Je n'en ai pris qu'un, remarque-t-elle d'une voix douce. J'ai fait tomber l'autre. Et le papier qui allait avec.

– Quel papier ? je demande.

Cassia relève la tête, comme si elle venait de se rappeler notre présence.

– Xander avait caché des messages dans la plaquette de comprimés. Des extraits de sa microcarte.

Je m'étonne :

– Comment ça ?

Indie se penche en avant, intriguée.

– Je ne sais pas comment il s'est débrouillé… ni pour voler les comprimés ni pour cacher les papiers à l'intérieur. Mais en tout cas, il l'a fait.

Xander.

Je secoue la tête. Toujours dans la partie. Bien sûr, Cassia ne l'a pas complètement oublié. C'est son meilleur ami. Et toujours son Promis. Mais il a commis une erreur en lui donnant ces comprimés.

– Tu me les rendras, Indie ? demande-t-elle. Pas les comprimés, juste les bouts de papier.

L'espace d'un instant, je vois briller une étincelle dans les yeux d'Indie. Une lueur de défi. Je ne sais pas si ce sont les messages qui l'intéressent ou si, simplement, elle n'apprécie pas de recevoir des ordres. Mais elle sort la plaquette de son sac pour la tendre à Cassia.

– Tiens, ça ne me sert à rien, de toute façon.

En m'efforçant de ne pas paraître jaloux, je demande :

– Tu peux me dire ce que ça raconte ?

Indie me jette un regard. Elle m'a percé à jour.

– Des informations de détail comme sa couleur favorite ou son activité préférée, répond doucement Cassia.

Je sais qu'elle a également décelé la note d'amertume dans ma voix.

– Il a dû se douter que je n'avais pas consulté sa microcarte.

Cela suffit pour dissiper mon angoisse. J'ai honte... après tout ce qu'elle a fait pour me retrouver.

– Le garçon qui nous a accompagnées jusqu'au Labyrinthe. Quand tu as dit qu'il avait attendu trop longtemps... je pensais que c'était trop longtemps pour se suicider.

Cassia plaque sa main sur sa bouche.

– Non ! Je voulais dire trop longtemps pour prendre le comprimé. Que c'était trop tard.

Sa voix n'est plus qu'un murmure.

– Je ne savais pas.

Elle fixe soudain Indie, horrifiée.

– Tu crois qu'il était au courant ? Qu'il a voulu mourir ?

Je la questionne :

– De qui parlez-vous ?

Il s'est passé tellement de choses pendant que nous étions séparés.

– D'un garçon qui s'est enfui avec nous. C'est lui qui nous a montré par où tu étais parti.

– Qu'est-ce qu'il en savait ?

– Il était parmi ceux que vous avez abandonnés au village, répond Indie d'un ton brusque.

Elle s'écarte du feu mourant, rentrant dans l'ombre, pour désigner le canyon d'un geste circulaire.

– C'est le tableau, non ? Le numéro 19 ?

Je mets un moment à comprendre ce qu'elle veut dire.

– Non, ça y ressemble. Mais sur la peinture, il s'agit d'un canyon encore plus grand. Il est plus au sud. Mon père connaissait des gens qui y étaient allés.

J'attends une réaction qui ne vient pas.

– Le pauvre garçon…, murmure Cassia.

Indie se roule en boule par terre.

– Il faut l'oublier, maintenant. Il n'est plus là.

Je chuchote à l'oreille de Cassia :

– Comment tu te sens ?

Je suis adossé à un rocher, sa tête sur mon épaule. Je n'arrive pas à dormir. Indie a sans doute raison à propos du comprimé. Et puis, Cassia est solide, mais je préfère la surveiller toute la nuit, pour m'assurer qu'elle va bien.

Eli s'agite dans son sommeil. Indie ne fait pas un bruit. J'ignore si elle dort ou si elle écoute, alors je préfère parler à voix basse.

Cassia ne me répond pas.

– Cassia ?

– Je voulais te retrouver. Quand j'ai troqué ta boussole. Je voulais tellement te retrouver.

– Je sais. Et tu as réussi. C'est tout ce qui importe. Même s'ils t'ont arnaquée.

– Pas vraiment, en fait. L'histoire qu'ils m'ont donnée, c'est plus qu'une simple histoire.

– Comment ça ?

– Ça m'a fait penser à celle que tu m'avais racontée, sur Sisyphe, dit-elle. Sauf qu'ils l'appellent le Pilote. Et que ça parle d'une rébellion.

Elle se blottit contre moi.

– Nous ne sommes pas seuls. Il existe un mouvement de révolte contre la Société qui se fait appeler le Soulèvement. Tu en as déjà entendu parler ?

J'acquiesce sans rien ajouter. Je n'ai pas envie de parler du Soulèvement. Elle a dit « nous ne sommes pas seuls » comme si c'était une bonne chose. Moi, j'aimerais croire que nous sommes seuls, seuls autour de ce feu, seuls dans le Labyrinthe, seuls au monde.

Je pose ma main sur sa joue, que j'ai essayé de sculpter dans la pierre.

– Ne t'en fais pas pour la boussole. Je n'ai plus ton échantillon de soie verte non plus.

– On te l'a pris ?

– Non, il flotte là-haut, sur la Colline.

– Tu l'as laissé là-bas ? s'étonne-t-elle.

– Je l'ai attaché à une branche. Je ne voulais pas qu'on me l'arrache.

– La Colline...

Nous nous taisons un instant, perdus dans nos souvenirs. Puis elle reprend, avec une note de malice dans la voix :

— Tu ne m'as pas récité notre poème tout à l'heure

Je me penche à son oreille et, cette fois, les mots sortent. Je murmure, alors que je voudrais crier :

— N'entre pas sans violence...

— Non, approuve-t-elle.

Sa voix, sa peau sont si douces dans cette bonne nuit.

Et elle m'embrasse avec fougue.

CHAPITRE 24
CASSIA

Regarder Ky se réveiller, c'est encore mieux qu'un lever de soleil. Il est immobile, profondément endormi, et soudain je le vois sortir de la nuit, remonter à la surface. Son expression change, ses lèvres remuent, ses paupières s'ouvrent. Puis il sourit, comme un soleil. Il se penche vers moi, je me dresse vers lui, nos lèvres chaudes s'unissent.

Nous nous rappelons tous les deux du poème de Tennyson qu'il m'a vue lire là-bas, dans les bois, à Oria. Il a entendu dire que c'était une sorte de mot de passe lorsqu'il était enfant, dans les Provinces lointaines et, plus récemment, Vick le lui a confirmé.

Vick. Ky parle d'une voix émue de ce garçon qui l'aidait à enterrer les autres et qui était amoureux d'une fille, Laney. Puis d'un ton plus dur, froid, il me raconte comment il s'est enfui, en abandonnant les autres au village. Il se montre sans pitié envers lui-même et ce qu'il a fait.

Moi, ce que je vois, ce n'est pas ceux qu'il a laissés, mais celui qu'il a emmené avec lui. Eli. Ky a fait ce qu'il a pu.

Je lui raconte la version de l'histoire du Pilote que m'a donnée Indie. Puis je reviens sur ce garçon qui a voulu s'enfoncer dans un autre canyon du Labyrinthe. Savait-il seulement ce qui se trouvait derrière cette paroi bâtie par la Société?

– Il cherchait quelque chose, dis-je. Et il est mort.

Enfin, je parle des Anomalies, avec leurs tatouages bleus, sur le plateau. Morts eux aussi. Peut-être des membres du Soulèvement.

Un long silence s'ensuit. Car ni lui ni moi ne savons ce qui va arriver maintenant.

– Alors la Société a pénétré dans les canyons, soupire Ky.

Secouant la tête, Eli ajoute:

– Et jusque sous nos manteaux.

– Comment ça?

Ils nous expliquent que ces vêtements possèdent un système chauffant ainsi qu'une sorte de puce qui enregistre nos constantes vitales.

– Moi, je l'ai déconnectée, m'informe Ky.

Voilà pourquoi sa veste est déchirée.

Eli croise les bras sur sa poitrine en affirmant:

– Moi, j'ai préféré garder la mienne comme ça.

– Pas de problème, le rassure Ky. C'est ton choix.

Puis il se tourne vers moi pour connaître ma décision.

Je lui souris en lui tendant ma veste. Il me dévisage,

comme s'il avait encore du mal à en croire ses yeux. Je soutiens son regard. Un sourire se dessine sur ses lèvres tandis qu'il étale le vêtement devant lui pour couper le tissu d'un geste vif et précis.

Puis il me tend un paquet de fils bleus et un petit disque argenté. Je le questionne :

— Et les tiens, qu'est-ce que tu en as fait ?

— On les a enterrés.

Avec un signe de tête, j'entreprends de creuser un trou pour y mettre les miens. Lorsque je me relève, il me rend ma veste.

— Elle devrait toujours te tenir chaud, je n'ai pas touché aux câbles rouges.

— Et toi ? demande Eli en regardant Indie.

Elle secoue la tête.

— Je vais faire comme toi.

Eli lui sourit.

Ky acquiesce. Il n'a pas l'air surpris.

— Qu'est-ce qu'on fait, maintenant ? veut savoir Indie. Après ce qui est arrivé à votre ami, je me demande si ce n'est pas trop dangereux de traverser la plaine.

Son ton brutal fait tressaillir Eli. Ky répond d'une voix tendue :

— C'est vrai. Ils risquent de revenir. En plus, l'eau de la rivière est contaminée, maintenant.

— On a enlevé un peu des produits toxiques, quand même, fait valoir Eli.

— Pourquoi ?

– Pour essayer de sauver la rivière, explique Ky. C'était idiot.

– Non, pas du tout, rétorque Eli.

– On n'en a pas ôté assez, ça ne change rien.

– Si, affirme Eli, buté.

Ky sort une carte de son sac. Lorsqu'il la déroule, je découvre les magnifiques dessins en couleurs.

– On est ici, dit-il en désignant un point à la limite du Labyrinthe.

Je ne peux m'empêcher de sourire. On est ici, *ensemble*. Dans ce monde immense et sauvage, nous avons réussi à nous retrouver. Du bout du doigt, je suis le chemin que j'ai pris pour le rejoindre jusqu'à ce que ma main touche la sienne sur la carte.

– Je voulais te rejoindre. Traverser la plaine et retourner dans la Société. Nous avons pris des choses à troquer chez les Fermiers.

– Dans ce vieux hameau abandonné ? Nous l'avons traversé aussi, intervient Indie.

– Il n'est pas abandonné, affirme Eli. Ky a vu de la lumière. Il reste quelqu'un, là-bas.

Un frisson me parcourt. C'est sans doute pour ça que j'avais l'impression d'être suivie.

Je me tourne vers Ky.

– Qu'est-ce que tu as pris ?

– Cette carte, et puis ça, dit-il en sortant des livres de son sac pour me les tendre.

– Oh…

J'inspire le parfum d'encre et de papier. Je caresse la couverture.

– Il y en avait d'autres ?

– Plein. Des romans, de l'histoire... tout ce que tu peux imaginer. Ils les conservent depuis des années dans une grotte, à l'intérieur du canyon.

– Alors retournons-y ! décide Indie. Par la plaine, c'est trop risqué. Et Cassia et moi, nous avons besoin de choses à échanger.

– On pourrait aussi reprendre des provisions, remarque Eli.

Puis il fronce les sourcils en ajoutant :

– Mais la lumière...

– On fera attention. C'est toujours moins dangereux que d'essayer de traverser les montagnes tout de suite.

Ky me consulte :

– Qu'est-ce que tu en dis, Cassia ?

Je me souviens du chantier de Restauration à Oria, des ouvriers qui démembraient les livres. J'imagine les pages qui s'envolent, battant des ailes pour trouver refuge à des kilomètres de là, cachées, bien à l'abri. Puis j'ai une autre idée : il y aura peut-être des informations sur le Soulève-ment, dans les bibliothèques des Fermiers.

– Je veux voir tous les documents, dis-je.

Il hoche la tête.

Le soir, Ky et Eli nous montrent un endroit où camper que nous n'avions pas remarqué à l'aller. C'est une grotte, très vaste et spacieuse à l'intérieur. Lorsque Ky promène sa torche sur les parois, je retiens mon souffle. Les murs sont peints !

Je n'ai jamais vu ce genre de dessins – en vrai, pas sur un port ou imprimés sur un morceau de papier. Tant de couleurs, tant de formes. Il y en a partout, jusque sur le plafond.

Je me tourne vers Ky.

– Qu'est-ce que c'est ?

– À mon avis, c'est l'œuvre des Fermiers. Ils fabriquent leurs teintes avec des végétaux et des minéraux.

– Il y en a d'autres ?

– Dans la communauté, de nombreuses maisons sont peintes.

– Et ça ? demande Indie.

Elle désigne des silhouettes primitives gravées un peu plus loin sur la paroi.

– C'est plus ancien, mais c'est le même thème.

Ky a raison. Les peintures des Fermiers sont moins brutes, plus raffinées : tout un mur est couvert de filles vêtues de belles robes et d'hommes aux tuniques colorées, pieds nus. Mais la disposition des personnages est la même que dans la scène gravée.

– Oh… On dirait qu'ils ont représenté un Banquet de couplage.

J'ai à peine achevé ma phrase que je la regrette. C'est idiot, il n'y a pas de Programme de couplage par ici.

Mais Indie ne se moque pas de moi. Elle effleure le

mur, admirant les peintures. L'envie, la colère et l'espoir brillent tout à la fois dans ses yeux.

– Qu'est-ce qu'ils font, à ton avis, Ky?

Sur les deux images, les personnages sont en mouvement. L'une des filles a les bras levés. Je l'imite pour tenter de comprendre ce qu'elle fabrique ainsi.

Ky pose sur moi ce fameux regard, triste et plein d'amour à la fois, signe qu'il sait quelque chose que j'ignore, quelque chose dont selon lui j'ai été privée injustement.

– Ils dansent.

– Comment ça?

– Je te montrerai, un jour, me promet-il.

Sa voix tendre et grave me donne des frissons.

CHAPITRE 25
KY

Ma mère dansait et chantait. Elle prenait le temps de regarder le soleil se coucher tous les soirs.

– Ils n'ont pas d'aussi beaux couchers de soleil dans les Provinces principales, avait-elle coutume de dire.

Elle voyait toujours le bon côté des choses et savait saisir la moindre chance qui se présentait à elle.

Elle croyait en mon père et assistait à toutes ses réunions. Il allait se promener dans le désert avec elle après les tempêtes et, une fois qu'elle avait trouvé une flaque d'eau de pluie et un rocher, il lui tenait compagnie pendant qu'elle peignait. Il voulait accomplir des changements durables. Elle avait compris que tout ce qu'elle faisait finirait par s'effacer.

Quand je vois Cassia danser sans le savoir – tournant sur elle-même pour admirer les peintures et les bas-reliefs de la grotte –, je comprends pourquoi mes parents avaient tous deux leurs convictions.

C'est beau, c'est bien réel, mais le temps que nous passons ensemble risque d'être aussi éphémère que la neige sur le plateau. Nous pouvons essayer de tout changer ou simplement profiter au maximum du temps qui nous est donné.

CHAPITRE 26
CASSIA

Ky laisse la torche allumée pour que nous puissions nous voir pendant que nous discutons. Une fois Indie et Eli endormis, lorsque nous nous retrouvons seuls, il l'éteint pour l'économiser. Les filles peintes sur le mur retournent danser dans l'ombre, nous sommes vraiment en tête à tête.

L'air de la grotte pèse lourd entre nous.

– Une nuit, commence Ky.

Dans sa voix, j'entends la Colline. Le vent, les branches qui nous frôlent, son ton quand il m'a dit pour la première fois qu'il m'aimait. Nous avons déjà volé quelques instants précieux à la Société. Nous pouvons recommencer, seulement ce ne sera jamais assez.

J'attends, les yeux fermés.

Il ne poursuit pas.

– Viens dehors, dit-il finalement. On ne va pas loin.

Je ne distingue pas son visage mais sa voix est chargée d'émotion. Je le sens aussi à la façon dont il me prend la main – amour, angoisse et autre chose aussi, une note douce-amère.

Une fois à l'extérieur, nous faisons quelques pas sur le sentier. Je m'adosse à la roche, il se tient devant moi, passant sa main dans mon cou, sous mes cheveux, par le col de ma veste. Il a les mains rugueuses, abîmées, pourtant elles se font douces, chaudes sur ma peau. Une légère brise nocturne siffle dans le canyon, mais il me protège du froid. Je reprends, attendant qu'il continue :

– Une nuit... Que s'est-il passé ?

– Rien, répond-il doucement. Je voulais te demander quelque chose.

– Quoi ?

Sous le ciel immense, nos haleines blanches se mélangent, nos voix ne sont qu'un murmure.

– Une nuit, ce n'est pas trop demander...

Je ne dis rien. Il se colle à moi. Je sens sa joue contre la mienne, son parfum de sauge et de pin, de poussière et d'eau fraîche, son odeur à lui.

– Juste une nuit, est-ce qu'on pourrait penser rien qu'à nous ? Oublier la Société, le Soulèvement, nos familles ?

– Non.

– Non quoi ?

Il passe une main dans mes cheveux et, de l'autre, il me serre contre lui.

– Non, je ne crois pas que ce soit possible. Et non, ce n'est pas trop demander.

CHAPITRE 27
KY

Je n'ai jamais donné de titre à ce que j'écrivais
Pas la peine
De toute façon
Ce serait toujours le même :
« Pour toi ».
Mais celui-là
Je voudrais l'appeler
« Une nuit ».
« Cette nuit »
Où nous étions seuls au monde
Rien que toi
Et moi.
Où nous l'avons laissé tourner
Vert, bleu, rouge.
La musique s'était arrêtée
Mais nous chantions encore.

CHAPITRE 28
CASSIA

Lorsque le soleil pénètre dans le Labyrinthe, nous sommes déjà repartis. Le sentier est tellement étroit qu'on doit marcher en file indienne, mais Ky reste à côté de moi, la main sur ma nuque. Nos doigts se frôlent, s'agrippent à la moindre occasion.

C'était la première fois que nous passions la nuit entière à parler, s'embrasser, collés l'un à l'autre – et la dernière. Cette pensée revient me narguer, refuse de me quitter, malgré la belle lumière dorée du matin.

Lorsque les autres se sont réveillés, Ky leur a exposé notre plan : retourner à la communauté avant la nuit et se glisser dans l'une des maisons, le plus loin possible de celle où il a vu de la lumière. Puis nous ferons des tours de garde. S'il n'y a toujours qu'une seule fenêtre éclairée, nous pourrons tenter une approche au matin. Nous sommes quatre et, selon Ky, ils ne sont qu'un ou deux tout au plus.

Sauf qu'Eli est très jeune, mais bon.

Je l'observe sans qu'il le remarque car il marche tête baissée. J'ai beau l'avoir déjà vu sourire, je sens que la mort de Vick les a beaucoup affectés. Ky m'a confié : « Eli voulait que je dise le poème de Tennyson en l'enterrant. Je n'ai pas pu. »

Devant nous, Indie réajuste son sac sur ses épaules et vérifie que nous suivons bien. Je me demande comment elle aurait réagi si j'étais morte. Aurait-elle pleuré ou aurait-elle fouillé dans mes affaires, pris ce qui l'intéressait et poursuivi sa route ?

Nous arrivons à la communauté à la tombée du jour, Ky en tête.

Quand nous l'avons traversée la première fois, je n'ai pas bien fait attention. Maintenant, alors que nous filons dans les rues désertes, je suis intriguée par ces maisons toutes différentes. Les gens ont dû construire chacun la leur, à leur façon. Et ils avaient le droit de se rendre visite, quand ils le voulaient. On le voit aux chemins de terre. Contrairement à ceux du quartier, droits et carrés, ici, ils ne vont pas directement du perron au trottoir. Ce sont des sentiers sinueux, qui tournent, se croisent, formant un véritable réseau. Les habitants ne sont pas partis depuis longtemps, on distingue encore leurs empreintes dans la poussière. J'entends presque résonner leurs voix dans le canyon : « Bonjour ! », « Au revoir ! », « Comment ça va ? ».

Nous pénétrons dans une petite maison un peu délabrée.

– Je ne crois pas qu'on nous ait vus, affirme Ky.

Je l'entends à peine, perdue dans la contemplation des peintures qui ornent les murs. Les personnages ne ressemblent pas à ceux de la grotte, mais ils sont tout aussi beaux. Bien qu'ils n'aient pas d'ailes, ils n'ont pas l'air surpris de voler. Leurs yeux ne sont pas tournés vers le ciel, au contraire, ils regardent la terre, comme s'ils voulaient garder en mémoire ce paysage.

Je pense que je sais de quoi il s'agit.

– Des anges...

– Oui, confirme Ky. Certains Fermiers croyaient en leur existence. À l'époque de mon père, en tout cas.

Tandis que le jour baisse, les anges entrent dans l'ombre. C'est alors que Ky se fige devant la fenêtre. Il tend le doigt.

– Vous voyez, c'est la même maison qui était allumée la dernière fois.

– Je me demande ce qui se passe. Tu crois que c'est un voleur?

– Non... à mon avis, c'est quelqu'un qui est resté chez lui, affirme Ky en me jetant un regard.

Dès l'aube, Ky et moi, nous nous mettons à la fenêtre pour faire le guet. Nous sommes les premiers à le voir, cet homme qui sort de la maison, seul, les bras chargés. Il remonte le chemin de terre en direction d'un bouquet d'arbres que j'ai remarqué en arrivant. Ky nous fait signe de nous taire. Indie et Eli se postent à l'autre fenêtre pour regarder, eux aussi. Nous observons prudemment ses faits et gestes, à l'abri.

C'est un homme grand et fort, brun, la peau mate. Il me fait un peu penser à Ky : le même teint, les mêmes mouvements vifs. Mais il semble infiniment las, presque absent, tout entier absorbé par ce qu'il tient dans ses bras. Je m'aperçois alors qu'il s'agit d'une fillette.

Ses longs cheveux tombent sur ses épaules, elle porte une robe blanche. La couleur des Officiels, sauf qu'elle n'a rien d'une Officielle, bien sûr. C'est une jolie robe, comme si elle allait à un banquet, sauf qu'elle est bien trop jeune.

Et bien trop calme.

Je plaque ma main sur mes lèvres.

Ky se tourne vers moi, hochant la tête d'un air grave et triste.

Elle est morte.

Je jette un coup d'œil à Eli, avant de réaliser qu'il a déjà côtoyé la mort. Peut-être même celle d'un enfant.

Pas moi. Les larmes me montent aux yeux. Elle est si petite, si frêle. Comment est-ce possible ?

L'homme la pose délicatement sur le sol, dans l'herbe sèche. Le vent du canyon porte un son à nos oreilles. Il chante.

Ça prend du temps d'enterrer quelqu'un.

Alors que l'homme creuse la tombe, lentement, avec application, il se met à pleuvoir. Pas de grosses gouttes, non, juste un crachin persistant qui change la poussière en boue. Je me demande pourquoi il l'a sortie dehors à l'avance. Peut-être pour voir la pluie sur son visage une dernière fois.

Peut-être pour ne pas être seul.

C'est insoutenable.

– Il faut qu'on l'aide, je murmure.

Ky secoue la tête.

– Non. Pas encore.

L'homme ressort du trou et s'approche de la fillette. Mais il ne la met pas tout de suite dans la tombe, il la pose juste à côté.

C'est alors que je remarque les lignes bleues sur ses bras.

Il se penche pour lui prendre la main et tire quelque chose de sa poche, un objet bleu. Il s'en sert pour tracer des lignes sur sa peau à elle. La pluie les efface mais il continue, imperturbable. J'ignore s'il chante encore. Finalement, la pluie cesse et les dessins restent.

Eli ne regarde plus. Il est accroupi sous la fenêtre, adossé au mur. Je vais m'asseoir à côté de lui en rampant pour ne pas me faire voir. Je lui passe un bras autour des épaules, l'attirant contre moi.

Ky et Indie continuent à regarder.

Si jeune, ne puis-je m'empêcher de penser.

– J'y vais, décrète finalement Ky. Attendez-moi ici.

Surprise, je me tourne vers lui. Puis je me redresse légèrement pour jeter un coup d'œil par la fenêtre. L'homme a fini d'ensevelir la petite. Il pose une pierre plate et grise sur le monticule de terre. Je ne l'entends plus chanter.

– Non…, dis-je dans un souffle.

Ky hausse les sourcils.

– On ira demain plutôt. Regarde ce qu'il vient d'endurer.

Il me répond d'une voix douce, mais ferme :

– Nous lui avons laissé autant de temps que possible. Maintenant, il faut en savoir plus.

– Et puis, il est seul, fait valoir Indie. Vulnérable.

Je regarde Ky, choquée, mais il ne réagit pas.

– C'est le bon moment.

Avant que j'aie pu protester, il ouvre la porte et sort.

CHAPITRE 29
KY

– Vous pouvez bien faire ce que vous voulez, me crie l'homme lorsque j'arrive dans le cimetière. Peu importe. Je suis le dernier.

Si je n'avais pas su qu'il s'agissait d'un Fermier, son accent et sa façon de parler me l'auraient appris. Mon père avait toujours cette intonation étrange lorsqu'il revenait des canyons.

J'ai demandé aux autres de ne pas bouger, mais évidemment, Indie ne m'a pas écouté. Je l'entends approcher dans mon dos. J'espère au moins qu'Eli et Cassia ont eu le bon sens de rester dans la maison.

– Qui êtes-vous ? demande l'homme.

C'est Indie qui répond :

– Des Aberrations. La Société veut notre mort.

J'ajoute :

– Nous sommes venus trouver les Fermiers pensant que vous pourriez nous aider.

– Trop tard. C'est fini.

Des pas. Derrière nous. J'ai envie de me retourner pour ordonner à Eli et à Cassia de rentrer dans la maison, mais je ne veux pas tourner le dos à cet homme.

– Alors vous êtes quatre? Il y en a d'autres?

Je secoue la tête.

– Je m'appelle Eli, annonce-t-il derrière moi.

L'homme ne répond pas tout de suite, puis il dit:

– Moi, c'est Hunter.

Il nous dévisage avec attention. En faisant de même, je m'aperçois qu'il n'est guère plus âgé que nous, mais son visage est buriné par le froid, le soleil et le vent.

– Certains d'entre vous ont-ils vécu à l'intérieur de la Société?

– Oui, tous à un moment ou à un autre.

– Parfait, dit-il. Alors j'aurais besoin de vous.

– En échange de quoi?

– Si vous pouvez m'aider, je vous laisserai prendre tout ce que vous voulez. Des provisions, des livres...

Il désigne les grottes qui servent d'entrepôts, puis se retourne vers moi.

– Quoique j'ai l'impression que vous vous êtes déjà servis.

– Nous pensions que le village était désert, se justifie Eli. Nous pouvons tout vous rendre.

Hunter balaie sa proposition d'un geste impatient.

– Peu importe. Qu'est-ce que vous voulez? Des choses à troquer?

J'acquiesce.

Du coin de l'œil, je vois Indie et Cassia échanger un regard. Hunter le remarque aussi.

– Et quoi d'autre ? leur demande-t-il.

Indie prend la parole :

– Nous aimerions en savoir plus au sujet du Soulèvement. Et comment rejoindre le mouvement.

– Et aussi connaître l'identité du Pilote, ajoute Cassia, d'une voix animée.

Forcément, elle veut des détails puisque cette révolte est mentionnée dans l'un des poèmes de son grand-père. J'aurais dû tout lui dire sur la Colline. Elle aurait peut-être compris à l'époque. Mais maintenant qu'elle a commencé à espérer... je ne sais pas quoi faire.

– Je peux vous répondre, affirme Hunter. Lorsque vous m'aurez aidé, je vous dirai ce que je sais.

– Allons-y ! décrète Indie. Qu'est-ce que vous attendez de nous ?

– Ce n'est pas si facile, répond-il. Il faut que je vous emmène quelque part et il commence à faire trop sombre. Revenez demain, quand il fera jour.

Tandis qu'il tend la main vers sa pelle, je fais signe aux autres de reculer.

– Comment être sûrs que nous pouvons vous faire confiance ?

Il laisse échapper un petit rire sec et triste qui résonne à travers le canyon et le village désert.

– Dites-moi, il paraît que dans la Société, les gens vivent jusqu'à quatre-vingts ans, c'est vrai ?

– Oui, confirme Cassia, mais seulement les citoyens.

– Quatre-vingts…, répète-t-il d'un ton pensif. Presque personne n'atteint cet âge-là dans le Labyrinthe. Vous croyez que ça en vaut la peine ? De vivre si vieux, mais sans avoir aucun choix, je veux dire.

– Certains pensent que oui, répond-elle doucement.

Hunter passe ses mains tatouées de bleu sur son visage. Il a dit vrai : il est à bout, fini.

– À demain, nous lance-t-il avant de faire volte-face et de s'éloigner.

Nous dormons tous dans la petite maison. Eli, Cassia, Indie. Je suis le seul à rester éveillé, tendant l'oreille. Leurs souffles réguliers me donnent l'impression que la maison respire. Sauf que, bien sûr, les murs ne bougent pas. J'ai beau savoir que Hunter ne nous veut pas de mal, je n'arrive pas à fermer l'œil. Je fais le guet. Peu avant l'aube, alors que je me tiens sur le seuil, à regarder dehors, j'entends un bruit dans la pièce. Quelqu'un est réveillé.

Indie. Elle s'approche de moi.

– Qu'est-ce que tu veux ? je demande en m'efforçant de conserver un ton neutre.

Quand je l'ai vue, j'ai tout de suite su à qui j'avais affaire. Elle est comme moi – prête à tout pour survivre. Je n'ai aucune confiance en elle.

– Rien, me répond-elle.

Dans le silence de la nuit, j'entends qu'elle fouille dans son sac. Elle ne s'en sépare jamais.

– Qu'est-ce que tu caches là-dedans ?

– Je n'ai rien à cacher, affirme-t-elle d'une voix tendue. Tout ce que j'ai là-dedans m'appartient.

Elle s'interrompt avant de me questionner :

– Pourquoi tu ne veux pas rejoindre le Soulèvement ?

Je ne réponds pas. Le silence s'installe. Indie remet son sac sur son épaule et le serre contre sa poitrine. Elle a l'air perdue dans ses pensées. Moi aussi. Je suis sous le ciel étoilé du Labyrinthe, avec Cassia. Je suis sur la Colline, dans le vent. Je suis dans le quartier des Érables, enfant. Je n'aurais jamais pensé que ce soit possible. Je n'aurais jamais espéré pouvoir voler autant d'instants à la Société.

J'entends quelqu'un remuer. Cassia.

– Elle rêve de Xander, murmure Indie dans mon dos. Je l'ai entendue prononcer son nom.

J'essaie de me convaincre que les messages qu'il a cachés dans la plaquette de comprimés n'ont pas d'importance. Cassia le connaissait et elle m'a choisi quand même. De plus, ces bouts de papier ne dureront pas. Ils se changeront en flocons aussi fragiles que la neige. Aussi stériles et silencieux que des cendres.

Je ne peux pas la perdre maintenant.

A passé la majeure partie de sa vie dans les Provinces lointaines.

Cité comme élève le plus populaire par 0 % de ses camarades.

Personne n'a jamais envisagé que je puisse avoir la moindre qualité. Personne ne souhaiterait à quelqu'un qu'il aime de m'avoir pour Promis.

Quand on aime quelqu'un, que lui souhaite-t-on avant tout? D'être en sécurité ou bien de pouvoir faire ses choix?

– Qu'est-ce que tu veux, Indie?

– Je veux connaître le secret de Xander.

– Qu'est-ce que tu racontes?

En guise de réponse, elle me tend une bande de papier.

– Cassia a laissé tomber ça. Je ne lui ai pas rendu.

Tout en sachant que je ne devrais pas, je saisis le papier. Prenant garde à ne pas réveiller Cassia et Eli, j'allume ma torche pour le lire:

A un secret à révéler à sa Promise lorsqu'il la retrouvera.

Ce genre d'information ne figurait sûrement pas sur la microcarte de Xander. Il a ajouté des choses.

– Comment a-t-il fait? je m'étonne.

Comme si Indie pouvait le savoir. La Société surveille pourtant tout ce qu'on tape, tout ce qu'on imprime. A-t-il pris le risque d'utiliser un port à l'école? Chez lui?

– Il doit être vraiment malin, remarque-t-elle.

Je confirme d'un hochement de tête.

En se penchant vers moi, elle insiste:

– Alors, c'est quoi, son secret?

Je hausse les épaules.

– Qu'est-ce qui te fait croire que je le connais?

Je le connais, mais je ne lui dirai pas.

– Vous étiez amis, avec Xander. C'est Cassia qui me l'a dit. Je suis sûre que tu en sais beaucoup plus que tu ne veux bien l'avouer.

– À propos de quoi ?

– De tout.

– Et moi, je pense que c'est pareil pour toi, dis-je. Tu caches quelque chose.

Je braque la torche sur elle, la forçant à cligner des yeux. Ainsi éclairée, elle est d'une beauté éblouissante. Ses cheveux sont d'une couleur rare, flamboyante, rouge doré. Elle est grande, fine et forte à la fois, les traits délicats. Sauvage. Elle veut survivre à tout prix, je le sais, mais elle conserve une part de mystère qui m'intrigue.

– Je veux connaître son secret, reprend-elle. Et trouver le Soulèvement. Je pense que tu sais tout ça, mais que tu ne veux pas l'avouer à Cassia. Et je crois que je devine pourquoi.

Je secoue la tête, sans rien dire. Je laisse le silence se faire de plus en plus pesant entre nous. À elle de le rompre si elle veut.

L'espace d'un instant, j'ai l'impression qu'elle va parler. Mais elle fait volte-face pour retourner à l'endroit où elle a dormi, sans me jeter un regard.

Au bout d'un moment, je n'y tiens plus, je sors. J'ouvre la main, laissant le vent emporter le bout de papier dans la pénombre grise.

CHAPITRE 30
CASSIA

Sur le mur d'en face, il y a une peinture très différente. Je ne l'avais pas remarquée avant, subjuguée que j'étais par celle des anges. Les autres dorment. Même Ky s'est écroulé près de la porte où il a tenu à monter la garde.

Je me lève discrètement pour essayer de comprendre ce que la peinture représente. Il y a des angles, des courbes, des formes... je ne vois pas ce que ça peut-être. Ça ne ressemble à aucun des Cent Tableaux, où l'on reconnaît toujours clairement un personnage, un endroit, un objet. Au bout d'un moment, j'entends Ky remuer à l'autre bout de la pièce. Nos regards se croisent au-dessus des silhouettes recroquevillées d'Eli et d'Indie. Il vient me rejoindre sans bruit.

Je chuchote :

– Tu as assez dormi ?

– Non, me répond-il en s'appuyant sur moi, les yeux clos.

Lorsqu'il les rouvre, nous avons le souffle court.

Nous examinons la peinture ensemble, puis je demande :

– Tu crois que c'est un canyon ?

En posant la question, je réalise que ça pourrait être tout à fait autre chose : une blessure ouverte, un coucher de soleil sur une rivière…

– L'amour, murmure-t-il finalement.

– L'amour ?

– Oui, confirme-t-il.

Je répète, perplexe :

– L'amour…

– Quand je regarde cette peinture, c'est le mot « amour » qui me vient à l'esprit, tente-t-il de m'expliquer. Mais tu es libre d'y voir ce que tu veux. C'est comme dans ton poème : tout le monde pense à quelqu'un de différent en entendant parler du Pilote.

– Et toi, à quoi penses-tu quand tu entends mon nom ?

– À beaucoup de choses, susurre-t-il d'une voix douce qui me donne la chair de poule. À ça, à la Colline, au Labyrinthe, à tous les endroits où nous sommes allés ensemble.

Il recule d'un pas. Je sens son regard sur moi. Je retiens mon souffle en imaginant tout ce qu'il voit.

– À tous les endroits où nous ne sommes pas encore allés ensemble, ajoute-t-il d'une voix pleine de défi.

Nous avons tous les deux envie de bouger. Pour ne pas

déranger les autres, nous sortons juste devant la fenêtre, comme ça, ils nous verront quand ils se réveilleront.

Ce canyon que je croyais si sec et désert est finalement beaucoup plus verdoyant que je ne le pensais, surtout aux abords du ruisseau.

Une dentelle de cresson de fontaine ourle le rivage marécageux, la mousse couleur émeraude tapisse la roche rouge, les joncs se dressent en bouquets vert-de-gris tout le long du cours d'eau. Je pose mon pied sur la glace qui se brise, comme la vitre qui protégeait mon échantillon de soie. Je remarque que, sous une première couche blanche, elle a des reflets verts, exactement la teinte de ma robe de banquet. À l'affût du moindre signe de Ky, je n'avais pas remarqué toutes ces nuances en passant la première fois.

Je lève les yeux vers lui. Il est tellement à l'aise, sûr de ses mouvements, même lorsqu'il marche sur des sables mouvants. Il se retourne et me sourit.

Il est chez lui, ici. Il n'a plus la même allure qu'au sein de la Société. Ici, tout semble lui convenir : ces peintures étonnantes et belles, l'isolement de ce village, son indépendance.

Il ne lui manque qu'un groupe d'habitants à diriger. Il n'a que nous trois.

– Ky...

Il s'arrête. Me dévore des yeux. Ses lèvres ont frôlé les miennes. Effleuré mon cou, mes mains, mes poignets, chacun de mes doigts. Lorsque nous nous sommes embrassés l'autre nuit, sous le ciel étoilé, pour moi, ce n'était pas des instants volés. Au contraire, j'avais l'impression que nous avions la vie devant nous.

– Je sais, dit-il.

Nous restons les yeux dans les yeux un long moment, avant de nous abriter sous les arbres. Leur écorce est grise, sculptée par le temps, et leurs branches portent quelques feuilles sèches qui bruissent dans le vent.

J'aperçois au loin d'autres pierres plates comme celle que Hunter a placée sur le monticule de terre hier. Posant la main sur le bras de Ky, je demande :

– Tout ça, c'est...

– Oui, il y a une personne enterrée sous chaque pierre. Ça s'appelle un cimetière.

– Pourquoi ils ne les ont pas enterrés plus loin du ruisseau ?

– Parce qu'ils ont besoin de ces terres pour les vivants.

– Mais les livres... ils les ont bien mis à l'abri en hauteur, alors qu'ils ne sont pas vivants.

– Les livres sont utiles aux vivants, m'explique-t-il doucement. Si le cimetière est inondé, l'eau n'emporte rien qui ne soit déjà parti. La bibliothèque, c'est différent.

Je m'accroupis pour observer les pierres. Elles comportent différentes informations : nom, dates, parfois une petite phrase.

– Qu'est-ce que c'est ? Un poème ?

– Ça s'appelle une épitaphe.

– Et qui la choisit ?

– Ça dépend. Parfois, si la personne sait qu'elle va mourir, elle la choisit elle-même. Souvent, ce sont ceux qui restent qui sélectionnent un texte évoquant la vie de celui qui est mort.

– C'est triste, dis-je, mais beau.

Comme Ky hausse les sourcils, je m'empresse d'expliquer :

– Cette idée d'épitaphe, c'est beau. Là-bas, c'est la Société qui décide ce qui reste de nous quand on meurt. Ils sélectionnent ce qui figurera dans le résumé de ta vie.

J'aurais tout de même dû prendre le temps de regarder plus attentivement la microcarte de grand-père. En revanche, en ce qui concerne la conservation des tissus, c'est lui qui a tranché : il ne reste rien de son corps.

– Il y avait des pierres comme ça dans ton village ?

Je regrette aussitôt ma question, je n'aurais pas dû réclamer cette partie de l'histoire, pas tout de suite.

Il me dévisage.

– Pas pour mes parents. On n'a pas eu le temps.

– Ky...

Il s'éloigne vers une autre rangée de tombes, laissant ma main glacée dans la sienne pour la réchauffer.

Je n'aurais rien dû dire. Je n'ai jamais vu mourir des gens que j'aimais, à part mon grand-père. C'est comme si je jetais un regard dans un long canyon sombre où je n'ai encore jamais mis les pieds.

En slalomant avec précaution entre les pierres, je constate que Hunter a raison : ici, l'espérance de vie est bien plus courte que dans la Société. La plupart des gens n'atteignent pas les quatre-vingts ans.

Je m'exclame :

– Il y a tant d'enfants !

Moi qui espérais que la fillette d'hier était une exception.

– Ça arrive aussi de mourir jeune dans la Société, réplique Ky. Tu as oublié Matthew ?

– Matthew...

En prononçant son nom, je me souviens. Depuis des années, pour moi, c'était « le premier fils des Markham », celui qui avait été tué par un individu classé Anomalie, une tragédie.

Matthew... Soudain, je me souviens vraiment de lui. Il avait quatre ans de plus que Xander et moi. C'était un vrai fossé à l'époque. Il était gentil, il nous disait bonjour dans la rue, mais on ne se fréquentait pas. Il avait un étui à pilules et il allait à l'école secondaire. Il ressemblait assez à Ky pour être son cousin, mais en plus grand, plus épais, moins vif et leste.

Matthew. C'est comme si son prénom était mort avec lui, comme si on avait craint, en le prononçant, de donner davantage de réalité à ce drame.

J'objecte :

– Oui, mais c'était rare.

– Non, c'est juste le seul dont tu te souviens.

– Il y en a eu d'autres ? dis-je, sous le choc.

Je me retourne en entendant un bruit. Eli et Indie viennent de fermer la porte de « notre » maison. Eli me fait signe, je lui réponds. Ça y est, le jour est levé, Hunter va bientôt nous rejoindre.

Je m'agenouille devant la pierre qu'il a posée hier pour effleurer le nom qui y est gravé. Sᴀʀᴀʜ. Elle n'a pas eu beaucoup de temps. Cinq ans. Sous les dates, il y a une phrase, sans doute issue d'un poème :

Qᴜᴀɴᴅ sᴏᴜᴅᴀɪɴ ᴀᴜ ʙᴇᴀᴜ ᴍɪʟɪᴇᴜ ᴅᴇ ᴊᴜɪɴ
Pᴀssᴇ ᴜɴ ᴠᴇɴᴛ – ᴘᴏᴜʀᴠᴜ ᴅᴇ ᴅᴏɪɢᴛs –*

Je serre la main de Ky dans la mienne. Pour que le vent glacé n'essaie pas de me voler avec ses doigts voraces, ses mains qui ôtent la vie aux pousses du printemps.

---

* NdT : Emily Dickinson, traduction de Françoise Delphy, in *Poésies complètes*, Flammarion, 2009.

CHAPITRE 31
KY

Hunter nous rejoint avec un rouleau de corde passé en travers de l'épaule. Je me demande bien ce qu'il a en tête. Avant que j'aie pu l'interroger, Eli désigne la pierre fraîchement posée.

– C'était votre sœur?

Hunter ne jette pas un regard à la tombe, mais il tressaille légèrement.

– Vous l'avez vue? Vous m'observiez depuis longtemps?

– Oui, on a préféré attendre que vous ayez fini pour venir vous parler.

– C'est très gentil à vous, répond-il platement.

– Je suis désolé. Que ce soit votre sœur ou pas, reprend Eli. Vraiment désolé.

– C'était ma fille, explique-t-il.

Cassia écarquille les yeux.

Je lis dans ses pensées: « Sa fille? Il est beaucoup trop jeune, à peine vingt-deux ou vingt-trois ans. Certainement pas vingt-neuf, l'âge minimal pour avoir un enfant de cinq ans dans la Société. » Justement, nous ne sommes pas dans la Société.

Indie rompt le silence :

– Où va-t-on ?

– Dans un autre canyon. Vous vous débrouillez tous en escalade ?

Quand j'étais petit, ma mère a essayé de m'apprendre les couleurs.

« Bleu », disait-elle en désignant le ciel. Et « bleu » encore en me montrant de l'eau. Paraît-il que je secouais la tête parce que, pour moi, le ciel n'était pas du même bleu que l'eau.

J'ai mis longtemps à employer le même mot pour toutes les nuances d'une même couleur.

Ce souvenir me revient alors que nous traversons le canyon. La roche du Labyrinthe est rouge orangé, une teinte que l'on ne retrouve nulle part dans la Société.

L'amour a différentes nuances. La façon dont j'aimais Cassia lorsque je pensais qu'elle ne m'aimerait jamais. La façon dont je l'aimais sur la Colline. La façon dont je l'aime maintenant qu'elle est venue jusqu'ici pour me retrouver. C'est différent. Plus profond. Déjà, avant, je pensais l'aimer et la désirer, mais tout en avançant dans le canyon, je réalise que mon amour a pris une tout autre nuance. Peut-être même une tout autre couleur.

En tête, Hunter s'arrête et désigne la falaise.

– Voilà où on va escalader.

Il entreprend de tester la roche.

Je mets ma main en visière pour scruter la paroi. Cassia m'imite.

– C'est par là qu'on est passées, Indie et moi, dit-elle.

Hunter acquiesce.

– C'est le meilleur endroit pour grimper.

– Il y a une grotte dans le canyon suivant, l'informe Indie.

– Je sais. On l'appelle la Caverne. Je veux justement vous demander si vous savez ce qui se trouve à l'intérieur.

– Nous n'avons pas pu y entrer, intervient Cassia. Elle est fermée.

Il secoue la tête.

– Avec mes camarades, nous l'avons découverte dès la première fois que nous sommes venus dans le Labyrinthe. Quand la Société s'en est emparée, nous avons trouvé un moyen d'y pénétrer quand même.

Cassia semble perplexe.

– Mais alors, vous savez…

Hunter l'interrompt :

– Nous savons ce qui s'y trouve, mais nous ignorons à quoi ça sert.

Il la dévisage avant de reprendre :

– Je suis sûr que tu sauras me le dire.

– Moi ? fait-elle, surprise.

– Tu as fait partie de la Société plus longtemps que les autres. Je le sens.

Rougissant, Cassia passe la main sur son bras comme si elle voulait en ôter les traces qu'y a laissées la Société.

Hunter se tourne vers Eli.

– Tu crois que tu pourras grimper ?

– Oui, répond-il en scrutant la falaise.

– Très bien. Ce n'est pas particulièrement difficile. Même ceux de la Société auraient pu y arriver s'ils avaient essayé.

– Pourquoi ? Ils ne sont pas passés par là ? s'étonne Indie.

– Si, mais c'était une des zones qu'on surveillait le plus attentivement. On arrêtait tous ceux qui tentaient de grimper. Comme on ne peut pas accéder au canyon avec un dirigeable, c'est trop étroit, ils étaient obligés de venir à pied. On avait donc l'avantage sur eux.

Il accroche la corde à l'un des pitons en métal plantés dans la roche.

– Ça a fonctionné un moment.

Mais, maintenant, les Fermiers sont partis traverser la plaine. Ou morts sur le plateau. La Société ne mettra pas longtemps à s'en rendre compte et à décider de revenir.

Et Hunter en est tout à fait conscient. Il faut qu'on se dépêche.

– Avant, on grimpait n'importe où. Le Labyrinthe était à nous.

Il baisse les yeux vers la corde. Il doit se rappeler pourquoi tout le monde est parti. On pourrait croire que certaines choses sont impossibles à oublier ; pourtant, il arrive qu'elles vous sortent de l'esprit un moment. Je n'ai jamais su si c'était une bonne chose ou pas. L'oubli permet d'alléger les souffrances un instant, mais le retour à la réalité n'en est que plus pénible.

Tout ça, c'est tellement dur. Parfois – dans des moments de faiblesse –, je regrette que les comprimés rouges n'aient aucun effet sur moi.

– On a vu des cadavres sur le plateau, annonce Indie. Avec des tatouages bleus, comme vous. C'était des Fermiers, n'est-ce pas ? Pourquoi sont-ils montés là-haut si vous dites qu'il valait mieux attendre la Société en bas ?

Malgré moi, je l'admire. Elle a le courage de poser à Hunter les questions dont j'ai aussi envie de connaître les réponses.

– Il n'y a que là-haut que la Société puisse atterrir avec ses dirigeables, explique Hunter. J'ignore pourquoi, mais ces derniers temps, ils paraissent décidés à pénétrer dans le Labyrinthe. Nous ne pouvions plus surveiller tous les canyons, nous nous sommes concentrés sur celui de notre communauté.

Il fait un nœud, tire sur la corde.

– Pour la première fois dans l'histoire des Fermiers, nous n'avons pas réussi à nous mettre d'accord. Certains voulaient grimper sur le plateau pour affronter la Société et qu'elle nous laisse en paix, d'autres préféraient fuir.

– Et vous, vous aviez choisi quoi ? le questionne Indie.

Comme Hunter ne répond pas, elle insiste :

– Ceux qui sont partis à travers la plaine veulent rejoindre le Soulèvement, c'est ça ?

– Je pense que ça suffit, dit-il d'un ton qui n'admet pas de réplique.

Puis il lui tend une corde.

– C'est toi la plus expérimentée en escalade, décrète-t-il – et ce n'est pas une question.

Je ne sais pas comment il a fait, mais il a vu juste.

Elle acquiesce avec un demi-sourire en contemplant la paroi.

– Il y avait des rochers, près de chez nous. J'allais m'y entraîner de temps en temps.

– La Société te laissait faire de l'escalade ? s'étonne-t-il.

Elle lui jette un regard de mépris.

– Je n'ai pas attendu leur permission. Je me suis débrouillée pour que personne ne soit au courant.

– Toi et moi, nous allons chacun aider quelqu'un à monter, ce sera plus rapide. Tu en es capable ?

En guise de réponse, elle s'esclaffe. Hunter la met en garde :

– Attention, ce n'est sûrement pas la même roche que chez toi.

– Je sais.

Hunter s'adresse alors à moi :

– Tu peux grimper seul ?

Je hoche la tête, sans préciser que je préfère qu'il en soit ainsi. Si je tombe, au moins, je n'emporterai personne dans ma chute.

– Je vais d'abord vous regarder faire.

Indie se tourne vers Cassia et Eli.

– Qui veut venir avec moi ?

– À toi de choisir, Eli, dit Cassia.

– Ky, répond-il sans hésiter.

– Non, intervient Hunter, Ky n'a pas autant d'expérience que nous.

Comme Eli ouvre la bouche pour protester, je secoue la tête. En me lançant un regard noir, il s'approche d'Indie. Je vois se dessiner un sourire satisfait sur ses lèvres tandis qu'elle fait face à la paroi.

Pendant que Cassia s'attache à la corde de Hunter, je vérifie qu'Eli est bien harnaché. Lorsque je relève la tête, Hunter est prêt à commencer l'ascension et Cassia serre les dents.

Je ne suis pas inquiet. Hunter est le plus doué en escalade. Et il a besoin de Cassia pour lui dire ce qui se trouve dans la grotte. Il est convaincu que ça l'aidera de le savoir. Il n'a pas encore compris qu'avoir une explication ne suffit pas.

Une fois arrivés en haut, nous nous mettons à courir. Je donne la main à Eli d'un côté et à Cassia de l'autre, et nous nous élançons, le souffle court, volant presque sur la roche.

Nous sommes à découvert sur ce plateau, vulnérables pendant de trop longues minutes.

Pourtant, j'aimerais continuer à courir ainsi éternellement.

« Regardez ! ai-je envie de crier. Je suis toujours en vie. Toujours là. Malgré vos calculs et vos manigances d'Officiels. »

Vite, vite, les pieds.

Les poumons remplis d'air.

Main dans la main avec ceux que j'aime.

J'aime.

C'est le plus fou, le plus risqué dans tout ça.

En approchant de l'autre bord, nous nous lâchons pour saisir les cordes.

Le second canyon est plus étroit que celui des Fermiers, une vraie fente. Une fois au pied de la falaise, Cassia désigne une paroi lisse, sans relief. On dirait de la roche, pourtant elle paraît bizarre.

– L'entrée se trouve par là, explique-t-elle, en pinçant les lèvres. Et le corps du garçon est caché sous les buissons.

Tout sentiment de liberté, de légèreté m'a quitté. Ce canyon est marqué par l'empreinte de la Société, pesante, lourde, comme les nuages déchiquetés qui hantent le ciel après l'orage.

Les autres l'ont également remarqué. L'expression de Hunter se durcit. C'est encore plus pénible pour lui de sentir la Société dans un endroit qu'il considérait comme le sien.

Il nous conduit dans une petite grotte abritée par un repli de la paroi. Nous y tenons à peine tous les cinq. Désignant un tas de pierres dans le fond, Hunter explique :

– Nous avons ouvert un passage par là.

– Et la Société ne l'a jamais trouvé ? s'étonne Indie, sceptique.

– Ils ne savaient pas où chercher.

Il soulève un rocher.

– Il y a une faille cachée derrière tout ça. En se faufilant par là, on rejoint la Caverne.

– Comment ? demande Eli.

– En remuant la terre ! Dans les passages les plus étroits, retenez votre respiration. Je vais y aller le premier, puis Cassia me suivra. Je vous expliquerai au fur et à mesure comment passer, d'accord ? Avancez lentement. À un endroit, il faut se mettre sur le dos et se pousser avec les pieds. Si vous restez coincés, criez. C'est le passage le plus étroit, juste avant la fin.

J'hésite un moment. Et si c'était un piège ? Tendu par la Société ? Ou par Indie ? Je n'ai pas confiance en elle. Je la regarde aider Hunter à déplacer les pierres, ses longs cheveux flottant dans le dos. Que veut-elle ? Que cache-t-elle ?

Je jette un regard à Cassia. Elle se retrouve dans un endroit inconnu, où tout est différent. Elle a vu des gens mourir dans des conditions terribles. Elle a connu la faim, elle a erré dans le désert pour me rejoindre. Épreuves qu'une fille de la Société n'aurait jamais dû traverser. Mais la lueur que je vois briller dans ses yeux me fait sourire. *Retenir sa respiration ?* semble-t-elle dire. *Remuer la terre ? C'est ce qu'on fait depuis le début.*

CHAPITRE 32
CASSIA

La faille est à peine assez large pour laisser passer Hunter. Il s'y engouffre sans un regard en arrière, puis c'est à mon tour.

Je me tourne vers Eli qui semble effaré, pour suggérer :

– Tu devrais peut-être nous attendre ici.

Il acquiesce.

– Les grottes, ça va, mais là, c'est un tunnel.

Je pourrais répliquer qu'étant le plus petit d'entre nous, il est le moins susceptible de rester coincé, mais je comprends sa réaction. Ça paraît contre nature de ramper ainsi dans les profondeurs de la terre.

– Ne t'en fais pas, dis-je en lui posant la main sur l'épaule. Tu n'es pas obligé de nous accompagner. On n'en a pas pour très longtemps, à mon avis.

Il hoche à nouveau la tête, reprenant déjà des couleurs.

– On revient bientôt. Allez, à tout à l'heure.

Eli me rappelle tellement Bram. Lui aussi j'ai dû le laisser...

Tant que je ne réfléchis pas trop, ça va, mais dès que je me mets à calculer combien de tonnes de roche se trouvent au-dessus de moi... Je ne sais même pas combien pèse un mètre cube de grès, mais tout ça... ce doit être monstrueux ! Et il ne doit pas y avoir beaucoup d'air, en proportion. Est-ce pour cela que Hunter nous a recommandé de retenir notre respiration ? Si ça se trouve, je vais expirer et je n'aurai plus d'air à inspirer...

Je ne peux plus bouger.

La roche, partout, si près de moi. Le passage, si sombre. Il n'y a que quelques centimètres d'espace entre mon corps et la terre.

Je suis couchée sur le dos. Devant et derrière moi : l'obscurité ; au-dessus et en dessous, de tous côtés : la pierre encore et encore. Je me sens écrasée par la masse du Labyrinthe. Moi qui étais effrayée de le savoir si immense, si vaste, je panique maintenant de le sentir se refermer si étroitement autour de moi.

Mon visage est tourné vers un ciel que je ne peux pas voir, bleu, par-delà la pierre.

Je m'efforce de retrouver mon calme, de me dire que tout va bien. Des êtres vivants arrivent à survivre dans des espaces encore plus réduits. Je suis un papillon, un manteau royal, enveloppé dans son cocon, aveugle, ses ailes poisseuses repliées contre son corps. Soudain, je me demande s'il arrive que les cocons ne s'ouvrent pas, si parfois le papillon n'est pas assez fort pour le briser.

Un sanglot s'échappe de ma gorge.

– Au secours !

À ma grande surprise, ce n'est pas Hunter qui me répond. C'est la voix de Ky, derrière moi.

– Ça va aller, avance encore un peu.

Même en pleine panique, je suis sensible à la mélodie de sa voix si grave, si profonde. Je ferme les yeux, imaginant qu'il est là, avec moi.

– Fais une petite pause, si tu en as besoin, ajoute-t-il.

Je me figure que je suis encore plus petite que je ne le suis. Je suis dans mon cocon, je le serre bien contre moi comme une cape, une couverture. Et je ne veux pas en sortir, pas tout de suite. Je reste blottie à l'intérieur. J'essaie de voir...

Au début, je ne vois rien. Puis soudain, je sens. Tout au fond de moi, même dans le noir, même recroquevillée, une toute petite partie de moi demeure libre.

– Je vais y arriver, dis-je.

– Tu y arriveras, acquiesce Ky.

Je me mets en mouvement, il y a assez d'espace autour de moi, assez d'air à respirer, assez de place pour avancer.

Où sommes-nous ?

Des silhouettes, des formes se dessinent dans la pénombre, à la lueur des petites ampoules bleues qui constellent le sol de la grotte, comme autant de gouttes de pluie. Sauf qu'elles sont bien trop ordonnées et régulières pour être naturelles.

D'autres lampes éclairent de grandes vitrines et des engins bourdonnants qui régulent la température de la grotte. Je reconnais bien là la Société : tout est calibré, organisé, calculé.

Je sens une présence et manque de crier avant de me rappeler qu'il s'agit de Hunter.

– C'est immense, dis-je.

Il acquiesce en expliquant :

– On se retrouvait souvent ici, et nous n'étions pas les premiers. La Caverne est un endroit très ancien.

J'ai la chair de poule en découvrant les parois incrustées de coquilles et de squelettes d'animaux, pris dans une boue qui s'est changée en pierre. Cet endroit existait bien avant la Société. Sans doute même avant l'homme.

C'est alors que Ky nous rejoint, secouant ses cheveux. Je m'approche pour lui prendre la main ; elle est rêche et froide, mais tellement plus chaleureuse que la pierre.

– Merci de m'avoir aidée, lui dis-je à l'oreille.

Puis je m'écarte de sorte qu'il puisse voir les lieux.

– Ça sent la Société, déclare-t-il d'une voix aussi sinistre que cette grotte.

Il la traverse à grands pas afin d'examiner la porte qui ferme l'autre côté de la salle.

– Acier, constate-t-il.

– Nous ne sommes pas censés pénétrer ici, murmure Hunter, tendu.

C'est étrange, presque malsain, ces installations stériles et techniques de la Société dans un endroit naturel, organique. Je me surprends à penser : « La Société n'était pas censée interférer dans ma relation avec Ky non plus. » La Société s'insinue partout, dans la moindre faille, comme l'eau qui tombe goutte à goutte sur la pierre et finit par l'obliger à changer de forme.

– Je veux savoir ce qui les a poussés à nous tuer, me dit Hunter en désignant les vitrines.

Elles sont pleines de tubes. Des rangées et des rangées d'éprouvettes baignées dans une lueur bleue. Comme la mer, j'imagine.

Indie arrive ensuite dans la grotte. Ses pupilles s'élargissent lorsqu'elle découvre ce qui nous entoure.

– Qu'est-ce que c'est ?

– Voyons ça de plus près, dis-je en me glissant entre deux étagères d'éprouvettes.

Ky me suit.

Je passe la main sur une vitrine, faite de plastique lisse et transparent. Bizarrement, elles ne sont pas fermées à clé. J'en ouvre une pour en examiner le contenu. Elle émet un léger sifflement en coulissant. Je reste un instant perplexe devant les innombrables tubes identiques, ne sachant lequel choisir.

Je ne veux pas les toucher de peur de déclencher une alarme. Je me tords donc le cou pour déchiffrer ce qui figure sur l'une des éprouvettes de la rangée du milieu : HANOVER, MARCUS. KA.

Un nom, puis l'abréviation de la Province de Keya. En dessous, deux dates et un code-barres sont gravés.

Ce sont les prélèvements de tissus. Enterrés avec les restes de créatures disparues depuis longtemps, avec les sédiments des mers asséchées et changées en pierre. Des rangées et des rangées de tubes similaires à celui qu'on avait remis à grand-père pour préserver un échantillon de ses tissus.

Malgré l'épuisement, mon esprit méthodique se met en branle. Je sens les rouages de mon cerveau s'actionner. Essayer de comprendre ce que signifient les codes, les signes que j'ai sous les yeux. Cette grotte est un sanctuaire naturel et provoqué, accidentel et intentionnel, où les prélèvements dans leurs tubes côtoient les fossiles pris dans la roche.

Pourquoi ici ? Pourquoi si loin du cœur de la Société ? Il y a sûrement de meilleurs endroits, pourtant. C'est l'opposé d'un cimetière. Le contraire d'un adieu. Je comprends. Je m'en veux, mais ça me semble plus normal de vouloir conserver ceux qu'on aime plutôt que de les enfouir dans la terre et de les abandonner à la manière des Fermiers.

À voix basse, j'explique à Ky :

– Ce sont des prélèvements de tissus. Mais je me demande pourquoi la Société les conserve ici.

Comme je frissonne, il me passe le bras autour des épaules.

– Je sais, dit-il.

Mais il ne sait pas.

Le Labyrinthe s'en moque.

On vit, on meurt, qu'on soit changé en pierre, enfoui dans la terre, emporté par la mer, transformé en cendres, le Labyrinthe s'en moque. On va, on vient. La Société va et vient. Les canyons restent.

– Tu sais de quoi il s'agit ? reprend Hunter.

Je me tourne vers lui. Que peut penser de tout ça quelqu'un qui n'a jamais vécu dans la Société ?

– Oui, mais j'ignore pourquoi c'est ici. Attendez. Laissez-moi réfléchir.

– Combien y en a-t-il ? me questionne Ky.

Je fais une estimation rapide, avant d'annoncer :

– Des milliers. Des centaines de milliers.

Les tubes sont petits, alignés et empilés à l'infini sur des dizaines de rangées, des dizaines de vitrines, des dizaines d'allées dans tout l'espace de la Caverne.

– Mais pas assez si l'on compte tous les échantillons qui ont été prélevés depuis le début du programme. Il doit y avoir d'autres lieux de stockage.

– Tu ne crois pas qu'ils cherchent à les sortir de la Société ? suppose Ky.

Je secoue la tête, perplexe. Pourquoi feraient-ils ça ?

– Ils sont classés par Provinces, dis-je en remarquant que la vitrine que j'ai devant moi ne contient que des éprouvettes portant les initiales KA.

– Cherche Oria, me demande Ky.

– Ce doit être dans l'allée suivante, dis-je en m'y rendant immédiatement.

Indie et Hunter nous regardent. Je déniche effectivement la vitrine contenant les tubes marqués OR – pour
Oria. C'est bizarre de retrouver ces initiales si familières
dans un lieu si étranger.

En entendant remuer du côté du passage secret, nous
nous retournons tous d'un seul mouvement. Ce n'est
qu'Eli qui arrive, tout souriant, en se passant la main dans
les cheveux, comme Ky.

Je me précipite pour le serrer dans mes bras, le cœur
battant à la pensée de ce qu'il a dû endurer tout seul dans
le tunnel.

– Eli! Je croyais que tu devais nous attendre dehors.

– Ça va, m'assure-t-il en cherchant Ky des yeux.

– Tu as réussi! s'écrie-t-il.

Eli se redresse fièrement. Promettre quelque chose pour
décider en fin de compte de n'en faire qu'à sa tête. Bram
aurait agi de la même façon.

Eli regarde autour de lui, stupéfait.

– Ils stockent des éprouvettes dans cette grotte?

– Elles sont rangées par Provinces, dis-je.

Ky me fait signe.

– Cassia, j'ai trouvé quelque chose.

Je m'empresse de le rejoindre, laissant Eli et Indie errer
parmi les allées, à la recherche de leur Province d'origine.

– On doit avoir la date de naissance et la date de...

Il s'interrompt pour me laisser conclure:

– ... de mort, et donc la date de prélèvement, dis-je.

Soudain, je réalise ce qu'il essaie de me dire.

– Elles sont trop rapprochées. Il n'y a pas quatre-vingts ans entre les deux.

– Donc ils n'ont pas conservé que les personnes âgées, reprend Ky. Tous ces gens ne peuvent pas être morts.

Mon esprit s'emballe, je poursuis :

– Ce qui signifie qu'ils ne se contentent pas de prélever un échantillon de tissu quand on meurt.

Ils ont plus d'occasions qu'il n'en faut : nos fourchettes, nos couverts, nos vêtements. Si ça se trouve, nous les leur fournissons même volontairement et consciemment, avant d'avaler un comprimé rouge et d'oublier.

– Le prélèvement final n'est donc qu'une mascarade. La Société possède déjà les tubes de tous ceux qu'elle souhaite conserver. Peut-être que les tissus jeunes se conservent mieux. En plus, comme nous ne sommes pas au courant, ça leur permet de nous faire une sorte de chantage, pour qu'on soit dociles jusqu'à la fin.

C'est assez pervers, mais j'éprouve une certaine reconnaissance envers la Société qui a tout si bien prévu.

Alors il doit rester un échantillon de grand-père ici. En définitive, ce n'est peut-être pas grave que mon père ait détruit celui du Banquet final.

– Cassia, m'interrompt Ky, il y a Xander.

– Quoi ?

Où ça ? Il est venu nous chercher ? Comment a-t-il su ?

– Là, dit-il en désignant l'une des éprouvettes aux reflets bleus.

Évidemment. Évitant le regard de Ky, j'examine le tube.

Carrow, Xander. OR.

C'est la bonne date de naissance. Voilà un échantillon de tissus de Xander alors qu'il n'est pas mort.

Que je sache, en tout cas.

En nous effleurant du bout des doigts, Ky et moi, nous parcourons les étagères des yeux. Qui y est ? Qui est conservé ?

– Tu es là ! s'écrie-t-il en tendant le doigt.

Oui, c'est bien ma date de naissance. Et mon nom : Reyes, Cassia.

Je retiens mon souffle. Mon nom. Je revois le jour du Banquet de couplage, quand on nous a appelées une par une, par nos noms. Tout me revient, mes origines, mon avenir, assuré par la Société.

– Moi, je n'y suis pas, remarque Ky.

– Tu es peut-être dans une autre Province, je suggère. Par exemple...

– Je ne suis pas là, insiste-t-il.

Et, soudain, dans cette demi-obscurité, on dirait effectivement qu'il a disparu, lui qui sait si bien se fondre dans l'ombre. Seul le contact de sa main dans la mienne me prouve le contraire.

Lorsque Hunter me rejoint, j'essaie de lui expliquer :

– Ce sont des échantillons de tissus humains, de petits bouts de peau, de cheveux ou d'ongles appartenant aux citoyens. La Société les prélève dans l'espoir de pouvoir nous ranimer un jour.

Je me mords les lèvres. Nous, c'est un bien grand mot, car je suis sans doute la seule à avoir une éprouvette stockée ici. Et encore, seulement parce qu'ils n'ont pas encore eu le temps de changer mon statut. Je lève les yeux vers les parois de la grotte, vers ces squelettes, ces dents, ces coquillages pris dans la pierre. Si ce que nous sommes n'est pas dans nos os, ce doit être dans nos tissus. Ce doit bien être quelque part.

Hunter nous contemple alternativement, les tubes, puis moi, pendant si longtemps que je m'apprête à tout lui expliquer à nouveau. Mais soudain, avant que j'aie pu l'en empêcher, il tend la main et sort une éprouvette d'une vitrine.

J'attends en vain qu'une alarme retentisse.

Ça me perturbe. Sûrement quelque part, dans le bureau d'un quelconque Officiel, un voyant clignote, pour le prévenir.

Hunter braque le faisceau de sa torche sur le tube. Les échantillons de tissus sont tellement microscopiques qu'on ne voit rien nager dans le liquide clair.

Crac. Le tube se brise. Le sang coule.

– Ils nous ont tués pour se préserver, conclut-il.

Tous les regards se tournent vers lui. Prise d'une soudaine impulsion, j'ai envie de l'imiter – d'ouvrir toutes les vitrines, de saisir un bâton, quelque chose, et de m'élancer dans les allées en le faisant courir sur les tubes bleutés, comme sur les lames d'un xylophone. Je me demande si chaque vie ferait un son particulier, triste, amer, ou clair, gai, mélodieux. Mais au lieu de tout casser, profitant que les autres fixent Hunter, je fais autre chose, vite, vite.

Il ouvre la main, contemplant le sang rouge dans sa paume. Malgré moi, je note le nom sur l'étiquette THURSTON, MORGAN. Ça doit demander beaucoup de force de briser un tube de verre à main nue, mais Hunter secoue simplement la tête en demandant :

– Pourquoi ? Comment ? Ont-ils vraiment découvert un moyen de ressusciter les morts ?

Les regards se tournent vers moi, quêtant une explication. La colère et la honte me submergent. Pourquoi s'imaginent-ils que je connais toutes les réponses ? Parce que je suis la plus marquée par la Société ?

Mais il y a des choses que je ne comprends pas, dans la Société et en moi-même.

Ky me pose la main sur le bras.

– Cassia…

– Je ne suis pas Xander !

J'ai crié trop fort, ça résonne dans la grotte. L'écho répète ma phrase.

– Je n'y connais rien question santé, comprimés, préservation des tissus. J'ignore ce dont la Société est capable au niveau médical. Je n'en sais rien.

Tout le monde se tait un instant. Puis Indie rompt le silence :

– Le secret de Xander, dit-elle en se tournant vers Ky, il a un rapport avec tout ça ?

Avant qu'il ait pu répondre, nous nous figeons tous. Au-dessus de la vitrine que Hunter a ouverte, un petit voyant rouge clignote.

Mon cœur s'emballe. Je ne sais pas ce qui me fait le plus peur : la Société ou cette caverne dont nous sommes prisonniers.

CHAPITRE 33
KY

Hunter saisit un second tube qu'il brise également.

– Sortons d'ici, dis-je en me tournant vers les autres. Vite.

Indie n'hésite pas un seul instant. Elle fait volte-face, court vers l'entrée secrète et se faufile dans la roche.

– On ne peut pas le laisser ici, remarque Cassia, les yeux fixés sur Hunter.

Il est indifférent à tout ce qui se passe autour de lui à part les tubes qu'il brise un à un à main nue.

– Je vais essayer de le convaincre de nous suivre, fais-je. Mais il faut que vous partiez. Tout de suite.

– On a besoin de lui pour escalader la paroi, fait-elle valoir.

– Indie peut vous aider. Allez-y. Je vous rejoins bientôt.

– On t'attend au pied de la falaise, promet-elle. La Société en a pour un moment avant d'arriver ici.

À moins qu'ils ne soient déjà dans le coin. Dans ce cas, c'est une affaire de minutes.

Une fois qu'ils sont partis, je me poste devant Hunter.

– Ça suffit maintenant. Venez avec nous.

Secouant la tête, il casse une autre éprouvette.

– On pourrait essayer de rattraper les Fermiers qui sont partis à travers la plaine.

– Il se peut qu'ils soient déjà tous morts, réplique-t-il.

– Ils avaient l'intention de rejoindre le Soulèvement?

Il ne répond pas.

Je n'essaie pas de l'arrêter. Un tube, un millier: ça ne fait aucune différence. De toute façon, la Société sera au courant. J'ai presque envie de l'imiter. Il a tout perdu, je comprends qu'il ait envie de détruire le maximum avant qu'ils ne lui tombent dessus. J'ai déjà ressenti cela. Et, au fond de moi, j'entends une petite voix : « Comme ça, s'il ne vient pas avec nous, il ne pourra pas dire à Cassia comment rejoindre le Soulèvement. Je suis sûr qu'il le sait. »

Je retourne à l'entrée du tunnel pour prendre une pierre et je la lui apporte.

– Essayez avec ça, ce sera plus rapide.

Sans rien dire, Hunter me prend la pierre des mains et la soulève au-dessus de sa tête, puis il s'en sert pour briser une rangée de tubes. J'entends le bruit du verre en me faufilant dans la faille.

Une fois dehors, je tends l'oreille, guettant le bourdonnement des dirigeables.

Rien.

Pour le moment.

304

Ils m'ont attendu.

– Vous auriez dû continuer.

Mais c'est tout ce que j'ai le temps de dire. Ils sont déjà harnachés et entament l'ascension. Grimper. Passer de l'autre côté. Là-haut, sur ce plateau rocheux, j'hésite : dois-je courir devant ou derrière, pour mieux la protéger ? Finalement, nous nous retrouvons à courir côte à côte.

– Tu crois qu'ils vont nous retrouver ? halète Eli dès que nous posons le pied dans l'autre canyon.

– On va essayer de marcher sur les cailloux, pour ne pas laisser de traces.

– Mais parfois il n'y a que du sable, proteste-t-il, paniqué.

– Ne t'inquiète pas. Il pleut souvent.

Nous levons les yeux. Le ciel est d'un bleu pâle de début d'hiver. Il y a quelques nuages gris très loin à l'horizon.

Cassia n'a pas oublié ce que m'a demandé Indie dans la grotte. Elle s'approche de moi et me pose la main sur le bras.

– Qu'est-ce qu'Indie voulait dire au sujet de Xander ? C'est quoi, cette histoire de secret ?

Je suis obligé de mentir :

– Je ne sais pas de quoi elle parle.

J'entends les pas d'Indie sur les cailloux, derrière nous. Mais elle n'intervient pas, je sais très bien pourquoi.

Elle veut trouver le Soulèvement et, bizarrement, elle estime que je suis le mieux placé pour l'y aider. Elle a décidé de lier son sort au mien bien qu'elle ne m'apprécie pas plus que je ne l'apprécie.

Prenant la main de Cassia, je guette le ronronnement des dirigeables de la Société.

Mais rien.

Pas un bruit.

Pas de pluie non plus.

Lorsque Xander et moi, nous avons pris les comprimés rouges, nous avons compté jusqu'à trois pour les avaler en même temps. Je le fixais, pressé qu'il oublie tout.

J'ai vite compris que ça ne marchait pas sur lui non plus. Jusque-là, je pensais être le seul immunisé contre leur effet.

– Tu es censé avoir oublié ce qui s'est passé, lui ai-je dit.

– Je m'en souviens, a-t-il répliqué.

Cassia m'a raconté ce qui s'était passé à Oria, le jour où ils m'ont emmené. Comment elle a su qu'il était insensible aux comprimés rouges. Mais elle ignore son autre secret. *Et je ne dirai rien parce que ce ne serait pas juste. C'est à lui de lui apprendre la vérité. Pas à moi.*

J'essaie de chasser les autres raisons moins nobles qui me poussent à me taire.

Si elle connaissait le secret de Xander, elle pourrait changer d'avis sur lui.

Et sur moi.

CHAPITRE 34
CASSIA

Indie porte son sac avec encore plus de précautions qu'avant. Peut-être a-t-elle abîmé son nid de guêpes en rampant jusqu'à la Caverne. Elle a beau être mince, je ne vois pas comment elle a pu éviter de l'écraser, le passage était tellement étroit.

L'histoire de sa mère sur son bateau me paraît étrange, comme si l'écho me renvoyait la mélodie mais pas les paroles exactes. Je sais si peu de choses à son sujet. Cependant, chaque fois qu'elle remet son sac en place, douce-ment, je vois le nid à l'intérieur, si fragile, et me revient en mémoire l'image du tableau tombé en morceaux, fins et légers comme des pétales de néorose séchés. Je connais Indie depuis le camp de travail et elle ne m'a jamais trahie.

Ky se retourne pour nous dire de nous presser. Indie lui jette un regard et, sur son visage, je vois se peindre une expression affamée.

Je reconnais l'odeur de la pluie avant même d'avoir pu sentir ses gouttes. Si Ky adore la sauge, je crois bien que je préfère ce parfum de pluie, frais et pourtant si vieux, comme la pierre et le ciel, la rivière et le désert. Les nuages que nous avons aperçus tout à l'heure filent, portés par le vent, et au soleil couchant, le ciel prend une teinte gris violacé alors que nous atteignons la communauté.

– On ne peut pas rester très longtemps, n'est-ce pas ? demande Eli.

Un éclair dessine une bande blanche éblouissante entre le ciel et la terre. Le tonnerre retentit dans le canyon.

– Non, confirme Ky.

Il a raison. La menace que la Société nous rattrape nous a convaincus de prendre le risque de traverser la plaine. Il faut fuir sans tarder.

– Mais d'abord, arrêtons-nous pour faire le plein dans les grottes, dis-je. Nous avons besoin de provisions et de documents à troquer.

Je complète mentalement : « Et qui sait, on pourrait également trouver des informations sur le Soulèvement. »

– L'orage devrait les retarder, affirme Ky.

– Combien de temps ?

– Quelques heures. La Société n'est pas le seul danger qui nous guette. La pluie pourrait provoquer une crue qui nous empêcherait de traverser le cours d'eau. Nous serions coincés. Nous repartirons après l'orage.

Après tant d'efforts, voilà que tout pourrait se jouer en quelques heures et nous empêcher de rejoindre le Soulèvement. *Mais je ne suis pas venue pour ça, je suis venue pour Ky et je l'ai trouvé. Quoi qu'il arrive, nous sommes ensemble, maintenant.*

Ky et moi, nous nous engouffrons dans la grotte-bibliothèque, suivis de près par Indie.

Un sifflement admiratif m'échappe lorsque je soulève le couvercle d'une boîte remplie de livres et de documents.

Voici une mission de classement d'un genre nouveau : il y a tellement de récits, tellement d'histoire concentrée dans ces pages. C'est ce qui arrive lorsque la Société ne trie pas, ne coupe pas, ne sélectionne pas à notre place.

Il y a des feuillets imprimés, d'autres rédigés à la main par diverses personnes. Chaque écriture est différente, comme son auteur. *Ils savaient tous écrire !*

Soudain, je panique.

– Comment deviner ce qui est important ?

– Choisis des mots clés et essaie de les repérer, me conseille Ky. Que cherchons-nous à apprendre ?

Ensemble, nous établissons une liste : *le Soulèvement, la Société, l'Ennemi, le Pilote* ; mais également *eau, rivière, évasion, nourriture* et *survie.*

Ky s'adresse à Indie :

– Toi aussi, si tu tombes sur un document qui contient l'un de ces mots, pose-le là, ordonne-t-il en désignant la table.

– D'accord.

Elle soutient son regard un instant, mais ce n'est pas

lui qui détourne les yeux le premier. Elle baisse la tête, sous prétexte de feuilleter un ouvrage.

Je découvre une brochure qui semble prometteuse.

– On l'a déjà! m'informe Eli. Vick en avait pris toute une pile.

Je la repose, puis j'ouvre un livre. Un poème attire aussitôt mon attention.

Ils sont tombés comme des Flocons –
Ils sont tombés comme des étoiles –
Comme les Pétales d'une Rose
Quand soudain au beau milieu de Juin
Passe un vent – pourvu de doigts –[*]

C'est le poème dont Hunter a extrait le vers gravé sur la tombe de Sarah.

La page a été déchirée, puis recollée. En fait, le livre tombe en miettes, comme si quelqu'un l'avait sauvé de l'incinération sur un chantier de restauration, récupéré et reconstitué. Il en manque quelques morceaux – on a visiblement improvisé une couverture de fortune pour remplacer celle d'origine. Sur ce rectangle de papier épais, je ne trouve nulle part le nom de l'auteur.

Je tourne les pages jusqu'à un autre poème :

Je ne T'ai pas atteint

---

[*] NdT : Emily Dickinson, traduction Françoise Delphy, in *Poésies complètes*, Flammarion, 2009.

Mais mes pieds glissent plus près chaque jour
Trois Rivières et une Colline à traverser
Un Désert et une Mer
Le voyage ne comptera pour rien
*Quand je Te raconterai**

La Colline. Et maintenant, le désert et le voyage – on dirait notre histoire, avec Ky. Je devrais continuer mes recherches, mais je poursuis ma lecture, curieuse de connaître la fin:

Deux déserts, mais l'année est froide
Cela aidera le sable
Un désert traversé –
Le second
Me paraît aussi frais que les champs
Le Sahara est un prix trop infime
À payer pour ta main Droite

Serais-je prête à payer n'importe quel prix pour être avec Ky? Je crois comprendre ce que signifie ce poème bien que j'ignore ce qu'est un Sahara. Ça ressemble à Sarah, le prénom de la fille de Hunter, sauf que la vie d'un enfant serait trop cher payée pour la main de qui que ce soit.

La mort. La mort de grand-père à Oria: des miettes dans une assiette, un poème dans un poudrier, des draps imma-

---

* NdT: Emily Dickinson, traduction Françoise Delphy, in *Poésies complètes*, Flammarion, 2009.

culés, des mots d'adieu. La mort sur le plateau du Laby-rinthe : la marque noire du feu, les yeux grands ouverts. La mort au fond des canyons : des lignes bleues, la pluie sur le visage d'une petite fille.

Et dans la Caverne, des rangées et des rangées de tubes scintillants.

Qui ne redeviendront jamais nous. Même s'ils tiraient nos corps de l'eau, de la terre, même s'ils arrivaient à nous ranimer pour qu'on marche à nouveau, ce ne serait jamais pareil que la première fois. Il manquerait quelque chose. La Société ne peut pas faire ça pour nous. On ne peut pas faire ça pour quiconque. Il y a quelque chose de spécial, d'irremplaçable dans la vie d'un être humain, avec toutes ses premières expériences.

Ky pose un livre, en prend un autre. Est-ce lui, le pre-mier garçon que j'aie aimé ?

Ou est-ce celui avec qui j'ai échangé mon premier baiser ? Chaque morceau de papier que Xander m'a donné m'a rappelé un souvenir, si présent, si clair que je peux presque le toucher, sentir son odeur, son goût. Je l'entends presque crier mon nom.

J'ai toujours cru que Xander avait eu de la chance de naître à Oria, mais je n'en suis plus si sûre. Ky a tant perdu, mais ce qu'il possède n'est pas rien. Il est capable de créer. D'écrire ses propres mots. Tout ce que Xander a écrit dans sa vie – tapé sur un port de communication ou un scrip-teur – ne venait pas de lui. Les autres ont toujours eu accès à ses pensées.

Lorsque je relève les yeux vers Ky, les craintes que j'ai eues quelques instants plus tôt en le voyant échanger un regard avec Indie se dissipent. Sa façon de me fixer ne laisse aucune place au doute.

– Qu'est-ce que tu as trouvé ? me demande-t-il.

– Un poème. Il faut que je me concentre davantage.

– Moi aussi, dit-il en souriant. C'est la règle de base quand on effectue un classement, on devrait s'en souvenir !

Je suis surprise.

– Tu sais faire des classements ?

Il ne me l'a jamais dit. Il s'agit pourtant d'une tâche bien particulière, une aptitude que ne possèdent pas la plupart des gens.

– Patrick m'a appris.

Patrick ? La stupéfaction doit se lire sur mon visage.

– Ils pensaient que Matthew s'orienterait vers le classement, me confie-t-il. Alors il a voulu me montrer aussi. Il savait que je ne serais jamais affecté à un bon poste de travail, mais il voulait que je puisse faire fonctionner mon cerveau lorsque je quitterais l'école.

– Mais comment s'y est-il pris ? Les ports de communication sont sous contrôle.

Ky acquiesce.

– Il avait trouvé un autre moyen.

Il avale sa salive, jetant un coup d'œil en biais à Indie.

– Ton père lui avait parlé des jeux que tu avais inventés pour Bram, sur le scripteur. Ça lui a donné une idée. Il s'en est inspiré.

– Et les Officiels ne se sont doutés de rien ?

– Il n'a pas utilisé mon scripteur. Il en a acheté un aux Archivistes. Il me l'a offert le jour où j'ai reçu mon affectation au Centre de préparation nutritionnelle. C'est comme ça que j'ai appris leur existence.

Son visage est impassible, sa voix distante. Je connais cette expression. C'est celle qu'il prend lorsqu'il veut aborder un sujet dont nous n'avons jamais parlé ou pas depuis longtemps.

– Nous savions que je n'obtiendrais pas un bon poste. Ça ne m'a pas surpris. Mais, après le départ des Officiels, je…

Il s'interrompt.

– Je suis allé dans ma chambre prendre ma boussole. Et je l'ai tenue longtemps au creux de ma main.

Je voudrais le toucher, le serrer dans mes bras, lui rendre sa boussole. Les larmes aux yeux, je l'écoute poursuivre, encore plus doucement :

– Puis j'ai enfilé ma nouvelle tenue de jour bleue et je suis parti travailler. Aida et Patrick n'ont pas dit un mot. Moi non plus.

Il se tourne vers moi. Je lui prends la main, espérant qu'il ne me repoussera pas. Au contraire. Ses doigts serrent les miens, tandis que j'enregistre ce nouveau chapitre de son histoire. Ce qui lui est arrivé, alors que j'étais chez moi, dans la même rue, en train de manger mes plateaux tout préparés, d'écouter bourdonner le port de communication, en rêvant à la vie parfaite qui m'attendait, comme toujours.

– Ce soir-là, Patrick est rentré avec le scripteur qu'il s'était procuré au marché noir. Il était vieux. Lourd. Avec un écran tellement antique que c'en était risible. Au début, craignant qu'il ait pris trop de risques, j'ai voulu qu'il le rapporte. Mais il m'a rassuré. Il m'a expliqué que, à la mort de Matthew, mon père lui avait envoyé une page manuscrite très ancienne et qu'il l'avait troquée contre le scripteur, comme il l'avait prévu depuis longtemps.

Nous nous sommes installés dans la cuisine pour que le ronronnement de l'incinérateur couvre nos voix. Nous avons choisi un coin hors du champ du port. Et voilà. C'est comme ça qu'il m'a enseigné les techniques de classement. Pratiquement sans parler, juste en me montrant. Je cachais le scripteur avec la boussole, dans ma chambre.

– Mais le jour où les Officiels sont venus prendre les reliques, qu'est-ce que tu en as fait ?

– Je l'avais déjà troqué à l'époque… contre le poème que je t'ai offert pour ton anniversaire.

Son sourire me montre qu'il est à nouveau avec moi. Ici, dans ce canyon. Nous revenons de si loin.

Je chuchote :

– Ky ! C'était beaucoup trop dangereux. Et s'ils t'avaient surpris avec le poème ?

Il sourit à nouveau.

– Au contraire, tu m'as sauvé la mise. Si tu ne m'avais pas récité le poème de Dylan Thomas, je ne serais jamais allé échanger le scripteur contre ton poème d'anniversaire et on se serait fait prendre, Patrick et moi. C'était beaucoup plus facile de cacher une simple feuille qu'un scripteur.

Il m'effleure la joue.

– Grâce à toi, il n'y avait plus rien à prendre lorsqu'ils sont arrivés chez nous. Je t'avais déjà donné la boussole.

Je le serre dans mes bras. Il n'y avait plus rien à prendre parce qu'il avait tout donné, tout sacrifié pour moi. Nous restons un moment silencieux.

Puis il se dégage légèrement de mon étreinte pour désigner un livre ouvert devant nous.

– Regarde. «Rivière», c'est l'un de nos mots clés.

Sa voix, le mouvement de ses lèvres me donnent envie d'oublier ces papiers et de passer ma vie avec lui dans cette grotte, dans l'une des petites maisons du village ou bien au bord de l'eau, pour tenter de découvrir tous ses mystères.

CHAPITRE 35
KY

Tandis que je parcours l'histoire des Fermiers, ma propre histoire me revient par flashes. Comme les éclairs à l'extérieur de la grotte. Vifs. Éblouissants. J'ignore si ça m'aide à y voir plus clair ou au contraire si cela m'aveugle. La pluie tombe à verse. J'imagine la rivière en contrebas qui emporte tout sur son passage. Qui soulève la petite pierre gravée de Sarah, laissant ses os à nu.

La panique me submerge. Je ne veux pas rester coincé ici. Je ne peux pas échouer, si près de la liberté et me retrouver prisonnier.

Je trouve un cahier couvert d'une écriture enfantine. *S S S*. Une lettre difficile pour débuter. Est-ce la fille de Hunter qui a tracé ces lignes ?

– Je pense que tu es assez grand, maintenant, a décrété mon père en me tendant un bâton.

Avec le sien, il a tracé un signe dans la boue.

– Regarde, c'est quelque chose que j'ai appris dans les canyons. K. L'initiale de ton prénom. C'est la première chose qu'il faut enseigner, paraît-il. Comme ça, même si l'on ne continue pas l'apprentissage, il reste toujours quelque chose.

Plus tard, il m'a annoncé qu'il allait aussi donner des leçons aux autres enfants.

– Pourquoi? ai-je répliqué.

J'avais cinq ans. Je n'avais aucune envie qu'il apprenne aussi aux autres.

Il a lu dans mes pensées.

– Ce n'est pas de savoir écrire qui te rend intéressant. C'est ce que tu écris.

– Mais si tout le monde sait écrire, je n'aurai plus rien de spécial, ai-je objecté.

– Ce n'est pas le plus important.

– Tu veux pourtant être spécial, toi…

Même moi, je l'avais compris.

– … tu veux être le Pilote.

– Je veux être le Pilote pour pouvoir aider les autres, a-t-il affirmé.

À l'époque, j'ai hoché la tête. Je le croyais. Et sans doute le croyait-il aussi.

Un autre souvenir me revient: ce jour-là, mon père m'avait demandé de diffuser un message dans tout le village. Je l'ai transmis d'une maison à l'autre afin que les gens puissent le lire. Il annonçait le lieu et l'heure de la prochaine réunion. Quand je suis rentré, mon père l'a aussitôt brûlé.

– C'est une réunion pour quoi ? ai-je demandé.

– Les Fermiers ont une fois de plus refusé de rejoindre le Soulèvement.

– Qu'est-ce que tu comptes faire ? l'a questionné ma mère.

Il aimait beaucoup les Fermiers. C'était eux, et non le Soulèvement, qui lui avaient appris à écrire. Mais le mouvement l'avait contacté juste avant qu'on soit déclassés. Ils voulaient se battre et il ne rêvait que de ça.

– Je vais rester fidèle au Soulèvement, mais je continuerai à faire du troc avec les Fermiers.

Indie se penche en avant. Nos regards se croisent. Elle me sourit, les mains sur son sac, comme si elle venait d'y glisser quelque chose. De quoi s'agit-il ? Elle ne l'a pas montré à Cassia non plus.

C'est elle qui détourne les yeux la première. Il faut que je découvre ce qu'elle cache.

Quelques mois avant la dernière attaque, mon père m'a enseigné des rudiments d'électricité. C'était son boulot : réparer les appareils qui tombaient en panne dans le village. Cela arrivait souvent, on avait l'habitude. Nous récupérions le matériel dont la Société ne voulait plus – un peu comme nous. Le système pour réchauffer la nourriture était particulièrement capricieux. Nous avions entendu dire qu'ils nous envoyaient des plats produits à grande échelle, avec des nutriments standard, rien à voir avec les rations spécialement adaptées qu'ils fournissaient aux citoyens des autres Provinces.

– Si tu peux me remplacer pour réparer les radiateurs et les appareils de chauffage, ça me permettra de rester plus longtemps dans les canyons. Personne n'ira prévenir la Société que tu fais mon travail à ma place.

J'ai acquiescé.

– C'est un don d'être habile de ses mains, tu sais, a-t-il repris. Tu tiens ça de nous deux, de ta mère et de moi.

J'ai jeté un regard à ma mère qui était en train de peindre avant de baisser à nouveau les yeux vers les fils électriques.

– J'ai toujours su ce que je voulais faire, m'a expliqué mon père. Je me suis débrouillé pour avoir des résultats assez médiocres afin d'être assigné aux réparations mécaniques.

– C'était risqué, ai-je remarqué.

– Oui, mais j'obtiens toujours ce que je veux, a-t-il affirmé.

Il a souri en regardant autour de lui ce paysage des Provinces lointaines qu'il adorait. Puis il a repris son sérieux.

– Bien, voyons si tu peux remonter ça.

J'ai reconnecté les fils, les dominos et le minuteur comme il me l'avait montré, en apportant juste une légère amélioration.

– Bravo. Tu as une très bonne intuition. D'après la Société, ça n'existe pas, mais je suis sûr que si.

J'ouvre un gros livre, dont la reliure indique COMPTES. Je tourne les pages avec précaution, en commençant par la fin.

J'avais beau m'y attendre, j'ai un pincement au cœur en voyant la trace des transactions qu'il a conclues. Je les reconnais à sa signature en bout de ligne et aux dates mentionnées. Il a été l'un des derniers à continuer à commercer avec les Fermiers alors que la situation dans les Provinces lointaines devenait de plus en plus critique. Il estimait qu'arrêter aurait été un signe de faiblesse.

Comme l'explique la brochure, il y a toujours un Pilote, et d'autres se préparent à prendre sa place lorsqu'il tombe. Mon père n'a jamais été le Pilote, mais il était prêt à lui succéder.

En grandissant, quand je me suis aperçu des risques qu'il prenait, je répétais sans cesse :

– Pourquoi tu ne fais pas ce que te demande la Société ? Comme ça, on n'aura pas d'ennuis.

Sauf qu'il ne pouvait pas s'en empêcher. Il était intelligent, habile, mais il avait tendance à agir sans réfléchir et il ne savait pas s'arrêter. Tout enfant que j'étais, je m'en rendais déjà compte. Comme si ça ne suffisait pas d'aller faire du troc dans les canyons, il a aussi fallu qu'il écrive. Et comme si ça ne suffisait pas qu'il m'apprenne, il a aussi fallu qu'il enseigne à tous les enfants, puis à leurs parents. Comme si ça ne suffisait pas de rejoindre le Soulèvement, il a aussi fallu qu'il soit en première ligne.

C'est de sa faute si tout le monde est mort. Il a exagéré,

il a pris trop de risques. C'est lui qui avait organisé cette réunion.

Et après l'attaque, qui est venu chercher les survivants ?

La Société. Pas le Soulèvement. Moi, j'ai vu comme ils laissent tomber les gens quand ils n'en ont plus besoin. Le Soulèvement me fait peur. Pire encore, j'ai peur du rôle que je pourrais y jouer.

Je m'approche discrètement de l'endroit où se tenait Indie lorsqu'elle a glissé quelque chose dans son sac. Sur la table, je découvre une caisse étanche pleine de cartes et de plans.

Je lui jette un coup d'œil. Elle s'est éloignée pour feuilleter un livre. Sa tête baissée me fait penser à une fleur de yucca, penchée vers le sol.

– Nous n'avons plus le temps, dis-je en fouillant dans la caisse. Je vais trouver une carte pour chacun de nous au cas où nous serions séparés.

Cassia hoche la tête. Elle a découvert quelque chose d'intéressant. Je ne vois pas ce que c'est mais elle sourit, elle a l'air surexcitée. Dès qu'on évoque le Soulèvement, son visage s'anime. C'est ce qu'elle veut. Et peut-être même est-ce la voie que son grand-père lui a montrée.

Je sais que tu es venue jusqu'ici pour moi, Cassia. Mais je ne suis pas sûr de pouvoir te suivre jusque là-bas.

CHAPITRE 36
CASSIA

Ky pose une carte sur la table, un petit crayon de bois à la main.

– J'en ai encore trouvé une qui peut nous servir. Il suffit juste de la mettre à jour car elle est un peu vieille.

Je feuillette un autre ouvrage, mais je ne suis pas concentrée. Dans ma tête, je compose un poème. Un poème au sujet de Ky, et non pour lui, cette fois-ci. J'imite le style du mystérieux auteur de la tombe de Sarah.

Sur la carte, j'ai fait une croix
Pour chaque coup, chaque mort, chaque piège.
Mon monde s'est réduit à une feuille noire
Sans la moindre trace de neige.

J'observe Ky. Il dessine aussi bien qu'il écrit, le geste vif, assuré, comme lorsqu'il me touche.

J'aimerais qu'il lève les yeux. Qu'il me regarde. J'aimerais savoir ce qu'il pense, ce qu'il ressent.

Pourquoi est-il aussi secret, aussi silencieux ? Comment fait-il pour m'attirer autant, tout en me repoussant ?

— J'ai besoin de prendre l'air, dis-je, avec un soupir de frustration.

Nous n'avons rien trouvé de concret — à part des pages et des pages d'histoire et de propagande à propos de la Société, du Soulèvement ou même des Fermiers. C'était captivant au début, mais la nervosité me gagne car, dehors, le niveau de l'eau ne cesse de monter. J'ai mal au dos, à la tête. La panique me submerge. Aurais-je perdu toutes mes facultés ? Moi qui d'habitude trie les informations sans ciller, je me suis trompée sur le comprimé bleu, et maintenant je me noie dans la masse des documents.

— L'orage s'est arrêté ?

— Je pense, répond Ky. Allons vérifier.

Eli s'est endormi dans un coin de la réserve de nourriture, au milieu des sacs de pommes.

Je ressors en compagnie de Ky. Il pleut, mais l'atmosphère n'est plus à l'orage.

— On partira dès qu'il fera jour, décrète-t-il.

Je le dévisage. Son profil se découpe dans la pénombre, éclairé par sa lampe-torche. La Société aurait été bien incapable de faire son portrait sur sa microcarte.

Lié à la terre. Court avec une aisance naturelle.

Ils n'auraient jamais su comment le décrire.

– On n'a encore rien trouvé, dis-je avec un petit rire forcé. Si je retourne dans la Société, ils devront effacer de mon dossier « aptitude exceptionnelle au classement d'informations ».

– Tu fais bien plus que classer des informations, Cassia, rétorque-t-il simplement. Il faut qu'on essaie de se reposer un peu.

Je comprends soudain qu'il n'est pas aussi déterminé que moi à rejoindre le mouvement. Il fait ce qu'il peut pour m'aider, mais si je n'étais pas là, il n'essaierait même pas de localiser le Soulèvement.

Les mots d'un poème me reviennent brusquement :

Je ne T'ai pas atteint

Je les chasse de mon esprit. Je suis fatiguée, c'est tout. Vulnérable. Je réalise alors que Ky ne m'a pas encore raconté toute son histoire. Il doit avoir ses raisons pour avoir fait ce choix, seulement je ne les connais pas encore.

Quand je pense à tout ce qu'il sait faire – écrire, sculpter, peindre –, et que je le vois, silhouette sombre à l'orée de ce hameau abandonné, tout à coup, la tristesse m'envahit. *Il n'y a pas de place pour quelqu'un comme lui au sein de la Société, pour quelqu'un de si créatif. Il sait faire*

tellement de choses qui ont une valeur inestimable, que per-
sonne d'autre que lui ne peut faire, et la Société s'en moque
complètement.

Je me demande si, en contemplant cette communauté
déserte, il voit un endroit où il aurait pu se sentir chez lui.
Où il aurait pu écrire, parmi les autres, où les filles, belles
comme dans les peintures, savaient danser.

– Ky, raconte-moi la suite de ton histoire.

– En entier ? demande-t-il d'une voix grave.

– Tout ce que tu veux bien me raconter.

Soutenant son regard, je porte sa main à mes lèvres pour
l'embrasser. Il ferme les yeux et commence :

– Ma mère peignait avec de l'eau, et mon père jouait
avec le feu.

CHAPITRE 37
KY

Bercé par le bruit de la pluie, j'imagine notre histoire
L'histoire que j'écrirais, si je le pouvais.

*Ils décidèrent d'oublier le Soulèvement pour vivre ensemble
dans la communauté, tous les deux. Ils se promenaient dans
les maisons vides. Semaient au printemps et récoltaient à l'automne. Ils se trempaient les pieds dans le ruisseau, la tête pleine
de poèmes. Ils chuchotaient des vers qui résonnaient dans le
canyon désert. Leurs lèvres et leurs mains se frôlaient dès qu'ils
le désiraient, aussi longtemps qu'ils le désiraient.*

Mais même dans ma version, je ne peux pas faire
abstraction de ce que nous avons dans le cœur ou dans la
tête.

*Cependant, au bout de quelque temps, les gens qu'ils
aimaient leur revinrent en mémoire. Bram les dévisageait avec*

de grands yeux tristes. Eli également. Leurs parents passaient,
tentant d'apercevoir leurs enfants chéris.
   Sans oublier Xander.

   Quand nous revenons dans la grotte, Eli est réveillé. Il
a rejoint Indie dans la bibliothèque.
   – On ne peut pas rester là éternellement, dit-il, paniqué.
La Société risque de nous retrouver.
   – Encore un tout petit peu, plaide Cassia. Je suis sûre
qu'on va trouver des documents intéressants.
   Indie pose le livre qu'elle était en train de consulter et
prend son sac.
   – J'arrête, annonce-t-elle. Je vais faire un tour, voir si on
n'a pas raté quelque chose dans les maisons.
   Elle croise mon regard en sortant. Cassia le remarque,
je le sais.
   – Vous croyez qu'ils ont eu Hunter ? s'inquiète Eli.
   – Non, à mon avis, il va aller au bout de ce qu'il a en
tête, dis-je.
   Eli frissonne.
   – Quel endroit sinistre, cette Caverne !
   – Oui...
   Remarquant qu'il se frotte les yeux, j'ajoute :
   – Tu devrais dormir encore un peu, on va continuer à
chercher.
   Il scrute la grotte autour de nous.
   – C'est bizarre, pourquoi ils n'ont pas peint les murs,
ici ?

J'insiste, d'un ton plus ferme :

– Eli, repose-toi.

Il s'emmitoufle sous une couverture dans un coin de la bibliothèque pour rester près de nous. Cassia prend garde à ne pas lui braquer la torche dans les yeux. Elle a relevé ses cheveux et son visage est marqué par la fatigue.

– Tu devrais aussi faire une pause, dis-je.

– Il y a quelque chose, je le sais, et je vais le trouver.

Elle me sourit.

– C'est comme quand j'étais à ta recherche, j'étais convaincue que j'allais te retrouver. J'ai l'impression que ça me rend plus forte et déterminée.

C'est vrai. Et c'est ce qui me plaît chez elle.

C'est pour ça que je lui ai menti à propos de Xander. Sinon elle n'aurait pas lâché prise avant d'avoir découvert son secret.

Je me lève en annonçant :

– Je vais aider Indie.

Il est temps de savoir ce qu'elle cache.

– D'accord, fait Cassia.

Elle lève la tête, perdant sa page.

– Sois prudent.

– Promis. Je reviens vite.

Je n'ai aucun mal à trouver Indie. La lueur éclairant l'une des maisons m'indique immédiatement où elle se trouve, elle doit s'en douter. J'avance prudemment sur le sentier de la falaise que la pluie a rendu glissant.

En arrivant, je jette d'abord un coup d'œil par la fenêtre. Je repère Indie à l'intérieur à travers la vitre trouble. Elle a posé sa torche à côté d'elle car elle tient dans ses mains un objet lumineux.

Un miniport.

Elle m'a entendu venir. Je lui arrache l'appareil, mais il m'échappe. Il tombe par terre sans se briser. Indie pousse un soupir de soulagement.

— Vas-y. Consulte-le, si tu veux.

Elle parle doucement. Dans sa voix, je sens sa détermination. Et en arrière-fond, j'entends la rivière qui coule au milieu du canyon. Elle me pose la main sur le bras. C'est la première fois que je la vois toucher quelqu'un volontairement – voilà ce qui me retient de casser ce miniport en morceaux.

Quand je regarde l'écran, je me retrouve face à face avec un visage familier.

— Xander ! Tu as une photo de Xander. Comment... ?

Je comprends aussitôt ce qui s'est passé.

— Tu as volé la microcarte de Cassia.

— C'est ce qu'elle m'a aidée à dissimuler à bord du dirigeable, m'explique-t-elle sans la moindre gêne. Elle l'ignorait. Je l'ai cachée avec ses comprimés en attendant de pouvoir la consulter.

Elle se penche pour éteindre le miniport.

— Et ça, tu l'as trouvé dans la grotte ?

Elle secoue la tête.

— Non, je l'ai volé avant d'entrer dans le Labyrinthe.

– Où ça ?

– Je l'ai volé à celui qui servait de chef, dans le village, le soir où nous nous sommes enfuies. Il aurait dû faire plus attention. Tous ceux qui sont classés Aberrations ont l'habitude de voler.

« Non, pas tous, Indie, ai-je envie de répondre. Seulement certains d'entre nous. »

– Alors ils savent où nous sommes ? dis-je. Cet engin leur permet de nous localiser, non ?

Vick et moi, nous n'en avons jamais eu la preuve, mais nous soupçonnions que les miniports transmettaient des informations aux Officiels.

Elle hausse les épaules.

– Je ne pense pas. De toute façon, la Société va rappliquer après ce qui s'est passé dans la Caverne. Mais ce n'est pas ça que je voulais te montrer. Je passais juste le temps en t'attendant.

Elle sort de son sac un morceau de toile épaisse.

– Voilà ce que j'ai trouvé, annonce-t-elle en le dépliant. Ça indique où se trouve le Soulèvement, je crois. Regarde.

Le texte est codé mais je reconnais le Labyrinthe et la plaine. Il n'y a pas les montagnes où sont partis les Fermiers ; en revanche, on voit le ruisseau où Vick est mort, qui traverse la plaine pour se terminer dans un coin noirci, avec des mots qui se détachent en blanc.

Indie l'effleure du bout des doigts.

– À mon avis, c'est l'océan. Et ça, c'est une île.

– Tu aurais dû la donner à Cassia, c'est une experte en classement d'informations.

– Je voulais te la donner à toi, parce que je sais qui tu es, affirme-t-elle.

– Qu'est-ce que tu racontes ?

Elle secoue la tête, agacée.

– Tu peux décoder le texte, tu t'y connais aussi en classement.

Elle a raison. J'ai déjà compris ce que signifient les mots en blanc :

Regagne sa demeure *

C'est un vers du poème de Tennyson. Il s'agit donc du territoire du Soulèvement. Ils l'ont baptisé « la Demeure ». Et pour y aller, il faut suivre la rivière que la Société a empoisonnée et où Vick est mort.

Je repose la carte en faisant semblant de ne pas comprendre.

– Qu'est-ce qui te fait croire ça ?

– J'ai toujours une oreille qui traîne.

Elle se penche vers moi. Nous sommes face à face à la lueur de la torche, comme si le reste du monde n'existait plus.

– Je sais qui tu es, insiste-t-elle. Et qui tu es censé être, ajoute-t-elle en se penchant encore plus près.

---

* Lord Alfred Tennyson, *Crossing the bar*, tiré de *Voix d'outre-Manche, cent poésies en langue anglaise, de Sidney à Causley*, traduction de Michel Midan, Éditions L'Harmattan, 2002.

Sans reculer, je répète :

– Qui je suis censé être ?

Elle sourit.

– Le Pilote.

Je m'écarte dans un éclat de rire.

– Oh ! que non ! Et que fais-tu du poème que tu as récité à Cassia ? Il dit pourtant que le Pilote est une femme.

– Ce n'est pas un poème, rectifie-t-elle d'un ton sec.

– Ah… une chanson, alors. Effectivement, les mots ont une musique…

J'aurais dû m'en rendre compte avant.

Indie pousse un soupir de frustration.

– Peu importe que le Pilote vienne d'ici ou de là, que ce soit un homme ou une femme. L'idée est la même. Je viens de le comprendre.

– Ça ne fait pas de moi le Pilote, dis-je.

– Si ! Tu ne veux pas, c'est pour ça que tu fuis le Soulèvement. Quelqu'un doit te pousser à rejoindre le mouvement. C'est ce que j'essaie de faire.

– Le Soulèvement, ce n'est pas ce que tu crois. Ce n'est pas un tas d'Aberrations, d'Anomalies, de rebelles et de vauriens qui font ce qui leur chante. C'est un groupe structuré. Un système.

Elle hausse les épaules.

– Et quand bien même. Je veux en faire partie. J'en ai rêvé toute ma vie.

– Si tu penses que cette carte peut nous mener là-bas,

pourquoi me la donner ? Pourquoi ne pas l'avoir confiée
à Cassia ?

– Nous sommes pareils, toi et moi, murmure-t-elle. Je
te ressemble davantage que Cassia. On pourrait partir tout
de suite.

Elle a raison. Je me reconnais effectivement en elle. Elle
me touche profondément. J'ai de l'empathie pour elle. Pour
survivre, il faut croire en quelque chose. Elle a choisi le Soulèvement. Moi, Cassia.

Indie s'est longtemps tue. Elle a l'habitude de fuir. De
se cacher. Toujours en cavale. Je pose la main à côté de la
sienne. Sans la toucher. Juste pour lui montrer mes cicatrices.
Mes mains portent les traces de la vie que j'ai menée ici
autrefois, une vie qu'aucun citoyen de la Société n'a jamais
connue.

Elle les examine avant de demander :

– Depuis quand ?

– Depuis quand quoi ?

– Depuis quand es-tu classé Aberration ?

– Tout petit. J'avais trois ans quand ils nous ont déclassés.

– Et pourquoi ?

Je n'ai pas envie de répondre. Mais nous sommes au bord
du gouffre. C'est comme si elle se cramponnait à la falaise.
Au moindre faux pas, elle va regarder par-dessus son épaule
et lâcher prise. Il faut que je lui raconte un épisode de mon
histoire.

– À cause de mon père. Nous vivions dans les Provinces
frontalières, mais en tant que citoyens. La Société l'a accusé

de faire partie d'un mouvement de rébellion, et nous a expédiés dans les Provinces lointaines.

– C'était un rebelle? s'étonne-t-elle.

– Oui, et une fois là-bas, il a rallié le village entier à sa cause. Et ils sont presque tous morts.

– Mais tu l'aimes quand même, remarque-t-elle.

Entre nous, ça ne tient qu'à un fil et elle le sait. Il faut que je lui dise la vérité, sinon la communication sera rompue.

Je prends une profonde inspiration avant de murmurer:

– Évidemment.

Ça y est. Je l'ai dit.

Le faisceau de ma torche fait scintiller la pluie dehors comme des gouttes d'or et d'argent. Sa main est posée à côté de la mienne, sur les lames de parquet fendues. Sans réfléchir, je l'effleure doucement.

– Indie, je ne suis pas le Pilote.

Elle secoue la tête. Elle ne me croit pas.

– Lis la carte et tu sauras tout.

– Non, je ne saurai pas tout, car je ne connais pas ton histoire.

C'est cruel de faire ça. Car une fois qu'on connaît l'histoire de quelqu'un, on le connaît vraiment. Et on peut lui faire du mal. C'est pour ça que je ne raconte la mienne que par bribes. Même à Cassia.

– Si je dois m'enfuir avec toi, il faut que j'en sache plus sur toi.

Je mens. Je ne rejoindrai pas le Soulèvement avec elle quoi qu'il arrive. En est-elle consciente?

– Donc, tu t'es enfuie…, dis-je pour l'encourager à continuer.

Elle me dévisage, hésitante. Soudain, j'ai envie de la serrer dans mes bras. Pas comme Cassia. Juste parce que je sais ce que c'est d'être une Aberration.

– Oui, je me suis enfuie, commence-t-elle.

Je me penche pour mieux l'écouter. Elle parle plus doucement que d'habitude, perdue dans ses souvenirs.

– J'ai voulu m'échapper du camp de travail. Quand ils m'ont rattrapée et forcée à monter dans le dirigeable, j'ai cru que c'était fini. Que j'avais laissé passer ma seule chance de filer. Je savais qu'on allait mourir dans les Provinces lointaines. Puis, à bord, j'ai vu Cassia. Elle n'avait pas l'air à sa place, pas plus qu'au camp, d'ailleurs. J'avais fouillé dans ses affaires, je savais qu'elle n'était pas classée Aberration. Mais alors pourquoi était-elle montée à bord de ce dirigeable ? Qu'espérait-elle trouver ?

Indie me regarde dans les yeux. Elle dit la vérité. Pour la première fois, elle se dévoile. Elle est belle quand elle est à découvert.

– Plus tard, au village, j'ai surpris la conversation de Cassia avec un garçon. Elle parlait du Pilote, et de toi. Elle voulait te retrouver. C'est là que j'ai fait la relation : je me suis dit que tu devais être le Pilote. Je pensais qu'elle le savait mais qu'elle ne voulait pas me l'avouer.

Elle rit.

– Plus tard, j'ai compris qu'elle ne m'avait pas menti. Elle ne savait pas que tu étais le Pilote.

– Non, elle avait raison. Je ne suis pas le Pilote.

Indie secoue la tête.

– Admettons. Et les comprimés rouges alors ?

– Alors quoi ?

– Ça ne marche pas sur toi, n'est-ce pas ?

Je ne réponds pas. Pas la peine, elle le sait déjà.

– Sur moi non plus. Et je parie que sur Xander non plus.

Elle poursuit sans même attendre que je confirme :

– Je crois que nous sommes spéciaux. Le Soulèvement nous a choisis. Sinon pourquoi serions-nous immunisés contre ces comprimés, hein ?

Elle s'emballe. Je la comprends. Passer du statut d'exclu à celui d'élu, c'est ce dont rêvent toutes les Aberrations.

Je la questionne :

– Si c'est le cas, pourquoi le Soulèvement n'a rien fait pour nous venir en aide quand la Société nous a envoyés ici ?

Elle me jette un regard plein de mépris.

– Ils n'avaient aucune raison de le faire. Si nous ne sommes pas capables de nous en tirer tout seuls, alors nous ne sommes pas dignes de faire partie du mouvement.

Elle lève le menton.

– Je ne comprends pas tout ce qui est écrit sur la carte, mais je sais qu'elle indique comment rejoindre le Soulèvement. Ma mère me l'avait bien dit. Cette tache noire, il s'agit de l'océan. Et les mots, là, d'une île. On doit y aller. C'est moi qui ai trouvé cette carte, pas Cassia.

– Tu es jalouse, dis-je. C'est pour ça que tu l'as laissée prendre le comprimé bleu ?

– Non, fait-elle, surprise. Je ne l'ai pas vue faire, sinon je l'en aurais empêchée. Je ne veux pas sa mort.

– Mais tu as envie qu'elle reste ici. Avec Eli.

– Ce n'est pas pareil, tempère-t-elle. La Société la retrouvera et la ramènera chez elle. Aucun problème. Pareil pour Eli. Il est si jeune. Il a dû atterrir ici par erreur.

– Et si ce n'est pas le cas ?

Elle me scrute longuement.

– Tu as abandonné les autres pour t'enfuir, non ? Ne fais pas semblant de ne pas comprendre.

– Il n'est pas question que je l'abandonne.

– Je m'en doutais, dit-elle sans la moindre déception dans la voix. C'est pour ça que je t'ai donné la bande de papier qui parlait du secret de Xander. Pour t'aider à te souvenir, en cas de besoin...

– Me souvenir de quoi ?

Elle sourit.

– Que de toute façon, tu feras partie du Soulèvement que tu le veuilles ou non. Tu ne veux pas t'enfuir avec moi, très bien. Mais tu rejoindras quand même le mouvement.

Elle reprend le miniport sans que je m'interpose.

– Tu iras parce que tu veux être avec Cassia et que c'est ce qu'elle veut.

Je secoue la tête. Non.

– Tu ne crois pas que ce serait mieux ? De participer à la rébellion ? Peut-être même d'en prendre la tête ? Sinon pourquoi t'aurait-elle choisi toi, alors qu'elle pouvait avoir Xander ?

Pourquoi Cassia m'a-t-elle choisi ?

Affectations prévisibles : employé au Centre de préparation nutritionnelle, cible pour l'Ennemi.

Chances de réussite : donnée indisponible pour les Aberrations.

Espérance de vie : 17 ans. Envoyé dans les Provinces lointaines pour mourir.

Cassia dirait qu'elle n'a pas le même point de vue que la Société sur moi. Qu'elle me voit différemment. Que leur liste n'a aucune importance.

Et à ses yeux, c'est vrai. C'est en partie pour ça que je l'aime.

Mais je ne pense pas qu'elle me choisirait si elle connaissait le secret de Xander. Indie m'a donné ce bout de papier parce qu'elle sait que j'ai des doutes. Mais ce papier – ce secret –, c'est encore pire que ce qu'elle soupçonne.

Elle a vu juste et ça doit se lire sur mon visage. Ses pupilles s'élargissent, je vois presque ses pensées défiler. Ma réticence à rejoindre le Soulèvement. Le visage de Xander sur la microcarte. Ce fameux secret… Dans le tourbillon de son esprit, les pièces du puzzle se mettent en place pour lui dévoiler la vérité.

– Je sais, décrète-t-elle enfin. Tu ne peux pas la laisser rejoindre le Soulèvement sans toi, si tu ne veux pas la perdre. Parce que c'est ça, le secret : Xander fait partie du mouvement.

C'était une semaine avant le Banquet de couplage.

Ils m'ont abordé alors que je rentrais du travail :

– Tu n'en as pas assez de perdre ? Tu ne voudrais pas gagner pour changer ? Rejoins-nous. Avec nous, tu auras enfin une chance de gagner.

Je leur ai répondu non. Je leur ai dit que je les avais vus perdre et que je préférais perdre à ma façon.

Xander est passé me voir le lendemain. J'étais dehors, en train de planter des néoroses dans les massifs de Patrick et d'Aida. Il s'est posté à côté de moi et m'a parlé d'un ton léger, comme si on discutait de la pluie et du beau temps.

– Tu as accepté ?

– Accepté quoi ? ai-je répliqué.

Je me suis épongé le front. J'aimais creuser à l'époque. J'ignorais que je finirais par en être dégoûté, à force.

Il s'est accroupi, sous prétexte de m'aider.

– De rejoindre la rébellion contre la Société. Ils me l'ont proposé. Tu en fais partie, non ?

– Non.

Il a écarquillé les yeux.

– J'aurais pourtant cru… J'étais persuadé…

J'ai secoué la tête.

– J'imaginais qu'on en serait tous les deux, a-t-il repris, dépité.

Je ne l'avais jamais vu aussi désarçonné.

– Je pensais que tu étais au courant depuis toujours.

Après un bref silence, il a ajouté :

– À ton avis, ils lui ont proposé, à elle aussi ?

Il voulait parler de Cassia. Évidemment.

– Je n'en sais rien. Sans doute. Ils nous ont bien demandé à nous. Ils doivent avoir une liste de gens à contacter dans le quartier.

– Et qu'est-ce qu'ils font quand on refuse ? m'a-t-il questionné. Ils t'ont fait prendre un comprimé rouge ?

– Non.

– Peut-être qu'ils n'en ont pas. J'ai beau travailler au Centre médical, j'ignore où la Société les stocke. Pas avec les verts et les bleus, en tout cas.

– Ou bien ils n'abordent que des gens qui ne les trahiront pas.

– Comment peuvent-ils en être sûrs ?

– Certains d'entre eux font encore partie de la Société, lui ai-je rappelé. Ils ont accès à nos dossiers. Ils peuvent prédire nos réactions.

J'ai marqué une pause.

– Et ils ont vu juste. Tu ne les trahiras pas parce que tu veux rejoindre le mouvement, et moi parce que je ne veux pas.

J'ai complété dans ma tête : « Et parce que je suis classé Aberration. »

Je voulais à tout prix éviter d'attirer l'attention sur moi. Et surtout n'être mêlé ni de près ni de loin à une quelconque affaire de rébellion.

– Et pourquoi tu ne veux pas ? a insisté Xander.

Il n'y avait pas la moindre note de moquerie dans sa voix. Il avait simplement envie de savoir. Pour la première fois depuis que je le connaissais, j'ai vu quelque chose qui ressemblait à de la peur dans ses yeux.

– Parce que je n'y crois pas, ai-je répondu.

Xander et moi, nous n'avons jamais su s'ils avaient contacté Cassia. Et si elle avait pris un comprimé rouge. Nous ne pouvions pas lui poser la question sans la mettre en danger.

Plus tard, quand je l'ai vue lire les deux poèmes dans la forêt, j'ai pensé que j'avais fait le mauvais choix. J'ai cru qu'elle avait le poème de Tennyson parce que c'était celui du Soulèvement et que j'avais raté l'occasion de faire partie du mouvement à ses côtés. Puis j'ai découvert qu'elle préférait l'autre. Elle avait fait son choix. Un choix personnel. Et je suis tombé encore plus amoureux d'elle.

– Tu veux vraiment rejoindre le Soulèvement, Indie ?

– Oui, m'assure-t-elle. Oui, vraiment.

– Non. C'est ce que tu veux maintenant. Ça va peut-être te plaire quelques mois, quelques années, mais ce n'est pas pour toi.

– Tu ne me connais pas, rétorque-t-elle.

– Oh ! que si !

Je me penche pour poser ma main sur la sienne. Elle retient son souffle.

– Oublie tout ça. On n'a pas besoin du Soulèvement. Les

Fermiers ne sont pas loin. On va y aller tous ensemble, toi, moi, Eli et Cassia. Dans une nouvelle communauté. Qu'est devenue la fille qui voulait partir, perdre le rivage de vue ? dis-je en lui prenant la main.

Elle lève les yeux, stupéfaite. Lorsque Cassia m'a raconté son histoire – sa mère, le bateau, l'eau –, j'ai tout de suite compris ce qui s'était réellement passé. Indie a répété cette version tellement de fois qu'elle a fini par y croire elle-même.

Soudain, elle se remémore ce qu'elle s'efforce d'oublier. Il ne s'agissait pas de sa mère. Mais d'elle. Toute sa vie, Indie avait entendu sa mère chanter cette chanson. Et, un jour, elle a construit un bateau. Elle a été déclassée par sa propre faute. Et elle n'a pas trouvé le Soulèvement. Elle n'a même pas perdu le rivage de vue. Et finalement la Société l'a expédiée loin, très loin de l'océan, dans le désert.

Je sais que ça s'est passé de cette façon parce que je la connais. Elle n'est pas du genre à regarder quelqu'un construire un bateau et à le laisser partir sans elle.

Elle veut tellement rejoindre le Soulèvement que ça l'aveugle, elle ne voit plus rien d'autre. Et certainement pas moi. Je suis encore plus minable qu'elle ne le croyait.

– Désolé, Indie.

Sincèrement. Ce que je m'apprête à faire est désolant, ça me fait mal, mais je n'ai pas le choix.

– Le Soulèvement ne peut pas nous sauver. J'ai vu ce qui se produit quand on en fait partie.

Sur ces mots, je gratte une allumette pour mettre le feu à la carte.

Indie hurle mais je la maîtrise. La flamme lèche le bord du tissu.

– Non ! crie-t-elle en tentant de me l'arracher.

Je la repousse violemment. Elle cherche autour d'elle, mais nous avons laissé nos gourdes dans la grotte.

– Nooon ! crie-t-elle à nouveau en m'écartant pour passer.

Je n'essaie pas de la retenir. Quoi qu'elle essaie de faire – remplir un récipient de pluie ou descendre chercher de l'eau à la rivière –, c'est trop tard. La carte est déjà partie en fumée. Une odeur âcre de brûlé emplit la maison.

CHAPITRE 38
CASSIA

Je n'arrive pas à me concentrer sur les mots qui défilent sous mes yeux. J'ai l'esprit ailleurs, j'imagine ce qui se dit à l'extérieur de la grotte. Je me retrouve à lire à nouveau un poème, la seconde strophe de *Je ne T'ai pas atteint* :

La Mer vient en dernier – Sautez, joyeux, mes pieds
La route est si courte –
Nous sommes enclins à jouer ensemble
Mais place au labeur maintenant
Le dernier sera le fardeau le plus léger
Que nous aurons à tirer*

Le poème s'achève sur ces mots, car il manque la page suivante, mais je devine qu'il y a d'autres strophes. Malgré

---

* NdT : Emily Dickinson, traduction Françoise Delphy, cité plus haut.

tout, dans ces quelques vers, j'entends l'auteur s'adresser à moi. Il ou elle a beau avoir disparu, sa voix résonne encore.

Et pourquoi pas la mienne ?

Soudain, je comprends que c'est pour cela que cet auteur m'attire tellement. Ce ne sont pas les mots en eux-mêmes, mais la façon qu'il a de les arranger et de les faire siens.

Ce n'est pas le moment, je me raisonne. Le carton suivant contient des livres qui se ressemblent tous, avec le mot Comptes gravé sur leur reliure de cuir. J'en parcours quelques lignes :

Treize pages d'histoire contre cinq comprimés bleus. Commission : un comprimé.

Un poème de Rita Dove, édition originale, contre des informations concernant la Société. Commission : accès aux informations échangées.

Un roman de Ray Bradbury, troisième édition, contre un infopod et quatre vitres prises sur un chantier de restauration. Commission : deux vitres.

Une page du Livre contre trois fioles de médicaments. Commission : rien – troc réalisé à des fins personnelles.

Voilà comment s'effectuaient les échanges. Ça explique pourquoi il manque des pages dans de nombreux ouvrages. Les Fermiers les réparaient, seulement ils devaient les démembrer à nouveau pour les vendre en « pièces détachées ». C'est triste, mais ils n'avaient pas le choix.

Comme les Archivistes ou comme moi quand j'ai choisi de garder les comprimés et de troquer la boussole.

Les comprimés… j'allais oublier les messages de Xander !

Je vide la plaquette et pose son contenu sur la table en deux rangées : d'un côté les comprimés, de l'autre les bouts de papier.

Aucun ne mentionne un quelconque secret.

Affectation prévisible : Officiel.
Chances de réussite : 99,9 %
Espérance de vie : 80 ans.

Tout ça, je le savais déjà ou j'aurais pu m'en douter.

Je me sens épiée. Il y a quelqu'un à l'entrée de la grotte. Je relève la tête, orientant ma torche dans cette direction tout en rangeant comprimés et messages dans mon sac.

– Ky... j'étais justement en train de...

Non, cet homme est bien plus grand que Ky. Paniquée, je braque le faisceau de ma lampe sur son visage. Il protège ses yeux de sa main, ébloui. Ses avant-bras tatoués de bleu sont maculés de sang séché.

– Hunter. Vous êtes revenu.

– Je voulais m'enfuir, dit-il.

Au début, je pense qu'il veut parler de la Caverne, mais je m'aperçois bientôt qu'il répond à la question que lui a posée Indie avant d'escalader la falaise : « Et vous, vous aviez choisi quoi ? »

– Mais vous ne pouviez pas, dis-je, comprenant soudain. À cause de Sarah.

– Elle était mourante. On ne pouvait pas la déplacer.

– Les autres n'ont pas voulu attendre ?

– On n'avait pas le temps. Ça aurait compromis tout notre plan.

Un tic nerveux parcourt sa joue inondée de larmes.

– J'ai conclu un accord avec ceux qui restaient. Je les ai aidés à installer des explosifs sur le plateau et ils m'ont laissé retourner auprès de Sarah au lieu d'attendre la bataille.

Il secoue la tête.

– J'ignore pourquoi ça n'a pas fonctionné. Les dirigeables auraient dû se poser là-haut, pourtant.

Je ne sais pas quoi dire. Il a perdu sa fille et tous ses proches. Je suggère :

– Il n'est pas trop tard pour rejoindre les autres dans la plaine.

– Je suis revenu parce que je vous avais fait une promesse. Je me suis laissé emporter, dans la Caverne.

Il s'approche de l'une des boîtes rectangulaires posées sur la table et en ôte le couvercle.

– Tant que je suis ici, je peux vous montrer comment trouver le Soulèvement.

J'ai les doigts qui fourmillent tant j'ai hâte. J'abandonne aussitôt mon poème. Enfin quelqu'un qui possède de véritables informations.

– Merci, dis-je. Vous allez venir avec nous ?

Ce serait terrible de devoir le laisser tout seul.

Il relève la tête en déclarant :

– Il y avait une carte là-dedans, mais quelqu'un l'a prise.

– Indie...

Ça ne peut être qu'elle.

– ... elle est partie il y a un petit moment. J'ignore où.

– Il y a de la lumière dans l'une des maisons, m'apprend-il.

– Je vous accompagne, dis-je en jetant un regard à Eli qui dort dans un coin.

– Il ne craint rien, m'assure Hunter. La Société n'est pas encore là.

Je le suis à l'extérieur, sur le sentier détrempé, impatiente de trouver Indie et de voir ce qu'elle nous cache.

Mais derrière la porte de la petite maison, c'est Ky que nous découvrons. En train de brûler la seule carte qui indique l'endroit où je veux me rendre.

CHAPITRE 39
KY

C'est Cassia que je vois en premier, puis Hunter derrière elle. J'ai perdu la partie. Même sans la carte, Hunter pourra lui dire où trouver le Soulèvement.

Elle m'arrache la carte des mains, la jette par terre et la piétine pour éteindre les flammes. Les bords sont calcinés, mais la plus grande partie est intacte.

Elle va rejoindre le Soulèvement.

– Tu avais l'intention de me cacher ça ! s'écrie-t-elle. Si Hunter n'était pas revenu, je n'aurais jamais su comment y aller.

Je ne réponds pas. Il n'y a rien à dire.

– Que me caches-tu d'autre ? me demande-t-elle d'une voix étranglée.

Elle ramasse le morceau de toile pour l'examiner avec précaution. Comme lorsqu'elle lisait les poèmes sur la Colline.

351

– Tu m'as menti à propos de Xander, n'est-ce pas ? Tu connais son secret ?

– Je ne peux pas te le dire.

– Et pourquoi ?

– Ce n'est pas à moi de te le révéler, c'est à lui.

Ce n'est pas par pur égoïsme que je refuse. Je sais que Xander voudrait le lui dire lui-même. Je lui dois bien ça. Il avait beau connaître mon secret – mon statut d'Aberration –, jamais il ne l'a confié à personne. Pas même à Cassia.

Il ne s'agit pas d'un jeu. Xander n'est pas mon adversaire. Cassia n'est pas le prix de la victoire.

– Admettons, mais pour la carte, c'est différent. Tu allais me priver d'un choix important.

Il règne dans la pièce une odeur âcre de tissu brûlé. Un frisson me parcourt. Cassia me fixe d'un œil professionnel, analysant les faits, calculant les probabilités. Je sais ce qu'elle voit : le garçon sur l'écran avec les données de la Société affichées à côté. Pas celui qui était avec elle sur la Colline, ni celui qui l'a serrée dans ses bras au clair de lune dans le canyon.

– Où est Indie ? me questionne-t-elle.

– Elle est partie.

– Je vais la chercher, décide Hunter, nous laissant face à face, Cassia et moi.

– Ky, c'est le Soulèvement, tu imagines ! reprend-elle d'une voix vibrante d'émotion. Tu ne veux pas en faire partie ? On pourrait tout changer !

– Non.

Elle recule d'un pas, comme si je l'avais frappée.

– Mais on ne peut pas fuir éternellement, fait-elle valoir.

– J'ai passé des années à me tenir tranquille, dis-je. À ton avis, qu'est-ce que je faisais là-bas, à Oria?

Les mots se bousculent dans ma bouche, je ne peux plus m'arrêter:

– Tu es amoureuse de cette idée de révolte, Cassia. Mais tu ne sais pas vraiment ce que c'est. Tu ne sais pas ce que c'est de se rebeller et de voir tout le monde mourir autour de toi. Tu ne sais pas.

– Tu détestes la Société...

Elle essaie de comprendre, de terminer le puzzle.

– Et pourtant, tu ne veux pas participer au Soulèvement.

– Je ne crois pas en la Société et je ne crois pas en la rébellion. Je ne veux pas choisir entre l'une ou l'autre. J'ai vu ce que donnaient les deux.

– Que proposes-tu, alors?

– On pourrait vivre avec les Fermiers, fais-je.

Mais je crois qu'elle ne m'entend même pas.

– Explique-moi pourquoi! crie-t-elle. Pourquoi m'as-tu menti? Pourquoi as-tu voulu me priver de ce choix?

Son regard s'est adouci, elle me voit à nouveau en tant que Ky, celui qu'elle aime. Mais bizarrement, c'est pire. Toutes les raisons qui m'ont poussé à mentir défilent dans ma tête: parce que je ne veux pas te perdre, parce que j'étais jaloux, parce que je n'ai confiance en personne, parce que je n'ai même pas confiance en moi, parce que, parce que, parce que.

– Tu sais bien pourquoi.

Soudain, la colère monte en moi. Contre tout. Tout le monde. La Société, le Soulèvement, mon père, moi, Indie, Xander, Cassia.

– Non, je ne sais pas, commence-t-elle, mais je ne la laisse pas finir.

– J'avais peur, dis-je en soutenant son regard. Nous avions tous les deux peur. J'avais peur de te perdre. Et toi aussi, à Oria, tu avais peur quand tu as décidé de me priver de mon choix.

Elle fait un pas en arrière. Je vois sur son visage qu'elle comprend très bien de quoi je parle. Elle n'a pas oublié non plus.

Brusquement, je me retrouve dans cette salle surchauffée, avec mes mains rouges et mon uniforme bleu. J'ai le dos ruisselant de sueur.

Je me sens humilié. Je n'ai pas envie qu'elle me voie travailler ici. J'aimerais pouvoir croiser son regard vert pour qu'elle sache que je suis toujours Ky. Et pas un numéro parmi d'autres.

– Tu m'as classé.

– Je n'avais pas le choix, murmure-t-elle. Ils me surveillaient.

Nous en avons déjà parlé sur la Colline, mais maintenant, ici, c'est différent. Dorénavant, je sais que je ne l'atteindrai jamais.

– J'ai essayé de réparer mon erreur, se justifie-t-elle. Je suis venue jusqu'ici pour toi.

– Pour moi ou pour le Soulèvement ?

– Ky ! fait-elle avant de s'interrompre.

– Désolé. C'est la seule chose que je ne peux pas faire pour toi. Je ne peux pas rejoindre le Soulèvement.

Ça y est, c'est dit.

Elle paraît livide dans la pénombre de la maison déserte. Des trombes d'eau tombent du ciel, et ça me fait penser à la neige. Aux tableaux peints avec de l'eau. Aux poèmes murmurés entre deux baisers. Trop beaux pour durer.

CHAPITRE 40
CASSIA

Hunter pousse la porte et pénètre dans la maison. Indie l'accompagne.

– Il n'y a pas de temps à perdre, décrète-t-il en nous voyant. Le Soulèvement est en marche. Vous pouvez le rejoindre en suivant la carte. Tu sais déchiffrer le code ?

J'acquiesce.

– Alors la carte est à toi puisque tu m'as dit ce qui se trouvait dans la Caverne.

– Merci, dis-je en la roulant avec précaution.

C'est une toile épaisse, peinte avec des couleurs sombres. On peut la lire sous la pluie, elle ne craint pas l'eau. Mais le feu, oui. Je jette un regard vers Ky, le cœur serré de ne pouvoir jeter un pont sur le fossé qui nous sépare maintenant.

– Je pars dans les montagnes retrouver les autres, nous informe Hunter. Ceux d'entre vous qui ne veulent pas rejoindre le Soulèvement peuvent venir avec moi.

– Je veux rejoindre le Soulèvement, annonce Indie.

– Nous pouvons aller ensemble jusque dans la plaine, dis-je.

Nous n'avons pas parcouru un si long chemin pour nous séparer si vite.

– Vous n'avez qu'à partir tout de suite, décide Hunter. Je vous rattraperai quand j'aurai fini de bloquer l'accès à la Caverne.

– Pourquoi ça ? s'étonne Indie.

– Nous avons prévu de condamner l'entrée en la masquant par un éboulement, explique-t-il. Nous ne voulons pas que la Société trouve nos documents. J'ai promis aux autres Fermiers de le faire, mais ça va me prendre un certain temps. Ne m'attendez pas.

– Si, si, on peut attendre, dis-je.

Nous n'allons pas l'abandonner à nouveau. Même si notre groupe – ce petit groupe réuni par le hasard et déjà divisé de l'intérieur – doit se séparer au final, je veux repousser l'échéance.

– Alors c'est pour ça que vous avez gardé des explosifs ! s'exclame soudain Ky.

J'ai du mal à interpréter son expression. Son visage est fermé, impassible. J'ai à nouveau devant moi le Ky de la Société. Le Ky du Labyrinthe me manque déjà.

– Je peux vous aider.

– Tu t'y connais ?

– Oui, confirme-t-il. Un coup de main en échange de quelque chose que j'ai repéré dans une grotte.

– Marché conclu, fait Hunter.

Qu'est-ce que Ky a derrière la tête? Que veut-il en échange? Pourquoi évite-t-il de croiser mon regard?

Au moins, plus personne ne parle de se séparer. On reste ensemble.

Pour l'instant.

Pendant que Ky et Hunter installent les explosifs, Indie et moi, nous retournons dans la grotte réveiller Eli et remplir nos sacs de provisions. Après avoir refermé les caisses de livres, nous les empilons contre les murs de la bibliothèque pour qu'elles soient protégées lors de l'explosion.

J'ignore pourquoi mais les pages volantes, détachées de leur ouvrage, m'intriguent. Je ne peux pas résister, j'en fourre quelques-unes dans mon sac avec la nourriture, l'eau, les allumettes. Hunter nous a indiqué où trouver des lampes frontales, des sacs supplémentaires et autres fournitures pour le voyage.

Eli prend des pinceaux et du papier. Je n'ai pas le cœur de lui dire d'emporter plutôt davantage de pommes.

– C'est bon, on peut y aller, dis-je.

– Attends, intervient Indie.

Nous n'avons pas parlé beaucoup et ça m'arrange car je ne sais pas quoi lui dire. Je ne la comprends pas: pourquoi a-t-elle d'abord montré la carte à Ky? Que cache-t-elle d'autre? Me considère-t-elle seulement comme une amie?

– J'ai quelque chose à te donner.

Elle fouille dans son sac pour en tirer le fragile nid de guêpes. Après tout ce qu'il a traversé, il est intact, c'est un miracle. Alors qu'elle le prend doucement dans ses mains, une image me vient tout à coup à l'esprit : je la vois au bord de la mer, en train de ramasser un coquillage.

Touchée par son geste, je rétorque :

— Non, garde-le. C'est toi qui en as pris soin tout au long du voyage.

— Non, pas le nid, me détrompe-t-elle.

Elle glisse sa main à l'intérieur et en sort un petit objet.

Une microcarte.

Je mets un instant à réaliser…

— Tu me l'as volée ! Au camp de travail.

Elle acquiesce.

— C'était ça dans le dirigeable. Après, j'ai prétendu que je n'avais rien dans ma poche, alors que je cachais cette carte. Tiens.

Elle me la tend. Je la prends.

— Et j'ai récupéré ça au village, poursuit-elle en exhibant un miniport. Comme ça, tu vas pouvoir la consulter. Il ne te manque qu'une seule bande de papier. Mais c'est ta faute. Tu l'as fait tomber sur le chemin de la plaine.

Stupéfaite, je prends également le miniport.

— Tu l'as ramassée ? Tu l'as lue ?

Évidemment. Elle ne répond même pas à ma question.

— C'est comme ça que j'ai su que Xander avait un secret. Le papier indiquait qu'il te le dirait quand vous vous reverriez.

– Où est-il ? Rends-le-moi.

– Impossible. Je ne l'ai plus. Je l'ai donné à Ky et il ne l'a pas gardé.

– Mais pourquoi ? Pourquoi tant de mensonges ?

Au début, j'ai l'impression qu'elle ne va pas me répondre car elle détourne la tête. Puis, finalement, elle me fait face, l'air furieux, toute tendue.

– On n'est pas du même monde. Je l'ai su à la minute où je t'ai vue au camp de travail. Je voulais d'abord savoir qui tu étais vraiment. Ce que tu faisais là. Au début, j'ai pensé que tu nous espionnais pour le compte de la Société. Ensuite que tu travaillais pour le Soulèvement. En plus, tu avais des tas de comprimés bleus. Je me demandais ce que tu comptais en faire.

– Alors tu m'as volée...

– Comment aurais-je pu découvrir quoi que ce soit autrement ?

Elle désigne le miniport.

– Et je t'ai tout rendu. En mieux, même. Maintenant, tu peux visionner la microcarte quand tu veux.

Je réplique :

– Je n'ai pas tout. Il me manque une partie du message de Xander.

– Non, puisque je viens de te le transmettre.

J'ai envie de hurler.

– Et mon écrin en argent ? Tu me l'as pris aussi !

C'est complètement irrationnel mais, tout à coup, je veux le récupérer, ce souvenir de Xander. Je veux récupérer

tout ce que j'ai perdu – que ça ait été volé, troqué ou
confisqué. La boussole de Ky. La montre de Bram. Et surtout le poudrier de grand-père avec les poèmes cachés
dedans. Si je le récupérais, je ne l'ouvrirais plus jamais.
Ça me suffirait de savoir que les poèmes sont bien à l'abri
à l'intérieur.

Et c'est pareil pour Ky, j'aimerais pouvoir reprendre tout
ce que notre relation avait de beau et le préserver, sous
verre, précieusement, en écartant toutes les erreurs que
nous avons commises tous les deux.

– Quand je me suis enfuie du camp de travail, j'ai laissé
tomber l'écrin dans la forêt.

Je me rappelle soudain la passion qu'Indie portait à ma
reproduction de tableau, sa déception lorsqu'il s'est désin-
tégré, son intérêt pour les filles en robe de fête peintes sur
les parois de la grotte. Indie m'a volé ce qui m'appartenait
parce qu'elle m'enviait. Elle voulait ce que je possédais.
En la regardant, j'ai l'impression de voir mon reflet dans
l'eau de la rivière. Ce n'est pas tout à fait moi, l'image
est déformée, mouvante, mais on se ressemble tellement.
C'est une rebelle avec une pointe de sagesse et moi, je suis
tout le contraire.

Je la questionne :

– Où avais-tu caché la microcarte ?

– Ils ne m'ont pas fouillée lorsqu'ils m'ont rattrapée,
explique-t-elle. Seulement dans le dirigeable. Mais toi et
moi, on s'est débrouillées.

Elle repousse la mèche qui lui tombe dans les yeux d'un

geste qui résume bien sa personnalité : brusque mais avec une certaine grâce cependant. Je n'avais jamais rencontré quelqu'un qui soit aussi direct et décomplexé pour obtenir ce qu'il veut.

– Tu ne veux pas la regarder ? s'étonne-t-elle.

Je ne peux pas m'en empêcher. Glissant la microcarte de Xander dans le miniport, j'attends que son visage apparaisse.

J'aurais dû consulter ces informations chez moi, à Oria, avec le chuchotement des feuilles d'érable en bruit de fond. Bram m'aurait taquinée, mes parents auraient souri. J'aurais pu contempler le visage de Xander et ne rien voir d'autre.

Mais celui de Ky l'a remplacé, chamboulant tout.

– Ça y est, annonce Indie malgré elle.

Xander.

J'avais presque oublié à quoi il ressemblait, pourtant ça ne fait pas si longtemps que je l'ai vu. Tout me revient tandis que ses données personnelles s'affichent sur le côté de l'écran.

Ce sont exactement les mêmes informations que celles qu'il a cachées dans la plaquette de comprimés. Voilà ce qu'il voulait que je voie. « Regarde-moi, semble-t-il me dire. Autant de fois qu'il le faut. »

J'ignore comment il a fait pour ajouter une phrase supplémentaire sur le bout de papier qu'Indie a ramassé. À moins qu'elle ne mente, mais je ne crois pas. Je me demande pourquoi il ne m'a pas révélé son secret le jour où nous sommes allés ensemble au musée, où j'ai contacté l'Archiviste. Je pensais qu'on ne se reverrait plus. Pas lui ?

En tout cas, il ne souhaitait sûrement pas que quelqu'un d'autre lise tout ça. Je clique sur les différents dossiers. La microcarte a été consultée de nombreuses fois : hier soir, mais aussi la veille, l'avant-veille et encore avant.

Indie l'a visionnée tous les soirs, mais quand ? Pendant que je dormais ?

– Et toi, tu sais ce que c'est, le secret de Xander ?

– Je crois.

– Dis-le-moi, alors

– C'est à lui de te le révéler, affirme-t-elle tout comme Ky.

Elle n'éprouve aucune gêne, aucun remords, comme d'habitude. Mais je remarque cependant que son regard s'adoucit lorsqu'elle fixe l'écran.

Brusquement, je comprends.

Tout compte fait, ce n'est pas Ky qu'elle aime

– Tu es amoureuse de Xander !

Ma voix est coupante, méchante.

Indie ne nie pas. Xander est le genre de personne qu'une Aberration ne pourra jamais avoir. Le garçon parfait, proche de la perfection, tel que l'a voulu la Société.

Seulement, ce n'est pas son Promis. C'est le mien.

Avec Xander, je pourrais avoir une famille, un bon métier, être aimée, heureuse, habiter dans un beau quartier, avec des rues propres, une jolie vie rangée.

Avec Xander, je pourrais faire ce dont j'ai toujours rêvé.

Alors qu'avec Ky, je fais ce dont je n'aurais jamais osé rêver.

Je veux les deux.

C'est impossible. Je scrute à nouveau le visage de Xander. Même s'il semble me dire qu'il ne changera jamais, je sais que c'est faux. Il y a des facettes de lui que je ne connais pas, des choses qui se sont passées à Camas auxquelles je n'ai pas assisté, des secrets que j'ignore et qu'il devra me révéler. Il commet également des erreurs – comme me donner les comprimés bleus, par exemple, un cadeau qui a failli me tuer au lieu de me sauver comme il l'espérait.

La vie avec Xander serait moins compliquée, mais pas dépourvue d'amour. Et qui sait où l'amour peut nous mener?

Je me retourne vers Indie.

– Qu'est-ce que tu voulais à Ky? Qu'est-ce que tu essayais d'obtenir en lui montrant le message, en lui donnant la carte?

– Je sentais qu'il en savait plus sur le Soulèvement qu'il ne voulait bien l'avouer, m'explique-t-elle. Je voulais simplement qu'il me le dise.

J'agite la microcarte.

– Et pourquoi m'as-tu rendu ça? Pourquoi maintenant?

– Il faut que tu fasses un choix, répond-elle. Je pense que tu ne les vois pas tels qu'ils sont vraiment, ni l'un ni l'autre.

– Alors que toi, oui! fais-je d'une voix étranglée par la colère.

Elle ne connaît pas Ky, pas aussi intimement que moi. Et elle n'a même jamais rencontré Xander!

– Moi, j'ai deviné le secret de Xander, fanfaronne-t-elle en s'approchant de l'entrée de la grotte. Et il ne t'est jamais venu à l'esprit que Ky pourrait être le Pilote?

Elle s'engouffre à l'intérieur.

Quelqu'un me pose la main sur le bras. Eli. Son regard affolé me ramène à la réalité. Il faut qu'on le fasse sortir d'ici. Vite. On réglera ça plus tard.

En rangeant la microcarte dans ma pochette, je l'aperçois au milieu des bleus… mon comprimé rouge.

Indie, Ky et Xander y sont insensibles.

Mais moi, je ne sais pas.

J'hésite. Je pourrais le glisser dans ma bouche, attendre qu'il fonde. Ou bien je le croquerais. Si fort que mon sang se mêlerait à la poudre rouge – ce serait mon choix personnel, pas celui de la Société.

Si le comprimé a un effet sur moi, j'oublierai tout ce qui s'est passé durant ces douze dernières heures. Et surtout l'altercation avec Ky. Je n'aurai pas à lui pardonner de m'avoir menti parce que je ne me le rappellerai plus. Et je ne me souviendrai pas non plus qu'il m'a reproché de l'avoir classé au centre nutritionnel.

Si ça ne fonctionne pas, je saurai une bonne fois pour toutes que j'y suis insensible. Que je suis spéciale, comme Ky, Xander et Indie.

Mais lorsque j'approche le comprimé de mes lèvres, j'entends une voix résonner dans ma mémoire : « Tu es assez forte pour t'en passer. »

D'accord, grand-père. Je suis assez forte pour me passer de ce comprimé. Mais il y a d'autres choses dont je ne peux pas me passer et j'ai bien l'intention de me battre pour les conserver.

CHAPITRE 41
KY

En soulevant ce bateau, j'ai l'impression de porter un cadavre : c'est lourd, encombrant, difficile à manipuler.

– Il s'agit d'un canot deux places, m'avertit Hunter.

– Ce n'est pas grave. Je le veux quand même.

Il me regarde comme s'il s'apprêtait à me dire quelque chose, puis se ravise finalement.

Nous déposons le canot dans la petite maison où Cassia, Indie et Eli nous attendent. Il tombe à leurs pieds avec un bruit sourd.

– Qu'est-ce que c'est ? s'étonne Eli.

– Un bateau, répond Hunter sans autre précision.

Les trois autres fixent le gros rouleau de plastique, incrédules.

– Je n'ai jamais vu un bateau comme ça, remarque Indie.

– Moi, je n'ai jamais vu un bateau de ma vie, répliquent Cassia et Eli d'une même voix avant d'échanger un sourire.

Indie comprend alors ce que j'ai en tête.

– C'est pour descendre le cours d'eau. Afin que certains d'entre nous puissent rejoindre le Soulèvement plus vite.

– Mais il y a plein d'obstacles en travers de la rivière, on ne peut pas passer, objecte Eli.

– Plus maintenant. La pluie l'aura nettoyée, dis-je.

– Qui va monter à bord? demande Indie.

– On n'a pas encore décidé, fais-je sans lever les yeux.

Depuis qu'elle m'a surpris en train de brûler la carte, j'évite de croiser le regard de Cassia.

Eli me tend un sac.

– Je t'ai apporté ça. Des provisions et du matériel qu'on a trouvés dans la grotte.

– Merci, Eli.

– Il y a autre chose, me glisse-t-il à l'oreille. Je peux te montrer?

J'acquiesce.

– Oui, mais fais vite.

Après s'être assuré que les autres ne peuvent pas le voir, il me tend... une des éprouvettes de la Caverne.

– Eli!

Stupéfait, je prends le tube et je le tourne entre mes doigts. Le liquide bouge à l'intérieur. Quand je déchiffre le nom gravé dessus, j'en ai le souffle coupé.

– Tu n'aurais pas dû le prendre.

– Je n'ai pas pu m'en empêcher, se défend Eli.

Au lieu de le briser par terre ou de le jeter dans la rivière, comme je le devrais, je le glisse dans ma poche.

La pluie a changé la terre en boue, entraînant pierres et cailloux. Il ne faudrait pas grand-chose pour déclencher un glissement de terrain et bloquer l'accès aux grottes. Cependant, mieux vaut tout de même en sceller l'entrée pour protéger ce qui se trouve à l'intérieur.

Hunter me montre le plan : le schéma indique précisément où placer les explosifs et les mèches. Impressionnant.

– C'est vous qui l'avez fait ?

– Non, répond-il. C'est notre chef, Anna, avant de partir.

Anna. Mon père la connaissait-il également ?

Je garde la question pour moi. Suivant les instructions d'Anna et les recommandations de Hunter, je me mets au travail. Avec cette pluie drue, difficile de garder les explosifs au sec.

– Descendez prévenir les autres que je vais déclencher la mise à feu.

– Non, je vais le faire.

Hunter me dévisage.

– C'était ma mission. Anna m'a chargé de le faire.

– Vous connaissez mieux la région que moi. Vous connaissez les Fermiers. Si la mise à feu tourne mal, vous serez plus à même que moi de sortir les autres de là.

– Tu te sens coupable ? remarque Hunter. Parce que tu as brûlé la carte ?

– Non, j'ai raison, c'est tout.

Il me jette un dernier regard avant de hocher la tête.

Je règle le minuteur avant de filer. C'est instinctif car, en principe, j'ai tout mon temps. Je longe la rivière en courant. Je viens juste d'atteindre les autres quand j'entends la détonation.

Malgré moi, je jette un coup d'œil en arrière.

Les quelques arbustes cramponnés à la paroi cèdent en premier, entraînant dans leur chute terre et pierres. Je suis des yeux la masse noire de leurs racines entremêlées avant de comprendre que la falaise entière s'écroule derrière eux. Le sentier s'affaisse, se changeant petit à petit en flots de boue chargés de cailloux.

Et ce n'est pas fini.

« C'est trop fort, ça va atteindre la communauté. »

Avec un craquement sinistre, l'une des maisons s'effondre, emportée par le glissement de terrain.

Puis une autre.

Un torrent de boue s'engouffre dans le village, défonçant les murs, brisant les vitres, arrachant les arbres.

Puis il se déverse dans la rivière.

Le glissement de terrain a dessiné une large coulée rouge de terre et de roche à travers la communauté avant de rejoindre la rivière. Le niveau de l'eau monte, elle risque de déborder. Effaré, je vois les autres s'enfuir de la maison et courir sur le sentier.

Je me précipite pour aider Hunter à porter le bateau. C'est pour elle. Pour rejoindre le Soulèvement. Puisque c'est ce qu'elle veut, je vais l'aider.

CHAPITRE 42
CASSIA

Quand nous quittons la communauté, c'est la débâcle. On glisse, on dérape, on tombe. Il faut sans cesse se relever pour retomber à nouveau. Le temps de trouver une grotte assez vaste pour nous abriter, nous sommes couverts de boue. Et encore, il faut laisser le bateau dehors. J'entends la pluie marteler le plastique. Nous n'avons même pas atteint la grotte aux murs peints ; celle-ci est minuscule, jonchée de pierres et de débris divers.

Nous nous regardons, nos sacs à nos pieds, trop essouf-flés pour parler. C'était tellement pénible de patauger dans la boue avec ce fardeau sur le dos. De plus en plus lourd à chaque pas. J'ai dû résister à l'envie de jeter la nourriture, l'eau, même les livres. Je me tourne vers Indie. La première fois que nous avons fait ce trajet, j'étais malade, c'est elle qui a porté mon sac la majeure partie du temps.

Je chuchote :

– Merci.

– Pour quoi ? me demande-t-elle, surprise.

– De t'être chargée de mes affaires, à l'aller.

Ky lève la tête pour me regarder. C'est la première fois qu'il ose le faire depuis notre dispute. Ça me fait du bien de voir à nouveau ses yeux. Dans la pénombre de la grotte, ils paraissent noirs.

– Il faut qu'on parle, décrète Hunter.

Il a raison. Nous sommes tous conscients, sans l'avoir dit clairement, que nous ne tiendrons pas tous dans le bateau.

– Qui veut faire quoi ? demande-t-il.

– Je vais rejoindre le Soulèvement, réplique aussitôt Indie.

Eli secoue la tête. Il n'a pas encore pris de décision et je le comprends. Nous avons tous les deux envie de rejoindre le Soulèvement, mais Ky s'en méfie. Et malgré l'histoire de la carte, nous avons toujours tous les deux confiance en lui.

– Moi, je veux rejoindre les autres Fermiers, annonce Hunter.

– Pourquoi nous aider alors que vous pourriez y aller sans nous ?

– C'est moi qui ai cassé les tubes. La Société ne se serait sûrement pas lancée si vite à vos trousses sans ça.

Il n'a beau avoir que quelques années de plus que nous, il est beaucoup plus mûr. Peut-être est-ce le fait d'avoir eu un enfant, ou d'avoir vécu dans un environnement aussi hostile. En aurait-il été de même s'il avait vécu dans le carcan confortable de la Société ? Qui sait ?

– Je vous aide à porter le bateau et je profite de vos provisions, c'est donnant ; donnant, ajoute-t-il. Il est dans notre intérêt de nous entraider jusqu'à la sortie du Labyrinthe. Après, chacun partira de son côté.

Ky ne dit rien.

La pluie qui tombe dehors me rappelle l'histoire qu'il m'avait confiée à Oria. « Quand il pleut, je me souviens », avait-il écrit. Je m'étais promis de m'en souvenir également. C'est ce jour-là qu'il m'avait expliqué comment troquer les poèmes. Il n'avait pas tenté de me détourner de celui de Tennyson, sachant pourtant qu'il pourrait me conduire à découvrir le Soulèvement. Il m'avait laissée libre – d'échanger ce que je souhaitais, de faire ce que je voulais avec ce que j'allais trouver.

Je lui demande à voix basse :

– Pourquoi voues-tu une telle haine au Soulèvement, Ky ?

J'aimerais mieux ne pas le questionner devant tout le monde, mais je n'ai pas le choix.

– Je dois décider où aller. Et pareil pour Eli. Ça nous aiderait si tu nous expliquais pourquoi tu détestes autant le mouvement.

Ky baisse les yeux. Je revois le dessin qu'il m'avait donné, celui où il tenait les mots « père » et « mère » dans ses mains.

– Ils ne sont jamais venus nous aider. Avec le Soulèvement, la rébellion finit dans le sang. Et celui qui a la chance de survivre est devenu un autre, déclare-t-il.

– Mais c'est l'Ennemi qui a tué tes parents, fait valoir Indie. Pas le Soulèvement.

– Je ne leur fais aucune confiance, insiste-t-il. Contrairement à mon père.

Elle se tourne vers Hunter.

– Et vous?

– Je ne sais pas, répond-il. Je n'ai pas eu affaire au Soulèvement depuis la dernière fois qu'ils sont venus dans le canyon, il y a des années.

Nous nous penchons tous pour mieux l'écouter, y compris Ky.

– Ils nous ont dit qu'ils avaient réussi à s'infiltrer partout, dans la Société, même à Central, et ils ont essayé de nous convaincre de les rejoindre.

Un sourire se dessine sur ses lèvres.

– Mais Anna était trop butée. Cela fait des générations que nous menons une vie indépendante et elle a estimé qu'il fallait continuer ainsi.

– Ce sont eux qui vous ont apporté les brochures? intervient Ky.

Hunter acquiesce.

– Et la carte également. Ils espéraient qu'on changerait d'avis, qu'on finirait par se joindre à eux.

– Comment avez-vous fait pour déchiffrer leur code? le questionne Indie.

– C'est notre code, en fait. Nous nous en servions parfois dans la communauté pour éviter qu'un étranger nous comprenne

Il tire de son sac l'une des lampes frontales. Dehors, la nuit est tombée.

– Des jeunes de chez nous partis les rejoindre leur avaient appris le code.

Il l'allume et la pose au milieu du cercle pour nous éclairer.

– Les Fermiers n'ont jamais adhéré en masse au Soulèvement ; cependant, de temps à autre, certains d'entre nous les rejoignent. Moi-même, j'ai essayé, autrefois.

– C'est vrai ? je m'étonne.

– Mais je ne suis pas allé au bout. J'ai fait demi-tour au milieu de la plaine et je suis revenu.

– Pourquoi ?

– À cause de Catherine, répond-il d'une voix rauque, la mère de Sarah. Nous n'avions pas encore d'enfant à l'époque, évidemment. Mais Catherine ne pouvait pas quitter la communauté, et moi, je ne voulais pas la quitter.

– Et pour quelle raison devait-elle rester ?

– Elle devait prendre la succession d'Anna. C'était sa fille, elles étaient pareilles. À la mort d'Anna, nous étions censés voter pour accepter sa fille aînée comme chef. Nous aurions tous dit oui. Tout le monde adorait Catherine. Mais elle est morte en donnant naissance à Sarah.

La lueur vacillante de la lampe frontale éclaire nos bottes boueuses alors que nos visages sont plongés dans l'ombre. Je l'entends sortir quelque chose de son sac.

Stupéfaite, je constate :

– Anna vous a abandonnés. Elle a abandonné sa petite-fille...

– Elle n'avait pas le choix. Elle avait d'autres enfants, d'autres petits-enfants. Une communauté à diriger.

Il s'interrompt un instant.

– Vous voyez pourquoi je ne veux pas juger trop sévèrement le Soulèvement. Ils font passer l'intérêt du groupe avant tout. Nous ne pouvons pas le leur reprocher alors que nous avons fait pareil.

– C'est différent, affirme Ky. Vous êtes installés ici depuis les débuts de la Société, tandis que différents mouvements de rébellion se sont succédé.

– Comment avez-vous fait pour échapper à la Société ? demande Indie, fascinée.

– Ils nous ont laissés partir.

Tout en nous racontant son histoire, Hunter trace des lignes bleues sur ses bras avec la craie qu'il a prise dans son sac.

– N'oubliez pas qu'à l'époque, les gens ont choisi la Société et ses règles dans le but d'éviter le Réchauffement et d'éradiquer les maladies. Nous n'étions pas d'accord, alors nous sommes partis. Comme nous ne voulions pas faire partie de la Société, nous ne pouvions bénéficier de ses avantages et de sa protection. Nous devions produire nous-mêmes de quoi subvenir à nos besoins et ils s'engageaient à nous laisser tranquilles. Ce qu'ils ont fait durant très longtemps. Quant à ceux qui s'aventuraient par ici, nous les abattions. Lorsqu'il y avait encore des habitants dans les Provinces lointaines, ils venaient parfois nous demander de l'aide. Ils nous racontaient qu'ils avaient été exilés parce qu'ils n'étaient pas tombés amoureux de la bonne personne ou avaient réclamé un poste de travail différent de celui qu'on leur avait attribué. Alors ils venaient nous rejoindre. Certains voulaient juste faire du troc. Après la sélection des Cent, nos documents et nos livres ont pris une valeur inestimable.

Il soupire.

– Il y a toujours eu des gens comme les Archivistes. Et je suis sûr qu'il en existe encore. Mais comme il n'y avait plus personne dans les Provinces lointaines, nous nous sommes retrouvés isolés.

– Qu'est-ce que vous troquiez? s'étonne Eli. Vous avez tout ce qu'il vous faut dans ce canyon.

– Non, pas du tout. Les médicaments de la Société sont plus efficaces, par exemple. Nous avions besoin de pas mal de choses.

– Mais si vos documents ont autant de valeur, pourquoi les avoir laissés dans la grotte?

– Il y en a trop. Nous ne pouvions pas tout prendre. Chacun a choisi les livres qu'il voulait, arrachant même parfois seulement quelques pages. Mais impossible de tout emporter. Voilà pourquoi j'ai condamné l'accès à la grotte, afin d'éviter que la Société ne détruise ou ne confisque le reste.

Alors qu'il range la craie dans son sac, je demande:

– Que signifient ces dessins sur vos bras?

– Ça te fait penser à quoi ?

– Des rivières… des veines…

Il acquiesce, intéressé.

– Oui, on peut dire ça.

J'insiste :

– Mais pour vous, ça représente quoi ?

– Un réseau.

Je secoue la tête sans comprendre.

– Ce qui nous lie, nous relie. En général, pour les dessiner, nous procédons comme ça.

Il tend le bras de sorte que nos doigts se frôlent. Je sursaute, surprise, mais je ne recule pas. Il commence un trait sur sa main avant de passer sur la mienne et de remonter le long de mon bras.

Je le dévisage pendant qu'il explique :

– Après, c'est à ton tour de tracer la ligne, puis de poursuivre sur quelqu'un d'autre et ainsi de suite.

Et si la ligne est interrompue ? ai-je envie de demander. *Par exemple, lorsque votre fille est morte ?*

– S'il n'y a personne pour continuer la ligne, on fait comme ça.

Quand il pose sa main à plat contre la paroi rocheuse, j'imagine toute une série de petites fissures partant du point de contact.

– On se connecte à quelque chose.

Je rétorque :

– Sauf que le Labyrinthe s'en moque. Les canyons n'en ont rien à faire.

– C'est vrai, mais on est connectés quand même.

– J'ai emporté ça, dis-je en fouillant dans mon sac, un peu intimidée. Je me demandais si vous le vouliez.

C'est le poème dont il a gravé un vers sur la tombe de Sarah.

Hunter lit la page à voix haute :

Ils sont tombés comme des Flocons –
Ils sont tombés comme des étoiles –
Comme les Pétales d'une Rose
Quand soudain au beau milieu de Juin
Passe un vent – pourvu de doigts –

Il s'interrompt.

– C'est ce qui nous est arrivé dans les villages, remarque Eli. Les gars mouraient comme ça. Ils tombaient comme des étoiles.

Ky se prend la tête entre les mains tandis que Hunter poursuit sa lecture :

Ils ont péri dans l'Herbe étale –
Nul œil ne peut trouver l'endroit –
Mais Dieu peut invoquer chaque visage
Sur sa Liste – Inaliénable –*

– Certains d'entre nous croyaient qu'il existait une

* NdT : Emily Dickinson, cité plus haut.

autre vie, après la mort. Catherine, par exemple. Et Sarah aussi.

– Mais pas vous, complète Indie.

– Non, mais je ne l'ai jamais avoué à Sarah. Comment aurais-je pu lui ôter cet espoir ? Elle était tout pour moi.

Il avale sa salive

– Chaque soir, je restais auprès d'elle en attendant qu'elle s'endorme.

Les larmes roulent sur ses joues, comme l'autre fois dans la bibliothèque. Et comme l'autre fois, il les ignore.

– Je devais ôter mon bras tout doucement. Redresser ma tête enfouie dans son cou en retenant mon souffle pour ne pas lui ébouriffer les cheveux. Je me relevais tout doucement pour qu'elle ne se rende pas compte que j'étais parti. Je l'accompagnais aux portes du sommeil. Dans la Caverne, j'avais envie de tout casser puis de me laisser mourir dans l'obscurité. Mais je n'ai pas pu m'y résoudre.

Il baisse les yeux vers la page afin de relire le vers qu'il a gravé pour sa fille :

– Quand soudain au beau milieu de Juin
Passe un vent – pourvu de doigts –

Il récite d'une voix presque chantante, douce et triste
Puis il se relève pour ranger la feuille dans son sac
– Je vais voir s'il pleut toujours, annonce-t-il en quittant la grotte.

Lorsqu'il revient, tout le monde s'est endormi, à part Ky et moi. J'entends Ky respirer, à côté d'Eli. Nous sommes tous tellement serrés les uns contre les autres qu'il me suffirait de tendre le bras pour lui prendre la main, mais je ne bouge pas. C'est étrange de faire route ensemble alors qu'une telle distance nous sépare. Je ne peux pas oublier ce qu'il a fait. Ni ce que j'ai fait d'ailleurs. Pourquoi l'ai-je intégré dans mon classement?

Hunter s'accroupit à l'entrée de la grotte. Je regrette de lui avoir donné ce poème. Je ne voulais pas lui faire de peine.

Si je mourais ici et maintenant, je me demande ce que je voudrais qu'on grave sur la paroi rocheuse.

Quelle épitaphe aurait choisie grand-père?

N'entre pas sans violence

ou bien

J'espère voir mon Pilote face à face

Mon grand-père qui me connaissait mieux que quiconque est devenu un mystère pour moi.

Tout comme Ky.

Je repense tout à coup à cette séance de projection où il a souffert en silence, où il a pleuré au milieu de nos rires.

Je ferme les yeux. Je l'aime. Mais je ne le comprends pas. Il ne me laisse pas l'atteindre. J'ai commis des erreurs, moi aussi, j'en suis consciente, mais je suis lasse de le pourchasser à travers plaines et canyons, de lui tendre la main sans savoir si, cette fois, il daignera la prendre ou non. Peut-être est-ce simplement à cause de son statut d'Aberration. Peut-être que même la Société ne peut prévoir ses réactions.

Qui a bien pu intégrer Ky dans le panel de couplage?

Mon Officielle a prétendu qu'elle était au courant, mais c'est faux. Peu importe, j'ai fait mon choix : je l'aime. C'est moi qui ai décidé de partir à sa recherche. Malgré tout, la question me taraude.

Qui cela peut-il bien être? J'ai pensé à Patrick. Aida.

Soudain, une nouvelle idée me vient à l'esprit. La plus folle, la plus incroyable, la plus plausible d'entre toutes : et si c'était Ky lui-même?

J'ignore comment il aurait pu s'y prendre, mais je ne sais pas non plus comment Xander a pu se débrouiller pour glisser les papiers à l'intérieur de la plaquette de comprimés. L'amour rend possible l'impossible. J'essaie de me rappeler les propos de Ky au sujet du panel de couplage et de l'erreur sur ma microcarte. N'a-t-il pas dit que peu importait qui avait introduit son nom, du moment que je l'aimais?

Je n'ai jamais su la fin de son histoire.

Mieux vaut n'en connaître que certains épisodes. L'histoire entière est sans doute trop pour une seule personne – que ce soit l'histoire d'une Société, d'une rébellion ou d'un individu.

Est-ce cela qu'il ressent? A-t-il l'impression que personne ne veut connaître toute son histoire? Que sa vérité est trop lourde à porter?

CHAPITRE 43
KY

Tout le monde dort.

Si je voulais m'enfuir, ce serait le bon moment.

Un jour, Cassia m'a dit qu'elle voulait écrire un poème pour moi. A-t-elle seulement été plus loin que le premier vers ? Comment finit-il ?

Elle a pleuré avant de sombrer dans le sommeil. J'ai tendu la main pour effleurer ses cheveux. Elle n'a rien remarqué. Je ne savais pas quoi faire. Ça me brisait le cœur de l'entendre. Je sentais les larmes ruisseler sur mes joues également. Et quand j'ai, sans le faire exprès, frôlé le visage d'Eli, j'ai senti qu'il était mouillé aussi.

Nous sommes tous ravagés par nos peines. Profondément marqués comme les parois du canyon.

Je voyais mes parents s'embrasser sans arrêt. Je me souviens d'un jour où mon père venait de rentrer des canyons. Ma mère était en train de peindre. Il s'est approché par-derrière. Elle a ri en lui donnant un coup de pinceau mouillé sur la joue, laissant une trace brillante. Lorsqu'ils se sont embrassés, elle l'a serré dans ses bras et a lâché son pinceau.

C'était gentil de la part de mon père d'envoyer cette page aux Markham. Sans ça, Patrick n'aurait jamais entendu parler des Archivistes et n'aurait pas pu me dire comment entrer en contact avec eux. Nous n'aurions jamais eu le vieux scripteur. Je n'aurais pas appris à classer les informations ni à faire du troc. Je n'aurais pas pu offrir à Cassia son poème d'anniversaire.

Je ne peux pas laisser mes parents sombrer dans l'oubli.

En prenant garde à ne marcher sur personne, je tâtonne jusqu'à l'entrée de la grotte. Je trouve rapidement ce que je cherche dans mon sac : les pots de peinture qu'Eli a déni-chés pour moi, et un pinceau.

Je les ouvre un à un avant de les aligner. Puis je tends la main pour vérifier que la paroi est bien devant moi.

Alors, je trempe le pinceau dans un pot et je fais un trait sur le mur. Je sens quelques gouttes de peinture s'écraser sur mon visage.

Je peins le monde avec mes parents au milieu, en atten-dant que le jour se lève. Ma mère. Mon père. Elle est en train d'admirer le soleil couchant. Il apprend à écrire à un enfant, peut-être moi. Dans le noir, je ne peux pas savoir.

Je peins la rivière de Vick. Et pour finir, je peins Cassia.

Jusqu'à quel point doit-on se dévoiler aux gens qu'on aime ?

Quels aspects de ma vie dois-je dénuder, exhiber et étaler devant elle? N'est-ce pas suffisant de lui avoir montré le chemin jusqu'au vrai moi?

Dois-je lui avouer que parfois, à Oria, j'étais jaloux, amer, de me sentir si différent? Que j'enviais Xander et tous les garçons qui pouvaient continuer leurs études et avaient une chance de devenir son Promis?

Dois-je lui raconter le soir où j'ai abandonné tous les gars du village pour m'enfuir avec Eli et Vick? Vick parce que je savais qu'il pouvait nous aider à survivre. Eli pour apaiser ma culpabilité.

Comment lui avouer la vérité alors que je n'ose pas me l'avouer à moi-même?

Mes mains se mettent à trembler.

Le jour où mes parents sont morts, j'étais seul sur le plateau. J'ai vu le feu tomber du ciel. Après, j'ai couru les retrouver. Jusque-là, c'est la vérité.

En découvrant les premiers cadavres, j'ai eu la nausée. J'ai vomi. Puis j'ai constaté que certaines choses avaient survécu. Pas des gens, des objets. Ici, une chaussure. Là, un repas intact dans sa barquette en aluminium. Un pinceau aux poils tout neufs. Je l'ai ramassé.

Maintenant, je me souviens. Que je me suis menti depuis le début.

Après avoir ramassé le pinceau, cherché et trouvé mes parents morts, gisant à terre, je n'ai pas essayé de les prendre dans mes bras. Je ne les ai pas enterrés.

En les voyant, j'ai pris la fuite.

CHAPITRE 44
CASSIA

Je suis la première réveillée. Un rayon de soleil filtre par l'entrée de la grotte. Je jette un coup d'œil aux autres, surprise qu'ils n'aient rien remarqué. Il fait clair, la pluie s'est arrêtée.

En regardant Ky, Eli et Hunter, je pense à toutes les blessures invisibles qui nous font souffrir. Dans notre cœur, notre tête, notre chair. *Et malgré tout, nous sommes toujours debout. Qu'est-ce qui nous fait tenir ?*

Lorsque je sors de la grotte, la lumière m'éblouit. Je mets ma main en visière, comme Ky, pour me protéger du soleil. Quand je la baisse, j'ai l'impression d'avoir laissé une empreinte, une traînée sombre dans le ciel. Mais, soudain, les lignes ondulées s'agitent, tournoient, je m'aperçois que ce n'est pas la trace de mes doigts mais une nuée d'oiseaux, minuscules, qui me narguent, si haut, si loin. Quelle bêtise d'avoir pensé que je pouvais toucher le ciel !

En retournant à l'intérieur réveiller les autres, je me fige sur le seuil, le souffle coupé.

Pendant qu'on dormait, il a peint. À grands traits légers, hâtifs, légèrement dégoulinants.

Il a couvert le fond de la grotte d'une pluie d'étoiles. Il a bâti un monde de rochers, d'arbres et de collines. Il a aussi fait une rivière, tour à tour morte et vivante, bordée d'empreintes de pas. Et une tombe avec un poisson de pierre dont les écailles ne reflètent pas la lumière.

Au milieu, il a représenté ses parents.

Dans l'obscurité, il ne voyait rien. Les scènes se chevauchent et se mélangent. Parfois les couleurs sont étranges. Un ciel vert, des pierres bleues. Et moi, debout avec ma robe.

Il l'a peinte en rouge.

CHAPITRE 45
KY

Chauffé par le soleil, le bateau est devenu brûlant. Je peux à peine le toucher. Pourvu qu'elle ne remarque pas mes mains rougies. Je veux oublier le jour où elle a dû me classer. Ce qui est fait est fait. Il faut aller de l'avant.

J'espère qu'elle est du même avis, je n'ose pas lui demander. Au début, je ne peux pas, parce que nous marchons en file indienne et que tout le monde m'entendrait. Ensuite, je suis trop fatigué pour trouver les mots. Cassia, Indie et Eli ont beau porter mon sac et celui de Hunter, j'ai mal partout.

Les nuages s'amoncellent à l'horizon, le soleil se voile.

Je ne sais pas ce qui serait préférable – un temps sec ou pluvieux. La pluie nous ralentirait, mais elle effacerait nos empreintes. Notre survie ne tient qu'à un fil, pourtant j'ai fait de mon mieux pour que Cassia ait toutes les chances de son côté. C'est pour ça que j'ai pris ce bateau.

Parfois, il nous est même utile sur la terre ferme.

Lorsque le sentier est trop boueux, nous posons le canot par terre et traversons la flaque en marchant dessus avant de le reprendre. Ça laisse de longues traces étroites sur le chemin. Si je n'étais pas aussi fatigué, je sourirais. Que va s'imaginer la Société en voyant ces marques ? Qu'un énorme engin est venu se poser ici et nous a emportés hors du Labyrinthe ?

Ce soir, nous camperons et je lui parlerai. D'ici là, je saurai quoi dire. Mais pour l'instant, je suis trop épuisé pour trouver les mots qui pourraient tout arranger.

Nous rattrapons le temps que nous avons perdu la veille. Pas un instant de repos. Nous avançons sans relâche, avalant une gorgée d'eau, un morceau de pain tout en marchant. Nous sommes presque sortis du Labyrinthe lorsque le ciel s'assombrit. Le jour baisse, il recommence à pleuvoir.

Hunter s'arrête, posant son côté du bateau par terre. Je l'imite. Il se retourne vers le Labyrinthe.

– On devrait partir chacun de son côté, maintenant.

– Mais il fait presque nuit, objecte Eli.

Hunter secoue la tête.

– Notre temps est compté. Quand ils auront découvert ce qui s'est passé dans la Caverne, ils risquent de ressortir sur le plateau et de nous repérer. Et s'ils ont des miniports, ils pourront appeler des renforts pour nous coincer sur la plaine.

– Ou est le nôtre, d'ailleurs ? je demande.

– Je l'ai jeté dans la rivière avant de quitter la communauté m'informe Cassia.

Indie étouffe un cri de surprise.

– Tu as bien fait, approuve Hunter. Il ne faut pas qu'ils puissent nous pister.

Eli frissonne.

– Ça va? s'inquiète Cassia. Tu peux continuer?

– Oui, je pense, répond-il en me regardant. Tu crois que je devrais?

J'acquiesce.

– Oui, ça vaut mieux.

– On a les lampes frontales, ajoute Indie.

– Alors en route! fait Cassia en nous aidant à soulever le bateau.

Nous nous dépêchons d'atteindre le rivage. Je sens des pierres sous mes pieds. Je me demande sur laquelle j'ai gravé un poisson pour Vick. Dans le noir, tout se ressemble, je ne sais plus trop où il est enterré.

Mais je sais ce qu'il aurait fait s'il était encore là.

Tout ce qui aurait pu le rapprocher de Laney.

Dans les arbres, à la lueur d'une lampe frontale, Hunter et moi, nous ouvrons le bateau et actionnons la pompe. Il prend rapidement forme.

– C'est un canot deux places, explique-t-il. S'il y en a d'autres qui veulent rejoindre le Soulèvement, ils devront suivre la rivière à pied. Ce sera beaucoup plus long.

On entend l'air siffler dans le boudin en plastique.

Je me tiens parfaitement immobile.

La pluie tombe à nouveau, pure et glacée. Rien à voir avec l'orage d'hier – c'est juste une averse, pas le déluge. Il n'y en a pas pour longtemps.

« Quelque part, là-haut, cette eau, c'est de la neige », disait souvent ma mère en ouvrant grand sa main pour attraper les gouttes.

Je pense à ses peintures, qui séchaient si vite.

– Quelque part, là-haut, cette eau n'est rien du tout, dis-je à voix haute en espérant qu'elle m'entend. Elle est plus légère que l'air.

Cassia se tourne vers moi.

J'imagine les gouttes qui s'écrasent sur les écailles du poisson de pierre que j'ai sculpté pour Vick. *Chaque goutte purifie la rivière*, me dis-je en tendant les bras, paumes vers le ciel. Je n'essaie pas d'attraper les gouttes ni de les retenir. Elles font une tache sur ma peau et je les laisse couler, rouler, filer.

Je les laisse filer. Les souvenirs. Mes parents. La douleur. Ce qui leur est arrivé. Ce que je n'ai pas eu le courage de faire. Tous les gens que je n'ai pas pu sauver ou enterrer. Ma jalousie envers Xander. La culpabilité, pour Vick. Les regrets. Ce que je ne pourrai jamais être, ce que je n'ai jamais été.

Laisser filer tout ça.

J'ignore si j'en suis capable, mais ça fait du bien d'essayer. Alors je laisse la pluie cingler la paume de mes mains. Couler entre mes doigts, tomber dans la terre. *Chaque goutte me purifie*. Je renverse la tête en arrière pour tenter de m'offrir tout entier à la pluie.

C'est à cause de mon père que tous ces gens sont morts. Mais il a aussi rendu leur vie plus supportable. Il leur a donné l'espoir. Je pensais que ça n'avait pas d'importance. J'ai changé d'avis.

Le bien. Le mal. Il y a du bien chez mon père, et du mal chez moi. Même une pluie de feu ne pourrait le consumer. Il faut que je m'en débarrasse moi-même.

– Je suis désolé, Cassia, dis-je. Je n'aurais jamais dû te mentir.

– Moi aussi, je suis désolée. Je me suis trompée en te classant.

Nous nous dévisageons sous la pluie.

– C'est ton bateau, Ky. À toi de décider qui monte dedans, me lance Indie.

– Je l'ai troqué pour toi, Cassia. À toi de choisir qui t'accompagne.

Je me sens comme à la veille du Banquet de couplage. Je ne suis plus qu'attente. Je me demande si ce que j'ai fait suffira pour qu'elle me voie à nouveau.

CHAPITRE 46
CASSIA

– Ky, dis-je. Je ne veux pas décider pour les autres. Ce serait comme tenter de les classer.

Comment peut-il me demander ça?

– Dépêche-toi, me presse Indie.

– Tu as fait le bon choix, la dernière fois. Je suis chez moi ici.

C'est vrai. Il a raison. Et même si j'ai dû endurer le pire pour le retrouver, ça m'a rendue plus forte.

Je ferme les yeux pour identifier les facteurs qui entrent en jeu.

Hunter veut prendre le chemin des montagnes, pas la rivière
Eli est le plus jeune.
Indie sait manœuvrer un bateau.
J'aime Ky.

Qui va venir avec moi?

Cette fois, c'est plus facile, parce qu'il n'y a qu'un choix, qu'une configuration qui me semble juste.

– Il faut y aller, annonce Hunter. Qui as-tu choisi ?

Je regarde Ky, espérant qu'il comprendra. Je sais que oui. Il aurait fait pareil.

– Eli, dis-je.

CHAPITRE 47
KY

– Moi ? s'étonne Eli. Et Ky, alors ?

– Toi et Indie, répond Cassia. Pas moi.

Indie lève la tête, surprise.

– Il faut quelqu'un pour accompagner Eli, explique Cassia. Seuls Hunter et Indie savent manœuvrer un bateau. Or Hunter veut partir dans les montagnes.

Hunter se penche vers le canot.

– Il est presque prêt.

– C'est le moyen le plus rapide d'emmener Eli dans un endroit sûr, reprend Cassia. Tu en es capable, n'est-ce pas, Indie ?

– Oui, je peux le faire, affirme-t-elle sans la moindre note de doute dans la voix.

Hunter la met en garde :

– Une rivière, ce n'est pas pareil que la mer.

– Nous avions des rivières qui se jetaient dans la mer, réplique-t-elle en prenant l'une des pagaies empaquetées dans le canot pour l'assembler. C'est là que je m'entraînais, la nuit. La Société ne m'a jamais surprise avant que j'aille sur l'océan.

– Attendez, intervient Eli.

Nous nous tournons tous vers lui. Il relève le menton pour me fixer d'un air grave, solennel, et décréter :

– Je veux traverser la plaine. C'est ce que tu voulais au départ.

Hunter le dévisage, stupéfait. Eli risque de le ralentir, mais il n'est pas du genre à laisser quelqu'un sur le bord de la route.

– Je peux vous accompagner ? supplie Eli. Je marcherai aussi vite que possible.

– D'accord, mais il faut partir tout de suite, alors.

Je serre Eli dans mes bras.

– On se reverra, dit-il. Je le sais.

– C'est sûr, je réponds.

Je ne devrais pas faire ce type de promesse. Lorsque je croise le regard de Hunter au-dessus de sa tête, je me demande s'il a promis la même chose à Sarah en lui disant au revoir.

Eli essuie ses larmes avant de se jeter au cou de Cassia, puis d'Indie, qui paraît surprise. Enfin il se redresse et décrète :

– Je suis prêt. Allons-y.

– J'espère que nous nous retrouverons un jour, nous dit Hunter.

Quand il lève la main pour nous saluer, à la lumière

de sa lampe frontale, je distingue les tatouages bleus le long de son bras. Nous nous faisons face un instant, puis Hunter tourne les talons et Eli l'imite. Je suis des yeux la lueur de leurs lampes à travers les arbres jusqu'à ce qu'ils disparaissent.

– Eli va bien s'en tirer, pas vrai ? demande Cassia.

– Il a fait son choix, dis-je.

– Je sais, murmure-t-elle, mais c'était un peu précipité.

C'est vrai. Comme le jour où ils sont venus me chercher à Oria. Et celui où mes parents sont morts. Et pareil pour Vick. Les adieux, c'est comme ça. On ne peut pas toujours marquer comme on le souhaiterait le moment de la séparation – si douloureuse qu'elle soit.

Indie ôte sa veste et, d'un geste vif et assuré, découpe la toile avec son couteau de pierre. Elle jette le disque qui se trouve à l'intérieur avant de se tourner vers moi.

– Eli a fait son choix. Et toi, qu'as-tu décidé ?

Cassia me regarde. D'un revers de main, elle chasse les larmes et la pluie qui dégoulinent sur son visage.

– Je vais suivre la rivière, dis-je. Je n'irai pas aussi vite que vous deux dans le bateau, mais je vous retrouve là-bas.

– Tu es sûr ? murmure-t-elle.

Sûr et certain.

– Tu es venue jusqu'ici pour me retrouver, le moins que je puisse faire c'est de t'accompagner jusqu'au Soulèvement.

CHAPITRE 48
CASSIA

La pluie se change en neige. Et j'ai l'impression que nous ne sommes pas au bout du chemin. Nous nous cherchons l'un l'autre. Nous cherchons encore qui nous sommes. Je le regarde, sachant que je ne verrai jamais au fond de lui, j'en suis consciente maintenant. Mais ça ne change rien à mon choix.

– C'est difficile de faire le chemin, dis-je d'une voix étranglée.

– Quel chemin ? demande-t-il.

– Jusqu'à celle que je dois être.

Nous nous mettons en route.

Nous nous sommes trompés tous les deux. Nous allons tous les deux essayer de réparer nos erreurs. Nous ne pouvons rien faire de plus.

Ky se penche pour m'embrasser, en gardant les bras le long du corps.

Surprise, je m'écarte légèrement

– Tu ne me prends pas dans tes bras?

Il rit en me montrant ses mains. Elles sont couvertes de terre, de peinture et de sang.

Je prends sa main dans la mienne. Paume contre paume. Je sens la terre granuleuse, la peinture poisseuse, les coupures et les égratignures qui racontent son voyage.

– Ça va partir, tout ça, je le rassure.

CHAPITRE 49
KY

Lorsque je l'attire contre moi, elle se laisse faire, répondant avec chaleur à mon étreinte. Mais, soudain, elle tressaille légèrement et s'écarte.

– Désolée, dit-elle. J'allais oublier.

Elle tire une éprouvette de sa tunique. Devant mon expression choquée, elle s'excuse :

– Je n'ai pas pu m'en empêcher.

Elle me montre le tube pour se justifier. Il scintille à la lueur de nos lampes frontales, j'ai du mal à lire le nom gravé : REYES, SAMUEL. Son grand-père.

– Quand Hunter s'est énervé, j'ai profité que tous les regards étaient fixés sur lui pour le prendre.

– Eli aussi en a volé un. Il me l'a donné.

– Et c'est qui ? me questionne Cassia.

Je jette un regard vers Indie. Elle pourrait s'enfuir avec le canot en laissant Cassia sur la rive, mais je sais qu'elle ne le fera pas. Pas cette fois. Pour celui qui veut aller au même endroit qu'elle, on ne peut pas trouver meilleur pilote. Elle portera votre sac, vous aidera dans les passages difficiles. Elle se tient parfaitement immobile sous les arbres, à côté du bateau, nous tournant le dos.

– Vick, dis-je.

Au début, ça m'a surpris qu'il n'ait pas choisi ses parents. Puis je me suis souvenu que, non, ils n'étaient pas là. Eli et sa famille sont classés Aberrations depuis des années. Vick avait dû être déclassé récemment pour que la Société n'ait pas eu le temps d'enlever son tube.

– Eli a confiance en toi, dit-elle.

– Je sais.

– Moi aussi, reprend-elle. Qu'est-ce que tu vas en faire ?

– Le cacher. Jusqu'à ce que je sache qui stocke ces éprouvettes et pourquoi. Jusqu'à ce que je sois sûr qu'on peut se fier au Soulèvement.

– Et les livres qu'on a pris dans la grotte des Fermiers ?

– Pareil. Je vais chercher un endroit pour les mettre à l'abri le long du chemin.

Après un silence, j'ajoute :

– Tu veux que je cache aussi tes affaires ? Je ferai en sorte de te les rendre en parfait état.

– Ce n'est pas trop lourd ?

– Non.

Elle me tend le tube puis tire de son sac la liasse de papiers qu'elle a pris dans la grotte.

– Tout ça, ce n'est pas de moi, dit-elle d'une voix pleine de regrets, mais un jour, j'écrirai.

Elle pose la main sur ma joue.

– Tu veux bien me raconter la suite de ton histoire, maintenant? Ou tu préfères quand on se retrouvera?

– Ma mère... Mon père...

Je ferme les yeux. J'essaie d'expliquer, mais ce que je dis n'a aucun sens. Ce n'est qu'une suite de mots décousus...

Quand mes parents sont morts, je n'ai rien fait

Alors je voulais

Je voulais faire

Je voulais faire

– Quelque chose, complète-t-elle avec douceur.

Elle prend ma main dans la sienne et la retourne pour contempler le mélange de terre, de peinture et de sang que la pluie n'a pas encore nettoyé.

– Tu as raison. On ne peut pas passer sa vie à ne rien faire. Mais, Ky, tu as fait quelque chose quand tes parents sont morts. Je me souviens de ton dessin. Tu as essayé de les porter.

D'une voix brisée, j'avoue:

– Non, je me suis enfui en les laissant où ils étaient.

Elle me prend dans ses bras pour me murmurer à l'oreille. Des mots rien que pour moi – *Je t'aime*, tout un poème –, pour me réchauffer alors qu'il fait si froid. Avec ces mots, elle me redonne vie. De cendre et de poussière, je redeviens chair et sang.

CHAPITRE 50
CASSIA

— *N'entre pas sans violence*, lui dis-je une dernière fois.

Ky sourit. Un sourire que je ne lui ai jamais vu. Un sourire audacieux, téméraire, qui convaincrait quiconque de le suivre à travers flammes ou déluge.

— Il n'y a pas de risque, me répond-il.

Je prends son visage entre mes mains, j'effleure ses paupières du bout des doigts, nos lèvres se rejoignent. Je dépose un baiser sur ses pommettes. Ses larmes ont le goût salé de la mer, je ne vois plus le rivage.

Il s'est engouffré sous les arbres et je suis sur l'eau, notre temps était compté.

— Fais ce que je te dis, m'ordonne Indie en me mettant une rame entre les mains.

La rivière fait un tel bruit qu'elle est obligée de crier.

— Quand je dis «gauche», donne un coup de rame à

gauche. Quand je dis «droite», coup de rame à droite. Quand je te dis de te pencher, tu obéis immédiatement.

Le faisceau de sa frontale m'éblouit, je suis soulagée lorsqu'elle se tourne vers l'avant.

J'ai les larmes aux yeux. À cause de la lumière. Ou parce qu'il est parti.

– On y va! lance Indie.

Nous écartons le canot du rivage. La coque tangue légèrement avant de retrouver son équilibre, puis le courant l'emporte.

– Droite! hurle Indie.

Des flocons de neige constellent nos visages, petites étoiles blanches dansant dans la lueur de nos lampes.

– Si jamais on se retourne, surtout, cramponne-toi au bateau, ajoute-t-elle.

Elle est obligée d'aboyer des ordres brefs et précis. Elle doit analyser la situation et prendre la décision presque simultanément, avec l'eau qui lui gicle dans la figure, blanche, aveuglante, les branchages noirs du rivage qui nous cinglent, les arbres cassés qui menacent de nous tomber dessus.

Je l'imite, copiant le moindre de ses mouvements. Je ne comprends pas comment la Société a fait pour la rattraper sur l'océan. Aujourd'hui, sur cette rivière, le Pilote, c'est elle.

Les minutes, les heures passent, peu importe. Rien ne compte plus que le mouvement de l'eau, les cris d'Indie, les rames qui nous éclaboussent quand on change de côté.

À un moment, je lève les yeux, sentant que quelque chose se passe au-dessus de moi. Le jour arrive, il fait encore nuit, mais le ciel s'éclaircit sur les bords. Je ne réagis pas assez vite quand Indie m'ordonne de ramer à droite... le bateau se retourne. Nous sommes à l'eau.

Une eau noire, glacée, toxique, me submerge. Je ne vois rien, je ne fais que sentir : le froid, le courant, les bouts de bois qui me fouettent. Ça y est je meurs, quand soudain je sens un coup sur mon bras.

« Cramponne-toi au bateau. »

Mes doigts agrippent le plastique. Je trouve une prise, je m'y accroche. L'eau a un goût amer. Je crache, je me cramponne. Je suis sous la coque, piégée, mais à l'abri, dans une bulle d'air. Quelque chose m'écorche la jambe. Ma frontale s'est éteinte.

C'est comme dans la Caverne. Je suis prisonnière, mais en vie.

« Tu y arriveras », m'a assuré Ky, sauf qu'il n'est pas là aujourd'hui.

Soudain, je me souviens du jour où je l'ai rencontré, à la piscine quand, avec Xander, ils ont failli se noyer, et finalement ont refait surface.

Où est passée Indie ?

Le bateau dérive sur le bord, où le courant est moins fort.

Un rai de lumière m'éblouit. C'est Indie qui soulève la coque. Elle s'est cramponnée à l'extérieur du canot et, par chance, sa lampe fonctionne encore.

– Nous sommes dans un endroit plus tranquille, m'informe-t-elle. Mais ça ne va pas durer. Sors de là et pousse !

Je plonge pour émerger hors du bateau. L'eau est noire, calme, à cet endroit, la rivière est plus large.

– Tu n'as pas lâché ta pagaie, j'espère ?

À ma grande surprise, non. Je l'ai toujours à la main.

– On y va à trois ! annonce Indie.

Elle compte, et nous retournons le canot. Elle saute dedans, avec la vivacité d'un poisson, et attrape ma rame pour me hisser à l'intérieur.

– Tu t'en es bien tirée, me félicite-t-elle. Moi qui croyais m'être enfin débarrassée de toi.

Elle se met à rire, et moi aussi. Nous nous esclaffons en chœur, jusqu'à ce que nous reprenions le courant. Alors Indie pousse un cri, sauvage et triomphal, et je l'imite encore.

– C'est maintenant que ça se corse, m'annonce-t-elle alors que le soleil se lève.

Je sais qu'elle a raison. Le courant est toujours fort. On y voit mieux, mais nous sommes également visibles, et complètement épuisées. Par ici, les peupliers ont été étouffés par des arbustes plus minces, tortueux, gris-vert et hérissés d'épines.

– Il faut qu'on reste cachées dessous. Mais si on va trop vite et qu'on rentre dedans, on risque de crever le bateau.

Nous passons devant un immense peuplier mort, déraciné, éreinté par des années à se cramponner au rivage. *J'espère que Hunter et Eli sont arrivés dans les montagnes et que Ky est à l'abri des arbres.*

C'est alors que nous entendons un bruit venu du ciel.

Sans un mot, nous nous rapprochons du rivage. Indie tente de planter sa rame dans les ronces, mais elle glisse. Nous dérivons, je plonge ma rame dans l'eau pour nous repousser vers le bord.

Dans les airs, le dirigeable se rapproche.

Indie tend le bras pour agripper les ronces à mains nues. Tandis qu'elle se cramponne, je saute du bateau afin de le tirer vers la terre. J'entends les branches piquantes crisser contre le plastique. Pourvu qu'elles ne le crèvent pas. Indie lâche prise, les mains en sang. Nous retenons notre souffle.

Ils s'éloignent. Ils ne nous ont pas repérées.

– J'aurais bien besoin d'un comprimé vert, là, marmonne Indie.

Soulagée, j'éclate de rire.

Mais nous n'avons plus de comprimés, plus rien. Tout a été emporté par le courant lorsque le bateau s'est retourné. Indie avait soigneusement attaché nos sacs aux poignées, mais une branche a dû sectionner la corde – encore heureux que ça n'ait pas été le plastique du canot ou même l'une de nous.

Une fois que je suis remontée à bord, nous restons près de la rive. À part le soleil, il n'y a plus personne dans le ciel.

Je pense à ma seconde boussole, échouée au fond de la rivière, comme la pierre qu'elle était avant que Ky ne la transforme.

C'est le soir. Sur le rivage, les roseaux murmurent dans la brise, et sur fond de traînées roses laissées par le soleil couchant, j'aperçois la première étoile, haut dans le ciel pur et clair.

Puis je la vois briller devant moi. Par terre. Non, pas par terre, mais sur l'eau qui s'étend, sombre et lisse, devant nous.

– Ce n'est pas l'océan, affirme Indie.

L'étoile vacille. Quelque chose est passé devant. Soit dans le ciel, soit dans l'eau.

– Pourtant, c'est immense. Qu'est-ce que ça peut bien être ? je demande.

– Un lac.

Un bourdonnement étrange résonne au-dessus de l'eau.

C'est un bateau qui se dirige droit sur nous. Aucune chance de lui échapper. De toute façon, nous sommes tellement fatiguées que nous n'essayons même pas. Nous sommes assises là, affamées, endolories, à la dérive.

– J'espère que c'est le Soulèvement, fait Indie.

– C'est eux, forcément.

Soudain, alors que le bourdonnement se rapproche, elle me prend le bras.

– J'aurais choisi une robe bleue, me confie-t-elle. Je l'aurais regardé droit dans les yeux, qui qu'il soit. Je n'aurais pas eu peur.

– Je sais.

Hochant la tête, elle se retourne pour faire face à ce qui arrive. Elle se tient bien droite. J'imagine la soie bleue – de la même couleur que la robe de ma mère – ondoyant autour d'elle. Je l'imagine au bord de la mer.

Elle est belle.

Il y a de la beauté en chacun de nous. Chez Ky, ce sont ses yeux que j'ai remarqués en premier. Et ils me plaisent encore. Mais quand on aime, on ne cesse de contempler l'autre, encore et encore. On remarque le dos de la main, la courbure de la nuque, la démarche. Au début, on est aveuglé, on voit l'être aimé dans son entier, un tout magnifique ou la somme magnifique de détails non moins magnifiques. Mais ensuite, on détaille celui qu'on aime et on commence à voir des pourquoi : pourquoi il marche comme ci, pourquoi il ferme les yeux comme cela… et on apprend à aimer également ces détails, d'un amour plus subtil et plus complet.

L'autre bateau se rapproche. Je remarque que ceux qui sont à bord portent des combinaisons étanches. Est-ce pour éviter d'être mouillés ou parce qu'ils savent que l'eau est toxique ? Je me recroqueville, les bras autour des genoux, avec l'impression soudaine d'être contaminée. Pourtant, ça ne me brûle pas et nous avons résisté à la tentation de boire à même la rivière.

– Lève les mains en l'air, pour leur montrer que nous ne sommes pas armées, me conseille Indie.

Elle pose sa pagaie sur ses genoux avant de lever les bras

Ça lui ressemble si peu de se mettre dans une telle position de vulnérabilité que j'hésite un instant avant de l'imiter.

Elle prend la parole la première :

– Nous nous sommes enfuies, crie-t-elle. Nous venons vous rejoindre.

Je les étudie dans leurs combinaisons noires. Ils sont neuf. Nous ne sommes que deux. Ils nous fixent également. Ont-ils remarqué nos vestes de la Société, notre canot abîmé, nos mains vides ?

– Qui souhaitez-vous rejoindre ? demande l'un d'eux.

Sans hésiter, Indie répond :

– Le Soulèvement.

CHAPITRE 51
KY

Je cours. Je dors. Je mange un peu. Je bois aussi. Quand ma gourde est vide, je la jette. Ça ne sert à rien de la remplir d'eau toxique.

Je cours, je cours, le long de la rive, à couvert des arbres lorsque c'est possible.

Je cours pour elle. Pour elles. Pour moi.

Le soleil fait étinceler la rivière. La pluie a cessé, l'eau coule à nouveau entre les flaques éparses.

Mon père m'a appris à nager un été où il avait plu plus que de coutume. L'eau avait stagné, transformant les creux de la pierre en mare pendant quelques semaines. Il m'a appris à retenir ma respiration, à faire la planche, à ouvrir les yeux sous l'eau vert-bleu.

Rien à voir avec la piscine d'Oria, toute de ciment blanc, et non de roche rouge. On voyait presque partout le fond, sauf quand on était aveuglé par le soleil. L'eau était lisse, les bords aussi. Bien carrés. Les enfants sautaient du plongeoir. À croire que tout le quartier s'était donné rendez-vous à la piscine ce jour-là. Pourtant c'est Cassia, sur le bord, qui a attiré mon regard.

La manière dont elle était assise, figée. Presque pétrifiée alors que tout le monde courait, criait, nageait. L'espace d'un instant – et pour la première fois depuis que j'étais à Oria –, je me suis senti bien. Calme. Tranquille. En la voyant assise là, quelque chose en moi s'est apaisé.

Lorsqu'elle s'est levée, le dos raide, j'ai senti qu'elle était inquiète. Elle fixait un point où un garçon avait disparu sous l'eau. Je l'ai rejointe vite, vite pour demander :

– Il est en train de se noyer ?

– Je ne sais pas, m'a-t-elle répondu.

Alors j'ai sauté pour aider Xander.

Les produits chimiques me brûlaient les yeux, j'ai dû les fermer. Au début, comme j'avais mal, que je voyais tout rouge sous mes paupières, j'ai cru que je saignais, que je devenais aveugle. J'ai passé la main sur ma joue, mais ce n'était que de l'eau, pas du sang. Honteux d'avoir paniqué pour rien, j'ai lutté contre la douleur, je me suis forcé à rouvrir les yeux pour regarder autour de moi.

Au milieu de cette forêt de corps, de jambes, j'ai arrêté de chercher le garçon qui se noyait. Je n'avais plus qu'une idée en tête...

... il n'y a rien là-dedans.

Je savais que cette piscine était propre, nette, limpide, mais c'était étrange de la voir par en dessous. Dans les flaques d'eau de pluie, il y avait toujours de la vie. De la mousse. Des insectes qui flottaient à la surface. Alors que là, dans le fond, il n'y avait rien d'autre que du ciment.

Oubliant où je me trouvais, j'ai voulu respirer.

Lorsque je suis remonté à la surface en toussant, j'ai su. Elle avait remarqué que j'étais différent. Son regard s'était arrêté sur la cicatrice de ma joue. Pourtant j'avais l'impression qu'elle était un peu comme moi. Elle notait les différences puis décidait ensuite ce qui lui importait ou pas. Elle a ri avec moi et j'ai aimé ce rire qui illuminait son regard vert et lui faisait de petits plis au coin des yeux.

J'étais enfant. Je savais que je l'aimais, mais j'ignorais ce que ça signifiait. Au fil des années, tout a changé. Elle. Moi.

Je décide de cacher les éprouvettes et les documents dans deux endroits différents. Impossible de savoir si les tubes vont se conserver hors de leur vitrine – mais Eli et Cassia me les ont confiés. En cas d'inondation, je les mets en hauteur dans le tronc creux d'un vieux peuplier.

Les documents resteront moins longtemps cachés, je les enterre en marquant l'emplacement d'une pierre que j'ai gravée. Je suis content de mon motif. On dirait les vagues dans la mer. Les remous d'une rivière. Le sable qui ondule

Des écailles de poisson.

Je ferme les yeux une minute en mémoire de ceux qui ont disparu.

Les truites arc-en-ciel scintillent dans le courant. Les grandes herbes dorées bordent la rivière où Vick pensait à son amoureuse. Ses semelles laissent des empreintes dans la boue, intactes, sans entaille.

Le soleil se couche sur un paysage que ma mère trouve beau. Son fils peint à côté d'elle en trempant son doigt dans l'eau. Son mari l'embrasse dans le cou.

Mon père sort d'un canyon. Là-bas, il a rencontré des gens qui récoltent ce qu'ils ont planté et cultivé eux-mêmes. Ils savent écrire. Il veut rapporter tout ça aux gens qu'il aime.

Le lac n'est plus qu'à une centaine de mètres. Je quitte la protection des arbres.

CHAPITRE 52
CASSIA

Après les cadavres du Labyrinthe, les éprouvettes figées de la Caverne, la vue de ce camp fourmillant de vie me fait battre le cœur. Tous ces gens qui vont et viennent. Dans le canyon, j'avais presque l'impression que nous étions les derniers survivants au monde. Tandis que l'autre bateau nous remorque jusqu'à la rive, je jette un coup d'œil à Indie. Elle aussi, elle sourit. Nos cheveux volent au vent, nos pagaies sont posées sur nos genoux.

On a réussi. On y est. Enfin.

– Deux de plus, annonce l'un des hommes à bord du bateau.

Tout à ma joie d'avoir atteint mon but, je regrette cependant qu'il n'ait pas dit trois. Bientôt. Bientôt, Ky nous rejoindra.

En entendant, le plastique crisser sur la grève, je réalise que ce n'est plus « notre » canot. Il appartient au Soulèvement, maintenant.

L'un de ceux qui nous ont remorquées nous tend sa main gantée de noir pour nous aider.

– Vous arrivez juste à temps, nous informe-t-il. Nous sommes sur le départ. La Société nous a localisés. Nous ne sommes plus en sécurité ici.

Ky! Pourvu qu'il n'arrive pas trop tard.

– C'est prévu pour quand? je demande.

– Dès que possible. Suivez-moi.

Il nous conduit à un petit bâtiment en béton au bord de l'eau. La porte en métal est fermée, mais elle s'ouvre aussitôt lorsqu'il frappe.

– Nous en avons trouvé deux sur le lac, dit-il.

Les trois personnes assises devant une table couverte de cartes et de miniports se lèvent, repoussant avec fracas leurs vieilles chaises de la Société. Ils sont en tenue de jour verte, le visage masqué. On voit juste leurs yeux.

– Vous êtes passées par la rivière? nous questionne une Officière.

Nous acquiesçons.

– Alors emmenez-les d'abord en sas de décontamination, ordonne-t-elle.

Puis elle nous sourit avant d'ajouter:

– Bienvenue au Soulèvement.

Lorsque nous ressortons du petit bâtiment, les trois femmes nous suivent du regard. Il y en a deux aux yeux marron, une aux yeux bleus. Elles ont des cernes. Parce qu'elles travaillent trop? À la fois pour la Société et pour le Soulèvement?

Elles vont vouloir me classifier, mais je peux leur rendre la pareille.

Après un lavage en règle, une jeune femme nous fait un prélèvement au creux du bras pour vérifier que nous ne sommes pas contaminées.

– Pas de problème, nous rassure-t-elle. Heureusement pour vous, la pluie a dilué le poison.

Tandis qu'elle nous fait traverser le camp, j'essaie d'engranger un maximum d'informations au passage, mais je ne vois rien à part de nombreuses constructions en béton, des petites tentes et un immense hangar qui doit abriter quelque chose de gigantesque.

Nous entrons dans un autre bloc de béton. Une rangée de portes identiques nous fait face. La jeune femme en ouvre deux en disant à Indie :

– Toi ici. Et toi là, ajoute-t-elle à mon attention.

Ils nous séparent. Nous étions tellement concentrées sur un seul but – survivre – que nous n'avons même pas préparé ce que nous allions dire.

Le dilemme du prisonnier. C'est comme ça qu'ils dépistent les menteurs, qu'ils savent qui dit vrai. J'aurais dû me douter que le Soulèvement avait également recours à ces méthodes.

Pas le temps d'échanger un mot. Indie me regarde en m'adressant un petit sourire. Je me rappelle qu'elle m'a aidée à cacher les comprimés à bord du dirigeable. Nous avons bien trompé notre monde cette fois-là. Il n'y a pas de raison pour que nous ne puissions pas recommencer. Je lui rends son sourire.

J'espère juste que nous sommes d'accord sur les choses qui doivent être passées sous silence.

— Votre nom complet, s'il vous plaît, me demande un homme d'une voix sympathique.

— Cassia Maria Reyes.

Rien. Pas le moindre tressaillement. Il n'a pas l'air de reconnaître le nom de grand-père ou du Pilote. Je m'y attendais, mais je suis quand même un peu déçue.

— Statut dans la Société ?

Décider vite ce que je dois révéler ou pas.

— Citoyenne, pour autant que je sache.

— Comment êtes-vous arrivée dans les Provinces lointaines ?

Je vais laisser grand-père et ses poèmes hors de tout ça. Les Archivistes également.

— J'ai été envoyée ici par erreur. Un Officier du camp de travail m'a ordonné de monter à bord du dirigeable avec les autres, il a refusé d'entendre que j'étais une Citoyenne.

— Et ensuite ? insiste-t-il.

— Nous nous sommes enfuis dans le Labyrinthe. Un garçon nous accompagnait mais il est mort.

J'avale ma salive.

— Nous avons découvert une communauté abandonnée.

— Qu'avez-vous fait là-bas ?

– Nous avons trouvé un bateau. Et une carte. Je l'ai décodée, c'est comme ça que nous avons pu vous localiser.

– Comment avez-vous connu le Soulèvement ?

– Dans un poème. Puis ensuite dans la communauté.

– Y avait-il quelqu'un d'autre avec vous quand vous avez quitté le Labyrinthe ?

Les questions se succèdent trop vite, je n'ai pas le temps de réfléchir. Vaut-il mieux leur parler de Ky ou non ? Il a dû remarquer ma légère hésitation, je préfère être honnête car je m'apprête à mentir sur autre chose.

– Un garçon, dis-je. Qui venait également des villages. Comme nous ne tenions pas tous dans le canot, il est venu à pied.

– Son nom ?

– Ky.

– Le nom de votre amie, celle qui est arrivée avec vous ?

– Indie.

– Leur nom de famille ?

– Je ne les connais pas.

C'est vrai pour Indie et partiellement vrai pour Ky. J'ignore quel nom il portait lorsqu'il vivait ici.

– Avez-vous trouvé des indices vous permettant de savoir où sont partis les gens de la communauté ?

– Non.

– Qu'est-ce qui vous a décidée à rejoindre le Soulèvement ?

– Après ce que j'ai vu, je ne crois plus en la Société.

– Ça suffit pour le moment, me dit-il gentiment tout en

refermant le miniport. Nous consulterons les données de la Société pour déterminer où vous affecter.

Je m'étonne :

– Vous avez accès aux fichiers de la Société ? D'ici ?

Il sourit.

– Oui, bien que nos interprétations diffèrent, les informations qu'ils recueillent sont souvent utiles. Veuillez patienter ici, s'il vous plaît.

Cette pièce en béton, aux murs nus, me rappelle la Caverne. Là-bas, tout portait la marque de la Société : les éprouvettes, l'organisation, les portes camouflées. Même la faille, le passage secret de Hunter, était typique de la Société. D'autres détails me reviennent : la poussière dans les coins. Une petite diode bleue éteinte qui n'avait pas été remplacée. La Société commencerait-elle à être dépassée par tout ce qu'elle essaie de contrôler et de garder en main ?

J'imagine cette main qui lâche, tire, coupe un câble et le Soulèvement qui arrive pour le reprendre.

Finalement, la Société a décidé que ça ne valait pas la peine de me garder. Mon Officielle a estimé que j'étais un cobaye distrayant : elle m'a laissée recracher le comprimé rouge pour voir ce que j'allais faire. Simple curiosité de sa part. Alors que je croyais intéresser la Société parce que j'étais spéciale. Finalement, je n'étais qu'une excellente opératrice de classement, une expérience qu'on pouvait interrompre à n'importe quel moment parce que, de toute façon, elle finirait comme ils l'avaient prédit.

Et ici, que vont-ils penser de moi? Le Soulèvement va-t-il interpréter différemment ces informations? Sans doute. Ils en savent plus, de toute façon. Ils sont au courant que je me suis enfuie dans le Labyrinthe, que j'ai remonté cette rivière pour les rejoindre. Que j'ai pris beaucoup de risques. J'ai changé. Je le sens, je le sais.

La porte s'ouvre.

– Cassia, nous avons étudié votre dossier.

– Oui?

Où vont-ils m'envoyer?

– Nous avons décidé que vous seriez plus utile au mouvement de l'intérieur de la Société.

CHAPITRE 53
KY

– Votre nom complet, s'il vous plaît.

Lequel ? Je réponds :

– Ky Markham.

– Statut dans la Société ?

– Aberration.

– Comment avez-vous connu le Soulèvement ?

– Mon père en a fait partie il y a longtemps.

– Comment nous avez-vous trouvés ?

– Grâce à une carte que nous avons découverte dans le Labyrinthe.

J'espère que je donne les mêmes réponses qu'elles. Comme toujours, nous avons manqué de temps. Mais je me fie à mon instinct. Et au sien.

– Y avait-il d'autres personnes avec vous à part les deux filles qui sont arrivées en bateau ?

– Non.

Ça, c'est facile. Je suis sûr que Cassia ne mentionnera

pas Hunter ni Eli – même si elle fait toute confiance au Soulèvement.

L'homme se cale dans sa chaise avant de poursuivre d'une voix neutre :

– Bien. Maintenant, Ky Markham, racontez-moi pourquoi vous nous avez rejoints...

Une fois que j'ai fini, il me remercie et me laisse seul un petit moment. Quand il revient, il reste sur le seuil de la porte.

– Ky Markham ?

– Oui ?

– Félicitations. Vous avez été affecté comme pilote de dirigeable dans la Province de Camas. Vous allez être très utile au mouvement.

– Merci.

– Vous partez en train, tard ce soir, précise-t-il en ouvrant la porte. En attendant, vous pouvez aller manger et vous reposer avec les autres dans le réfectoire.

Il désigne l'une des plus grandes tentes.

– Ce camp nous permet d'accueillir les réfugiés, comme vous. D'ailleurs l'une des filles qui sont arrivées un peu avant vous doit encore être là.

Je le remercie à nouveau avant de filer au réfectoire. C'est la première personne que je vois lorsque je soulève un pan de la tente.

Indie.

Je ne suis pas surpris. Je m'y attendais. Mon cœur se serre néanmoins. J'espérais revoir Cassia. Ici. Ce soir.

Mais je vais la revoir.

Indie est assise à une table. Dès qu'elle m'aperçoit, elle me fait une place sur le banc à côté d'elle. En passant, j'entends les autres discuter de leur affectation tout en mangeant. Il y a quelques filles, parmi une majorité de garçons. Tous jeunes et en tenue de jour noire. Il faut faire la queue à l'autre bout de la tente pour se servir, mais je veux d'abord parler à Indie. Je m'assieds à côté d'elle pour lui poser tout de suite la question qui me brûle les lèvres :

— Où est Cassia ?

— Ils l'ont renvoyée dans la Société, m'informe-t-elle. À Central. Comme Xander.

Elle pique un morceau de viande avec sa fourchette.

— Elle ne connaît pas encore son secret, n'est-ce pas ?

— Elle le saura bientôt, il va le lui dire.

— Je m'en doute.

— Comment est-elle allée là-bas ? je demande.

— En dirigeable. Ils l'ont envoyée dans un camp de travail où un membre du mouvement infiltre des gens à bord du train longue distance pour leur faire réintégrer la Société. Elle doit être arrivée à Central, à l'heure qu'il est.

Elle se penche vers moi.

— Elle va bien s'en tirer. Ils ont consulté son dossier. La Société ne l'avait pas encore déclassée.

Je hoche la tête. Cassia a dû être déçue. Elle voulait rester au sein du Soulèvement, je le sais.

— Ça a été, pour venir jusqu'ici ? me demande Indie.

– C'était long. Et par la rivière, c'était comment ?

– Toxique, répond-elle.

Je laisse échapper un petit rire, soulagé d'apprendre que Cassia va bien de la bouche de quelqu'un en qui – malgré tout – j'ai confiance.

Indie m'imite.

– On a réussi, dis-je. On est tous sains et saufs.

– On est tombées à l'eau, mais visiblement ça va quand même.

– Grâce à la pluie.

– Et parce que je suis un excellent pilote.

– Ils vont remarquer tes qualités, Indie. Tu leur seras précieuse. Sois prudente.

Elle acquiesce.

– J'ai le pressentiment que tu vas encore t'enfuir...

– Je risque de te surprendre, dit-elle.

– Ce ne serait pas la première fois. Tu as été affectée à quoi ?

– Ils ne me l'ont pas encore dit, mais on part ce soir. Et toi, où vas-tu ?

– À Camas.

Si on me l'avait demandé, c'est Camas que j'aurais choisi. La Province d'origine de Vick. Je pourrai peut-être obtenir des nouvelles de Laney.

– D'après mes données, paraît-il que je ferai également un bon pilote...

Indie écarquille les yeux.

– ... de dirigeable, je précise. Rien de plus.

Elle me dévisage un instant.

– Oui, reprend-elle d'un ton un peu taquin, c'est à la portée de n'importe qui de piloter un dirigeable. Il suffit de l'orienter dans la bonne direction et d'appuyer sur un bouton. Rien à voir avec descendre une rivière en canot. Même un gamin comme Eli…

Elle s'interrompt, reprenant brusquement son sérieux, et pose sa fourchette.

Je prends sa main dans la mienne en avouant à voix basse :

– Il me manque aussi.

– Je n'ai pas parlé de lui. Ni de Hunter, dit-elle.

– Moi non plus.

Je me relève. J'ai faim et il me reste une autre mission à accomplir.

– Tu sais quand tu pars, ce soir ?

Elle secoue la tête.

– J'essaierai de repasser te voir.

– Cassia ne voulait pas partir d'ici sans avoir pu te dire au revoir, tu sais, me confie-t-elle.

J'acquiesce.

– Elle m'a demandé de te dire que vous vous retrouveriez. Et qu'elle t'aime.

– Merci, Indie.

Je m'attends à ce que la Société fasse irruption au-dessus du lac à tout instant mais, pour le moment, je ne vois rien. J'ai beau savoir que ce n'est pas ce qu'elle voulait, je ne peux pas m'empêcher d'être soulagé que Cassia ne soit pas au cœur du Soulèvement.

Pour se fondre dans la masse, ici, il faut prendre l'air pressé et affairé. Les uns se préparent à monter à bord d'un dirigeable, les autres plient leurs tentes. Inutile de baisser les yeux. Je salue tous ceux que je croise d'un petit signe du menton.

Cependant, je ne peux pas montrer ce que je ressens tout au fond de moi. Alors, même lorsque la nuit tombe et que je n'ai pas encore trouvé ce que je cherche, je ne laisse pas paraître mon angoisse.

C'est là que, enfin, je crois repérer la bonne personne.

Cassia n'aime pas classer les gens. Moi, je suis doué et j'ai peur de finir par trop aimer ça. C'est un don que j'ai hérité de mon père. Un don qui peut très vite se changer en handicap.

De toute façon, je dois prendre le risque si je veux que Cassia ait des documents à troquer dans la Société. Elle peut en avoir besoin.

– Bonsoir, dis-je.

L'homme n'a pas encore préparé ses affaires. Il doit rester jusqu'au bout, mais n'est pas assez haut placé dans la hiérarchie pour devoir assister aux réunions tard le soir avec ceux qui décident. Quelqu'un qui sait se montrer utile mais pas indispensable ; compétent, mais pas excellent. Un rôle idéal pour quelqu'un qui est ou a été un Archiviste.

– Bonsoir, répond-il d'un ton neutre et poli.

– J'aimerais en savoir plus sur la Glorieuse Histoire du Soulèvement.

Il cache bien sa surprise, mais pas assez vite. Il est malin. Il a compris.

– Je ne suis plus un Archiviste. Je suis avec le Soulèvement. Je ne fais plus de troc.

– Si, bien sûr que si.

Il ne peut pas résister.

– Qu'est-ce que vous avez à échanger ? demande-t-il en jetant un regard discret autour de lui.

– Des documents que j'ai sortis du Labyrinthe.

Une lueur brille dans ses yeux.

– Ils ne sont pas loin d'ici. Je vous dirai comment les trouver, puis vous les ferez parvenir à une fille nommée Cassia Reye, qui vient d'être envoyée à Central.

– Et ma commission ?

– Vous pourrez prendre celui que vous voudrez.

Aucun Archiviste ne peut résister à une telle proposition.

– Vous choisirez. Mais je sais précisément quels documents il y avait et, si vous en prenez plus d'un, je l'apprendrai et je vous dénoncerai au Soulèvement.

– Les Archivistes sont honnêtes en affaires. C'est notre code d'honneur.

– Je sais, dis-je, mais vous venez de me dire que vous n'étiez plus Archiviste.

Il sourit.

– C'est quelque chose qui ne vous quitte jamais.

Cette discussion m'a mis en retard. Je n'ai pas le temps de passer dire au revoir à Indie. Son dirigeable décolle tandis que le soleil jette ses derniers rayons. Je remarque alors qu'il est abîmé, brûlé par en dessous. Comme s'il avait essayé de se poser à un endroit où il n'était pas le bienvenu et qu'il s'était fait tirer dessus. Les armes des appâts n'auraient pas pu laisser ce genre de marques.

J'ai bien l'impression que j'ai devant moi l'un des dirigeables que les Fermiers ont tenté d'abattre.

Je questionne le gars qui est à côté de moi :

– Qu'est-ce qui lui est arrivé ?

– Je ne sais pas. Il est sorti un soir, il y a deux ou trois jours, et il est revenu comme ça.

Il hausse les épaules.

– Tu es nouveau ? Tu verras vite qu'on ne t'en dit jamais plus que tu n'es censé savoir pour accomplir ta tâche, par mesure de sécurité, au cas où tu te ferais prendre.

C'est vrai. Et même si j'ai vu juste à propos de ce dirigeable, ça s'est peut-être passé autrement. Les Fermiers ont peut-être cru avoir affaire à la Société alors que le Soulèvement venait les aider.

Ou pas.

Le seul moyen d'avoir des réponses à mes questions, c'est d'infiltrer le mouvement.

L'Archiviste vient me retrouver quelques heures plus tard. Je m'écarte du groupe pour discuter avec lui.

– C'est confirmé. Elle est bien à Central. Je vais effectuer la transaction immédiatement, m'assure-t-il.

– Parfait.

Elle est saine et sauve. Ils ont dit qu'ils la réinséraient là-bas et ça a marché. Un point pour le Soulèvement.

– Vous avez rencontré des difficultés ?

– Pas du tout, fait-il en me tendant ma pierre gravée d'écailles. Ça m'a semblé dommage de laisser ça dans la forêt, même si je sais que vous ne pouvez pas l'emporter.

Comme la Société, le Soulèvement interdit de posséder des effets personnels inutiles.

– Du beau travail, commente-t-il.

– Merci.

– Peu de gens savent tracer des lettres de cette façon, remarque-t-il.

– Quelles lettres ?

Soudain, je comprends ce qu'il veut dire. J'avais cru graver des vagues, des ondulations ou des écailles. En fait, on dirait des C, répétés à l'infini. Je pose la pierre par terre pour indiquer que nous sommes passés par ici tous les deux.

– Vous avez déjà transmis ce savoir-faire à quelqu'un ? me demande-t-il.

– À une seule personne.

CHAPITRE 54
CASSIA

Le printemps arrive. La glace commence à fondre sur les bords du lac de Central. Parfois, lorsque je vais au travail à pied, par-dessus la balustrade de la station d'aérotrain, je regarde l'eau grise, les buissons rouges sur le rivage, au loin. J'aime m'arrêter là. Le vent qui dessine des rides à la surface du lac et fait bruisser les branchages me rappelle qu'avant de revenir dans la Société j'ai traversé des rivières et des canyons.

Mais je ne viens pas seulement pour le paysage. L'Archiviste avec qui je fais affaire envoie quelqu'un pour voir combien de temps je reste sur le quai. C'est ce qui lui permet de savoir si j'accepte les termes du marché ou pas. Si j'attends l'arrivée du train – dans quelques secondes –, ça veut dire que je suis d'accord. Dans les mois passés, les Archivistes ont appris à me connaître comme une personne qui ne troque pas souvent mais possède des articles de valeur à échanger.

Je tourne le dos au lac pour faire face à la ville, avec ses bâtiments blancs entre lesquels se faufilent des flots de gens en tenue sombre. Ça me rappelle également le Labyrinthe et aussi ce jour, à Oria, où j'avais vu un schéma du corps humain, avec ses rivières de sang et ses gros os blancs.

Juste avant que le prochain train n'entre en gare, je m'engouffre dans les escaliers.

Le prix qu'ils m'ont proposé est trop bas. Je n'accepte pas. Pas encore.

Je ne savais pas que j'avais ça en moi.

Je ne savais pas tout ce qu'il avait en lui, non plus. Je pensais le connaître, mais les gens sont tortueux et profonds, comme des rivières. Ils gardent leur forme tout en se laissant creuser par le temps, comme la pierre.

Il m'a envoyé un message. C'est délicat, mais il est au sein du Soulèvement et il a déjà accompli l'impossible. Le message m'indiquait où le retrouver. Je vais aller le voir après le travail.

Ce soir. Je vais le voir ce soir.

Le gel dessine un motif compliqué sur le mur en béton, au pied des escaliers. On dirait que quelqu'un a peint des étoiles ou des fleurs pile au bon moment, capturant la beauté éphémère d'un instant qui disparaîtra trop vite.

REMERCIEMENTS

Ce livre n'aurait pas existé sans la gentillesse et le soutien de :
Scott, mon mari, et nos trois merveilleux fils (Cal, E et True) ;

mes parents, Robert et Arlene Braithwaite ; mon frère, Nic ; mes sœurs, Elaine et Hope ; et ma grand-mère Alice Todd Braithwaite ;

mes cousines, Caitlin Jolley, Lizzie Jolley, Andrea Hatch, et ma tante Elaine Jolley ;

mes amis lecteurs et auteurs Ann Dee Ellis, Josie Lee, Lisa Mangum, Rob Wells, Becca Wilhite, Brook Andreoli, Emily Dunford, Jana Hay, Lindsay et Justin Hepworth, Brooke Hoopes, Kayla Nelson, Abby Parcell, Libby Parr et Heather Smith ;

Jodi Reamer et la fantastique équipe de la Writers House (« maison des auteurs ») – Alec Shane, Cecilia de la Campa et Chelsey Heller ;

Julie Strauss-Gabel et la formidable bande de Dutton/Penguin – Theresa Evangelista, Anna Jarzab, Liza Kaplan, Rosanne Lauer, Casey McIntyre, Shanta Newlin, Irene Vandervoort et Don Weisberg ;

ainsi que tous mes lecteurs, évidemment.

ALLY CONDIE

L'auteur de la trilogie *Promise* est née
et a grandi dans le sud de l'Utah, une très belle
région qui l'a inspirée pour le décor d'*Insoumise*.
Avant de devenir auteur à plein temps,
elle a enseigné l'anglais dans différents lycées
de l'Utah et de l'État de New York.
Elle vit avec son mari et leurs trois enfants non loin de Salt Lake
City, dans l'Utah.
Retrouvez-la sur son site Internet : www.allycondie.com

PROMISE
Ally Condie

Dans la Société, les Officiels décident.
Qui vous aimez.
Où vous travaillez.
Quand vous mourez.

« *Les fans de* Twilight *deviendront des fans de* Promise. »
LE FIGARO LITTÉRAIRE

« *Cassia se révolte, et nous aussi : on veut la suite immédiatement !* » SCIENCE & VIE JUNIOR

« *Totalement fascinant. À lire de toute urgence !* »
Melissa Maur, auteur de *Ne jamais tomber amoureuse.*

CASSIA ET KY
SERONT-ILS
RÉUNIS ?

Ne manquez pas l'incroyable
dénouement de leur histoire
en **avril 2013.**

Le papier de cet ouvrage
est composé de fibres naturelles,
renouvelables, recyclables
et fabriquées à partir de bois
provenant de forêts plantées et cultivées
expressément pour la fabrication
de pâte à papier.

Loi n° 49-956 du 16 juillet 1949
sur les publications destinées à la jeunesse
PAO : Françoise Pham
Imprimé en France par CPI Firmin-Didot
Dépôt légal : janvier 2013
Premier dépôt légal : mars 2012
N° d'édition : 252166
N° d'impression : 116294
ISBN : 978-2-07-063 440-8